U0103228

參考工作與參考資料

——英文一般性參考工具書指南

美國丹佛大學 教育學博士
圖書館學碩士

國立臺灣大學 教授

世界新聞傳播學院 教授

沈寶環編著

臺灣 學 生 書 局 印行

有關我國公共圖書館
參考工作的幾點建議 （代序）

一、參考工作的重要

在公共圖書館運作之中，參考工作一直是讀者服務的主力。遠在 1924年，任勒（William S. Learned）在美國的公共圖書館和知識的傳播（The American Public Librbry and the Diffusion of Knowledge）一書中就大力鼓吹「圖書館應該是社會正確，有益資訊中心」的思想。❶ 圖書館事業重「變」，由「變」而「動」，這是圖書館學能夠成為一種科學，圖書館事業能夠生存的原因。但是「千變」「萬變」不離其宗，有關圖書館功能的基本哲學，始終屹立不搖。威廉士（Patrick Williams）在1988年，也就是在任勒的著作發表之後六十四年，出版了美國公共圖書館的宗旨問題（The American Public Library and the Problem of Purpose）。這部書的主旨是討論美國公共圖書館在歷史上的演變，其中第七章即以將資訊供應與人民（Information for the People）為章回名稱。❷ 威廉士並沒有提到任勒，但是在理論上卻顯

---

❶ Learend, William S., *The American Public Library and the Diffusion of Knowledge* （New York：Harcourt, Brace Co., 1924.）

❷ Williams, Patrick, *The American Public Library and the Problem of Pvrpose* （New York: Greenwood Press, 1988), PP.99-126.

露出互相呼應，一脈相傳的水乳關係。

　　「將資訊供應與人民」是現代化公共圖書館的神聖使命，而這個千斤重擔則背負在參考館員的身上。史帝芬斯（Rolland E. Stevens）指稱：「參考工作是圖書館服務的脊骨，也是判斷公共圖書館是否提供社會有價值、貢獻的關鍵所在」。❸菲力浦（Rose B. Phelps）的觀點更為具體。她指出：在「變」的大環境中，至少有三種情勢是永遠「不變」的：

- ● 讀者求知，尋求資訊的心態。
- ● 圖書館的豐富資源永遠存在。
- ● 圖書館參考館員必需具備的學識和技能。❹

　　菲力浦的三點簡單說明，含義深遠，也為圖書館的資訊服務描繪出了一個鮮明的輪廓，同時更解答了下列三大問題：

- ● 圖書館為甚麼要積極推動參考服務？（Why）——讀者問題
- ● 圖書館憑甚麼來因應參考服務？　　（What）——資源問題
- ● 圖書館怎樣才能有效的執行參考服務？（How）——館員問題

　　在近代社會中，很不幸的現象是個人（絕大多數的個人）沒有將他的資訊需求和圖書館的資源以及專業能力結合（Link）起來。極具盛名的（美國）公共圖書館調查（Public Library Inquiry）就很沈痛的指出，由於個人的無知，加上對於圖書館的功能缺乏認識，公共圖書

---

❸ Stevens, Rolland E. and Jone M. Walton, *Referene Work in the Public Library*. (Littleton, CoLo.: Libraries Unlimited, 1983), P.15.

❹ 沈寶環，「圖書館事業何去何從？」書香季刊創刊號（民國78年6月30日），頁 5。

館參考部門幾乎是門可羅雀，少人問津的服務單位。❺

1.　個人怎樣取得資訊

柏特勒（Pierce Bulter）提出四個常用方法❻：

(1)　自己摸索（Investigation）

一生不求人只靠自己以取得所有資訊的時代已經過去了。引用柏特勒的話，他說：「從一無所知開始，強逼自己在有生之年，檢索每一件資訊，希望憑藉個人苦學搖身一變成爲大學問家是絕不可能的」。❼因此，「懸樑刺股」，「映雪囊螢」在歷史上是美談，在現在卻像神話。寫到此處，我必需聲明我對於先賢並沒有絲毫冒瀆不敬之意，雖然我並不苟同蘇秦、司馬光的Ｋ書方法，他們求知的精神卻是值得欽佩的。但是在資訊時代，想以「愚公移山」的毅力，「事必躬親」的態度從頭做起，以取得資訊，從事研究，我覺得有值得商榷的地方。因爲這種做法最好的結果是「事倍功半」。而常見的現象是「大海撈針」、「盲人摸象」，最後埋沒在「汗牛充棟」的圖書資料之中。

(2)　繼續教育（Education）

個人在扮演「千里獨行俠」希望取得資訊碰壁之後，就會想到重

---

❺　Leigh, Robert D, *The Public Library in the United States* （New York: Columbia Press, 1950), p.96.

❻　Butler, Pierce. *Survey of the Reference Field in Reference Services.* Selected by Authur Ray Knowland, （Hamden, Conn.: The Shoe String Press, 1964), pp.55-57.

❼　同前註，P.53.

回學校選修課程或者在短期專科研習班「充電」，這是一件可喜的現象。多數圖書館學專家都會採取原則讚許，部份保留的態度。大牌圖書館學者薛爾斯（Louis Shores）在參考就是學習（Reference Becomes Learning）一文中指出：「我們每年知識成長率是幾何級數的，想知道所有的事不僅是不可能而且也是不必要的。我們真希望教育能夠培養下一代使他們有能力檢索任何資訊」。❽薛爾斯本人就是名教育家，曾經擔任佛羅里達州立大學圖書館學研究院院長多年，他口中所說的「希望」只是「希望」而已，他的本意在於強調參考服務的功能。因為他緊接著說「針對這個目標（指檢索任何資訊）參考就是學習，參考確實是學習的重心。」

　　大教育家何以對自己的本行——教育缺乏信心？這並非教育之過，因為資訊的需求隨著時間演變，資訊爆破使得目錄性控制越來越不可能，當然更談不上知識的掌握。學生走出學校大門之日，也就是知識開始落伍之時，教育有它的功能，但不在於迎刃解決資訊檢索的問題。我贊同薛爾斯的觀點，我們的「希望」是一致的，但是這個「希望」可能落空。

　　(3)　交換情報（Communication）

　　個人取得資訊的另一個方法，就是交換情報（按 Information 的譯名頗多，我國過去用「消息」字樣，現在譯名為「資訊」，大陸圖書館界則譯為「情報」。Communication 一字的譯名為「通訊」）。國人

---

❽　Shores, Louis. *Reference Becomes Learning: The Fourth R. in Reference Serices.* Selected by Authur Ray Knowland, (Hamden, Conn., 1964), P.236.

的習慣在需求資訊時詢問親友、同事、師長，而不去利用圖書館。國外也有類似現象。羅斯庭（Samuel Rothstein）聲稱：「很少人會想到利用圖書館以取得資訊，在一般市民眼光之中圖書館不過是一棟文化建築（Cultural Monument）罷了，它的功能只是擺擺樣子而已」。❾個人對於圖書館陌生，而學校課程設計只能應付他們資訊所需的極小部份，❿ 他們只好互相交換情報。加之社會大眾媒體的盛行，人們仰賴報紙、電視、廣播、廣告文件的情形日漸加深，但是這些資訊雖然快速，卻有正確性的問題。史帝芬斯對於這一點極為堅持，他指出「快速必需要與正確連在一起」。⓫快速與正確誠然重要，但是個人最關心的乃是這種資訊是否就是他所需要的資訊。

(4) 請教專家（Consultation）

個人取得資訊的第四個方法是請教專家，這也是四種方法中比較合理的一種。例如健康問題請教醫生，建築居屋請教建築師，法律問題請教律師，都是極為普遍的做法。除此以外，個人碰到其他問題則無從處理，因為：

● 個人接觸面有限，不知道若干行業有那些專家
  （圖書館有資料）

● 詢問專家多半需要費用
  （圖書館可以免費提供資訊）

❾ Rothstein, Samuel. *Reference Service: The New Dimension in Librarianship.* In Reference Services. Selected by Authur Ray Knowland,(Hamden, Conn., 1964), P.38.

❿ Butler, op. cit., P.56.

⓫ Steven. op. cit., P.20.

- 若干熱門，或容易引起爭論的問題（controversial issues）不
  便請教，例如政爭、財經等問題。

  （圖書可以公正的提出不同意見）

- 若干諮詢對象，不能提供正確而完整的資訊。

  例如旅行社只能提供最基本的旅遊資料。

  （圖書館可以提供完整、正確的資料）

2. 圖書館怎樣幫助讀者取得資訊

個人為了取得資訊在運用上述四種方法時，大多沒有一定的軌跡
可循。他可能只採用四種方法之中一種，如圖 a ，也可能四種方法同
時進行，如圖 b 。

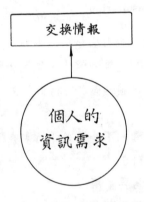

圖 a

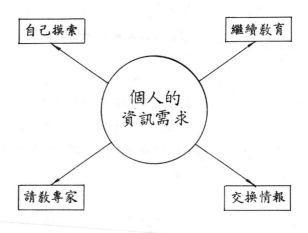

圖 b

根據前述，極少數的個人，在採取四種方法取得資訊時也會遵守某種秩序，如圖 c 。

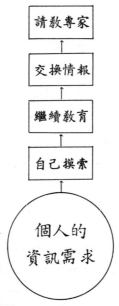

圖 c

　　前面所謂「個人」都不是圖書館的讀者，在 a、b、c 三圖之中，只有 c 圖中所指的個人，比較有可能被圖書館爭取成為讀者。英文名詞稱為 Prospective Reader，中文我勉強譯為「期望讀者」。圖書館是將知識資源組織起來以供讀者使用的社教機構，c 圖個人「鍥而不捨」「循序漸進」的行為，顯示出和圖書館運作原理極為接近的「性向」（Aptitude）。公共圖書館最為人詬病之處就是很難擴充讀者群，因此如何吸引「期望讀者」成為實際的讀者，將讀者群膨脹成為讀者族是我圖書館界必需深入研究的課題。

　　我說圖 c 中個人行為所反映出來的性向接近圖書館運行的原理並不是完全沒有根據。試看公共圖書館參考工作的簡略流程，如圖 d（見 p. IX），就會發現二者之間追求資訊的步驟有近似之處，只是秩序有所變動而已。

(1)　接近讀者（Consultation）

　　公共圖書館參考服務一定要能配合社會民眾的需求，這點史帝芬斯曾在其著作公共圖書館的參考工作一書中再三強調，他說「圖書館參考館員應該『未雨綢繆』儘早了解他所服務的社會，隨時注意可能遭遇到的參考問題」。⑫史帝芬斯所講的只是應有的準備，至於如何接近讀者，從面談中體會讀者所提出問題的本意，李斯（Alan M. Rees）進一步的以流程圖說明參考步驟的運作。⑬如圖 e（見 p. X ）。

---

⑫　同上註，P. 15.

⑬　Linderman, Wilfred B. ed. *The Present Status and Future Prospects of Reference/Information Service* (Chicago: A.L.A., 1967), P. 58.

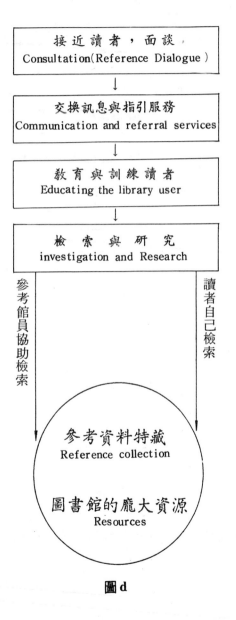

圖d

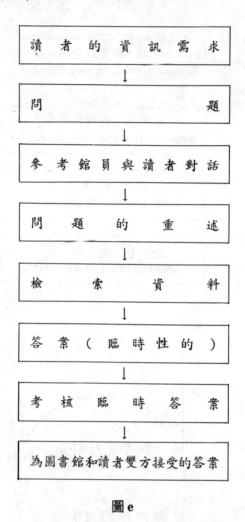

圖 e

圖 e 在美國圖書館協會出版品中刊載，因此可以說代表了 A.L.
A. 的意見。

(2)　交換訊息（Communication）

Communication 的本意是通訊和傳播，我在聽！仔細的聽！ 一文曾經指出現代圖書館的關鍵字是一個「通」字：❹

資訊與資訊之間要「通」

館員與資訊之間要「通」

館員與讀者之間要「通」

讀者與資訊之間要「通」

現代社會資訊爆破，任何一所圖書館都不能在資源上自給自足，我用交換訊息字樣實有深意。我認為圖書館在參考服務的全程中不僅要繼續的與讀者交換訊息（或情報），圖書館與圖書館間也要積極溝通，密切連繫以達到利用資源共享，彼此支援參考服務的目的。

(3)　教育讀者（Educating the User）

如何教育讀者，是公共圖書館讀者服務的重點之一。我的母校丹佛大學在1973年曾經召開一次國際會議評鑑圖書館的讀者教育工作，並將大會論文編輯成為專書。這部著作盛名卓著，內容包羅萬千，是專業館員必讀的文獻，此書的書名就是教育讀者（Educating the Library User）。❺前述的羅斯庭以圖書為例解說參考館員應該如何推動讀者教育，他指出三項步驟：

● 教導讀者如何利用圖書館及圖書資源

---

❹　沈寶環，圖書館學與圖書館事業，（台北；台灣學生書局，民國77年），頁 24.

❺　Lubans, John, *Educeting the Library User* (New York: R. R. Bower Co., 1974).

- 指導讀者選擇圖書
- 輔導讀者從圖書資源之中找到他所需要的資訊。⓰

　　教育讀者並不是輕鬆的工作，指引讀者到卡片櫃，和在排列索引的書桌前教導他們字順排列方法都是無關宏旨的小事，嚴格的說算不得「圖書館技術」（Library Know-how）。羅斯庭說「提供人口數字或確切日期，讓參考館員試試看」，⓱姑且不考慮教育讀者的難、易和得失。安蘭（Marian M. Allen）指稱「許多人都不喜歡依賴旁人，如果能夠教會他們自己動手，他們會由衷的感謝」，僅此一點，就值得推動讀者教育工作。

(4)　檢索與研究（Investigation and Research）

　　圖書館學在傳統上就是以「問題」為中心（problem-oriented）的科學。布夏（Charles H. Busha）與哈特（Stephen P. Harter）在合著的一本重要著作圖書館學的研究方法（Research Methods in Librarianship）中指出：圖書館員有一種傾向，他們將注意的焦點放在「真實世界」（real world）上，而很少留心理論的發展。舉例來說，在現在發表的文獻中，有關資訊檢索和儲存的文章都只是討論若干當前流行資訊系統的得失，而從來看不到和這些近代科技有關的哲學和理論的研究」。他頗為憤慨的說「科學不應該和事實報告混淆」。⓲我雖然在大體上同意這兩位同行的評語，但我仍然要提出我個人的觀點。多年以來我始終堅持圖書館學是偏重「行動」的科學，由「動」而「變」

⓰　Rothstein, op. cit., PP. 37-38.

⓱　Linderman, op. cit., P. 38.

⓲　Busha, Charles M. and Stephen P. Harter, *Research Methods in Librarianship* (New York: Academic Press, 1980), P. 4.

所遭遇的當然是「眞實世界」。以台北市立圖書館參考問題選粹爲例，其中絕大多數內容都是事實問題（Factual Information），如果讀者關心的是硬綳綳的事實，我們有無必要躲在象牙之塔上大談虛無縹緲的理論呢？我是贊成圖書館應該要建立理論體系的，不過參考工作是以因應讀者需求爲服務目標的，而讀者永遠是對的。

二、怎樣做好參考服務？

參考工作是公共圖書館讀者服務的第一線，參考工作是否做得得心應手，關係到公共圖書館的信譽和成敗。我敢大膽的斷言，一所良好的公共圖書館一定會有一個傑出的參考部門，充實的參考特藏和優秀的參考專業館員。「充實」和「優秀」是因，「傑出」是果。

所謂參考工作並不限於只是解答讀者疑難問題而已，柏特勒很清楚的告訴參考館員：「解答問題只是在參考室內進行的許多運作中的一種活動」（One of the many activities）。[19] 圖書館事業的基礎是建立在讀者、館員、資源三大因素的和諧關係之上，參考服務是圖書館的主要部份，豈能例外！茲就這三方面略加討論。

1. 參考特藏

(1) 採購計劃第一優先

館藏規劃是近代圖書館事業的熱門項目，自80年代以來，參考資料的出現好像「雨後春筍」，圖書館參考部門既無經濟能力也沒有這

---

[19]　Butler, op. cit., P.60.

種必要來照單全收。湯默士（Diana M. Thomas）以詢問的口氣說:「參考室中收藏有這一本參考書而沒有另外一種資料，我們將怎樣對讀者解釋？」❷因此她力主參考室不僅要有一套計劃，而且要見諸文字，把黑字寫在白紙上，列舉採購原則，排列優先秩序，同時更澄清目標。這樣做來，參考專業館員，尤其新就職的同仁，能夠體會自己的單位書藏和母體圖書館全館資源的關係，更爲參考服務指出了一個正確的方向。她所提出的若干意見都是金玉良言，參考館員不妨抽空閱讀她和另外兩位女學人（都是加州大學教授）合寫的「有效率的參考館員」一書，必有所得。

(2) 參考資料的類型

　　參考資料的種類繁多，毋庸贅述，若干學人爲了便於處理，將參考資料分組爲兩大類型：

- 爲了解答日常問題而貯存的一般性資料（Common Information）

　　　　是要經常維持和不斷充實的參考工具書。例如連續性出版品，圖書館採購部門通常以固定長期訂購（standing order）檔來管理，但是參考館員必需隨時注意假使在參考書架上美國統計摘要（Statistical Abstract of the United States）祇收藏到1985年爲止，或是收集到1990年而中間缺少1985，1987兩卷，使用者不會埋怨採編單位，首當其衝的是參考館員。

---

❷ Thomas, Diana M., Ann T. Hinckey and Elizabeth R. Eisenbac, *The Effective Reference Librarian* (New York: Academic Press, 1981), P.28.

● 為了因應特殊需求而準備的專科資料（Specific Information）麥瑞（Florence B. Murray）認為參考服務受到治學方法轉變的影響最顯著的現象是學術研究越來越專門化，她言外之意認為，在資訊社會裡想再找一個「上知天文，下知地理，無所不通，無所不曉」，「走路的百科全書」是不可能的，她說：今日的學術界人士不再存有達到滿腹經綸掌握天下群籍的念頭了。「他只在小的角落研究以『精』易『博』」。❷這類參考資料需要更迭，補充和加強。如何做到恰到好處，參考館員的書本知識隨時受到考驗。

(3)　參考資料的數量

公共圖書館的參考資料究竟應該有多少數量才算夠用，殊無定論。到目前為止，我還沒有看到有關此一問題的文獻。在我們國家裡，公共圖書館所藏參考資料以印製品的工具書為主，據我所知台北市立圖書館總館諮詢服務組（即參考組）的參考工具書數量如下：

● 中文參考書　　　32,000 冊
● 西文參考書　　　 2,000 冊

我手頭沒有國外公共圖書館參考書藏的數字，而且中外國情不同，強行比較不僅有欠公允，而且沒有意義，但從若干參考書指南之類書目中可以給我們帶來若干啓示。例如：

● 美國圖書館學會編中小型圖書館參考書推薦書目（Reference

---

❷　Murray, Florence B. *Reference and Cataloging in the Last Quarter Century*, in Reference Service, Selected by Arthur Ray Rowland (Hamden, Conn : The Shoe String Press, 1964), PP. 24-25.

Books for Small and Medium-Sized Libraries.)㉒

- 參考書　　　1,046 種
- 1870-1980 最佳參考書（Best Reference Books 1970-1980）㉓

參考書　　　920 種

- 參考服務：解題參考書目補篇 1976-1982（Reference Service: Annotated Bibliographic Guide，Supplement 1976-1982 ）㉔

- 參考書　　　1,668 種

從上列三種書目我們所得到的啓示是：

- 卷册（Volume）不等於種（title）。
- 所謂「推薦」「最佳」「補篇」只是參考書的一部份。
- 中小型圖書館的體積限制了參考書的數量。

因此我建議我們的圖書館三點：

① 應該將數量計算方式由「卷册」改爲「種」。

② 積極加強西文參考工具書的數量。

③ 進行清點（Inventory）和淘汰（Weeding）工作，保持書架上新穎青春的朝氣。

(4) 參考工具書的排列與組織

㉒ American Library Association. *Reference Books for Small and Medium-Sized Libraries*（Chicago: A.L.A., 1979.）

㉓ Holte, Susan *Best Reference Books 1970-1980*（Littleton, Colo.: Libraries Unlimited, 1981.）

㉔ Murfin, M. Jorie and Lubomyr R. Wynar ed. *Reference Service*: Annotated Bibliographic Guide, Supplement 1976-1982 （Littleton, Colo.: Libraries Unlimited, 1983).

　　參考工具書在書架上的排列與組織以便取得資訊爲目的，因此與流通書籍（circulating book）的排列與組織方法不同。流通書籍依主題分類便利使用者在萬千書籍中找到某一册特定的書，參考工具書的運用主要的是要在某一種書或多種資源之中找到資訊。因此在參考室的工具書必須先依圖書的「形式」（Form）再依照「主題」（Subject）組織與排列。杜遜（Stanley D. Truelson Jr.）在討論參考特藏的組織時指稱：依照形式安排然後根據主題細分參考特藏永遠比先依主題組織，再以形式細分來得有用。㉕他更主張參考資料要集中，因爲如果分散會減低檢索效率。關於參考工具書的組織與架上排列工作，我對我們的圖書館祇有一個建議：

● 如果將來增設學科部門（Subject Departments）千萬不可將參考工具書拆散，這種做法是違背圖書館學原則的。

(5)　**參考問題的事後處理**

　　解答參考問題是參考服務的主要責任，記得我在丹佛市立公共圖書館（D.P.L.）服務的時候，每一工作天在總參考室值班兩小時（因爲工作負荷太重，館方規定專業館員每天值班時間不得超過兩小時，兩人同時值班，過於忙碌時，還有不排固定工作站（Floating）的專業館員支援）。在解答問題之後必須抽空塡寫參考問題記錄單（Reference Question Sheet）註明問題內容，解答所用資料，指引單位（Refer to）以及備註（讀者是否滿意，資料是否合用）。記錄單上必須

㉕　Truelson, Stanley D. JR. *The Totally Organized Reference Collection.* in Reference Service. Selected by Arthur Ray Rowlland. (Hamden, Conn., 1964), P.97-98.

簽名並記下時間,每天下班後記錄單就送請單位主管(一定是資深、
專業人員)審核。圖書館上午九時開門,同仁八時到館參加會報,檢
討參考問題解答的得失,並將問題隨後建檔,以節省解答相同問題的
時間。凱茲(William A. Katz)將參考問題分爲四類: ❷⁶

- 指引性問題　　(Direction)
- 快速參考問題(Ready Reference)
- 特殊檢索　　　(Specific Search)
- 研究工作　　　(Research)

　　羅奇爾(Cariton Rochell)引用康乃爾大學(Cornell University)圖
書館的設計,不僅將參考問題分類並且提出需用時間和資源: ❷⁷

- 資訊和指引問題(Informational and Directional Questions)
- 參考問題(Reference Questions)
  在十五分鐘內解答,運用兩種或兩種以上資料。
- 檢索問題(Search Questions)
  需用十五分鐘至一小時時間,運用三種或更多種資料。
- 困難問題(Problem Questions)
  需用一小時以上時間。
- 目錄性問題(Bibliography Questions)
  需用時間至少一小時。

我個人的建議有以下幾點:

- 我國各型圖書館(公共圖書館也包括在內)的參考服務還是

---

❷⁶　Katz, William A. *Introduction to Reference Work* V. I. (New
　　York:McGraw-Hill, 1982), P.11-14.

❷⁷　Rochell, Carlton *Practical administration of Public Libraries.*
　　(New York: Harper and Row, 1981), P.179.

停留在以印製品，尤其是圖書爲主要資源的階段（ Print Oriented ），參考服務自動化也許不能一蹴可躋，但是若干有能力和人力的主要圖書館不妨先引進唯讀性光碟（ CD ROM）或者多採用非書資料。

● 以圖書爲主的現象，可能短期內不可能擺脫，圖書內容錯誤難免，毛錫（ Fredric J. Mosher ）建議參考館員要多查詢幾種工具書，才能對讀者問題提出答案，㉘以確保正確。

● 若干參考館員，求好心切，惟恐出錯，羅斯庭稱爲「懼錯症」（ errorophobia ）。㉙有了這心理病態的專業館員，只敢運用他有把握的幾種工具書，使諮詢工作受到妨害而不自覺。我們的參考工作和參考工具書密不可分，因此主持參考服務的負責人必需要預防和留心這種現象。

● 圖書館是爲讀者設立的，因此要盡各種可能了解讀者，我們的習慣是將答案交給提出問題的讀者，就算功德圓滿，至於讀者如何運用他從參考館員那裡取得的答案很少人過問，我們是否應該相機舉行「讀者調查」（ User Study），這不一定是諮詢服務組有能力或應該做的事，但是爲了服務，參考館員不妨促成這件有意義的工作。

● 讓讀者和資訊結合起來，是圖書館最高目標，教育讀者是以「兩相情願」爲前提不可勉強。我們爲讀者服務是天經地義的事，而省掉讀者的時間比省掉我們自己的時間更有價值。㉚

● 一個好的圖書館，一定有良好的參考服務。這句話大家都懂。

㉘　Mosher, Fredric J. A. Sermon *For Beginning Reference Librarians in References Services*. Selected by Author Ray Rowland. (Hamden, Conn.: The Shoe Srring Press, 1964),P.230.

㉙　Rothstein, op. cit., P.40.

㉚　同前註，P.40.

● 有怎樣的參考館員，就會出現怎樣的讀者，這句話的意思請
　讀這篇文字的參考館員多想想。

説　明

1.　本書的使用對象爲：

  (1)　研究工作者。

  (2)　研究所學生。

  (3)　一般大學生。

  (4)　國外留學生。

  (5)　圖書館專業工作人員。

  (6)　從事國際貿易的工商界人士。

  (7)　出國旅遊者。

  (8)　自我教育的知識份子。

2.　本書中所收集的資料以美國出版的普通參考書爲主。

3.　本書中所介紹的參考資料都經過詳細選擇（Highly selective）。

  (1)　無學術價值的科目都不在本書資料收集範圍之內。

    例如：填字遊戲、高爾夫球賽、集郵等科目。

  (2)　目前無適當資料的學科，暫不列入。

    例如：太空科學。

  (3)　參考書資料以新穎為主，此一原則尤其適用於科技有關之資料。

  (4)　文法學科則保存若干必要的標準參考書，不受資料新穎的限制。

4.　本書中的短評（annotation），爲各種權威書評及專家意見的綜合，而非一家之言的翻譯。

5.　本書中各款目（entry）常不僅介紹一種參考書，而是列舉二、三
　　種參考書予以比較性（comparative）的說明。

6.　本書中各學科及各類參考性排列不嚴格的遵守字順次序（alpha-
　　betical arrangement）。

　　(1)　若干類別，如百科全書、字典，則依照優劣，以為品評的次
　　　　序。

　　(2)　若干學科之中，則儘可能將相同性質的參考書集中（grouping）。

　　(3)　找尋某一本參考書可利用書名索引。

7.　本書中所介紹的學報、摘要、年鑑索引等連續出版品的出版日
　　期，大部份為初版日期。

8.　本書收集資料最新穎者為 1993 年 6 月以前的出版品。

參考工作與參考資料
（英文一般性參考工具書指南）

目　　次

第九章　目錄性參考資料

第一章　參考服務與參考資料
Reference Services and Reference Materials

一、參考工作的性質

何謂參考服務？據筆者業師魏雅爾博士（Dr.James I. Wyer）在其所著參考工作（Reference Work）一書中所作的解釋，參考工作是：

> 圖書館工作的一個部門，其職掌是在讀者利用圖書館書籍資料resources時予以支援assistance。

魏雅爾博士曾擔任美國圖書館協會教育委員會主席多年，此書又為美國圖書館協會出版品，因此，此一界說頗有影響力，幾已成為早年圖書館參考工作同仁的座右銘。

然而，時代是進步的，幾十年前的解釋，早已不能適應今日的需要，赫琴斯（Margaret Hutchins）指出，此一解釋「太狹窄」（too narrow），因為近代圖書館員常運用自己圖書館以外，他館所收藏的圖書資料來幫助讀者。此一解釋同時「太鬆弛」（too broad），因為所有圖書工作人員都在直接或間接的支援讀者，並不限於負責參考工作者（見參考工作導論第十頁 Introduction to Reference Work. Chicago：A.L.A.）。

現在，為大眾所接受的解釋是美國圖書館協會術語名詞字典（A.L.A. Glossary）中所作的定義：

> 參考工作是圖書館工作中直接員責（directly concerned with）輔導讀者尋取材料（securing information），及利用圖書館書籍資料（resources）以從事研究工作的一種任務。

基於以上定義，圖書館參考工作實際上牽涉到下列三種錯綜的關係：

1. 「人」與「人」間的關係

圖書參考工作人員（以下簡稱館員），必需與提出參考問題的讀者（以下簡稱讀者），保持一種良好友善的關係，如此，才能展開參考工作。

赫琴斯（Hutchins）論及館員與讀者需「面談」的技術時（the art of interviewing），稱「館員要能做到不等開口講話即能表示出一種期待和友好鼓勵的態度」（expectency and friendly encouragement without saying a word）。

所以如此者，乃在於建立讀者對館員的信任心，才能盡其所言的表達參考問題，館員對於問題愈領會，則更有助於問題的解答。

瞭解讀者為圖書館工作極重要的一個項目，薛爾斯（Shores）甚至提出「研究提出問題的讀者」（study of clientele）為參考工作主要步驟之一。

因此，館員必需具備適度的心理學基礎。

2. 「人」與「物」的關係

館員必需能掌握參考室中的環境以及貯藏的參考書籍和資料始能發揮工作效能，為達到此一目的，參考部門應留心：

(1) 佈置設備是否合適。

近代圖書館事業強調人體工學（Ergonomics），此一名詞狹義的解釋指工作環境與工作人員的關係，在實際運用時，這種關係也自然的延伸到讀者身上。

(2)　參考書籍的完整程度，如何補充，選擇及運用。

　　　　但是館員應有一種心理準備——圖書館資源自給自足的時代已經過去。

(3)　積極建立館際合作關係，在若干圖書館之間互通有無（Resources Sharing）。

(4)　圖書館事業已進入電子時代，資訊科學與圖書館學合而爲一，館員必需具備若干運用機械設備的能力。

　　　　所謂參考服務應該是下列四種學問的整合：

①　圖書館學

②　資訊科學

③　心理學

④　人體工學 ❶

3. 「物」與「物」間的關係

將參考問題與蘊藏答案的參考書籍配合起來，爲參考工作的關鍵所在，因此，採取下列步驟：

(1)　確定讀者需要（ascertaining the readers needs），是「面談」後的結果。

(2)　將問題分類（classification of question），一方面便於在參考室中找尋資料，同時可以「會」（refer to）專科資料的單位（subject department）或其他圖書館。

(3)　利用書本知識，將問題與同一程度（level）的參考書「配合」

---

❶　請參閱 Elain Cohen and Aaron Cohen. Automation, Space Management and Productivity. New York: R. R. Bowker, 1981.

（match）至取得以爲滿意的答案資料爲止。

二、參考服務的程度

所謂「滿意」牽涉到參考服務應該到甚麼程度的問題，圖書館參
參服務可以分爲三類：

1. 保守性的服務（Conservatives）

對讀者的參考服務有一定限度：

(1) 基於時間因素，館員服務對象爲多數人，不能爲了幫助少數
讀者花費太多時間。

(2) 站在教育立場，參考服務適可而止，館員尤其不可替學生做
指定作業。

(3) 若干有關法律及經濟利益的問題，館員不可陷入太深，（例
如買賣股票，預立遺囑等）。

(4) 指導讀者找尋資料，但對內容實質（validity）不置可否。

由於上述限度，此一類型服務也稱最低限度服務（Minimum Ser-
vice）。

2. 開放性的服務（liberals）

對讀者的參考服務採取「盡其可能，不厭其詳」的立場：

(1) 參考館員不以能提出資料，解答問題爲滿足，並且對答案的
的實質是否正確負責。

(2) 搜集的資料是完整而澈底的。

(3) 館員必需具備高度的學術修養及目錄學的訓練。

(4)　此項服務的成敗完全仰賴館員的耐心，同情心及工作熱忱。

此項服務另一名稱爲最大限度服務（Maximum Service）。

3. 「中庸之道」的服務（moderates）

處於上述兩項極端（two extremes）之間的參考服務，又名爲中間路線的服務（Middling Service）。魏雅爾博士（James I. Wyer）認爲參考服務通常祇採取兩種路線：

教導式的方法（instructional approach）

資訊式的方法（information approach）

教導式是保守的，資訊式則是開放的。他覺得兩者應該調和，因此偏向中間路線使參考服務做到恰到好處。

達到 Wyer 的理想並不簡單，因爲：

(1)　採取此項服務必需視讀者個案情況而定，館員應有高度的判斷力。

(2)　服務程度有極大伸縮，時間長短祇由館員個人決定，因此牽涉到館員學識修養和服務道德標準（Ethic Code）的問題。

若干圖書館學者專家對於此項評論頗多。羅斯坦（Rothstein）甚至將此項服務更改名稱爲「亂七八糟」的服務（muddle）❷。

三、參考對話（Reference Dialogue）

如何掌握讀者提出的問題是參考服務成敗的關鍵。

---

❷　Rothstein, S' Reference service: the new dimension in librarianship. College and research libraries 22(1) January 1961, pp.11-18.

　　在現代化圖書館中讀者有所疑難而提出的詢問，無論是口頭的表達或是見諸畫面文字都稱爲「諮詢」（query），參考館員爲進一步瞭解讀者諮詢的內容而提出的問話則稱爲「問題」（questions）。

　　換言之，參考服務不僅是讀者發問，館員回答的行爲，而是經由讀者，館員雙方交談以後，館員採取行動的整個過程。這種溝通意見的交談就是「參考對話」。法瑞克（Vavrek）爲參考引用的公式如下：
❸

$$\overset{x}{A \rightarrow B}$$

A 代表提出「諮詢」（Query）的讀者

B 代表接受「信息」（Message）的館員

x 代表信息（次數或多或少不定）

筆者認爲此一公式應修正爲：

$$\overset{x}{A \rightleftarrows B}$$

A 代表原來提出諮詢的讀者

B 代表接受信息，提出問題請教讀者的館員

x 代表對話 Dialogue.

1. 諮詢（Query）的內涵

　　讀者提出每一諮詢都至少包括兩種組合體（components）：

　　(1)　提供資料 Information "Given".

---

❸　Vavrek, Bernard. The Nature of Reference Librarianship. RQ Spring, 1974. pp.213-214.

(2)　需要資料 Information "Wanted".

例：誰是哥倫比亞大學校長？

(1)　提供資料　哥倫比亞大學

(2)　需要資料　校長姓名

　　提出此種研究的傑合達（Johoda）與巴那基（Braunagel）更將絕大部份讀者可能提出 Most givens and wanteds 編組成爲索引式名詞（indexing terms），稱爲形容名詞（descriptors）如下：

縮寫字 Abbreviation

　　例：在論文寫作時 op. cit. 代表甚麼？

組織 Organization

　　例：五角大廈在甚麼地方？

人物 Person

　　例：雷根的老家是美國那一州？

地名 Place

　　例：吉達在那裏？

名詞及學科 Term or subject

　　例：我希望得到現代英國文學的資料？

出版品 Specific publication

　　例：圖書館有沒有老人與海？

日期 Date

　　例：中華民國行憲紀念日是那一天？

圖片 Illustration

　　例：我想看看 Mona Lisa 的畫像？

數字資料 Numeric information

　　例：臺北到西雅圖空中距離有多少？

2. 諮詢資料的登記與管理

將資料交與讀者，並詢問是否即爲所需要的資料，至此即爲此一問題解答的考核階段 (appraisal)，通常各圖書館都準備有一種參考問題登記單 (Reference question sheet)，其中包括下列項目：

(1) 問題本身。就館員記憶所及，記錄下來，祇求意義符合。

(2) 解答資料。館員處理問題所用資料、書籍的紀錄。

(3) 聯繫單位。曾「會」那一專科部門或其他圖書館。

(4) 資料是否滿意。

(5) 建議事項。

此一問題單經館員簽名後，每月彙交參考部門主管查核，其主要作用在於研究：

(1) 問題解答是否正確。

(2) 是否尚有其他參考書可以運用。

(3) 參考書是否完整夠用。

(4) 應該聯繫那一專科部份。

(5) 改進參考工作的根據。

四、參考資料的種類
(Types of Reference Sources)

參考資料可以分爲三種不同的類型：

1. 專爲參考目的 (reference purposes) 而編製的「參考書」

參考資料自有其獨具一格的體型 (physical make-up)，因爲格局形

態都與普通書籍有很顯著的不同，僅由外表（appearance alone），即可立刻辨識（identify）以任何種文字編寫而成的參考書。

參考資料的編製設計是以備查詢（to be consulted）為目的，絕大多數的參考資料都不適宜作從頭至尾（to read straight through）的閱讀。我們引用「絕大多數」字樣而不用「全體」或「所有」之類的字樣，是因為已有若干例外，例如幾種極傑出的「少年百科全書」就是以令兒童、少年閱讀不忍釋手的筆調編寫而成的。

2. 具有參考價值的普通書籍

普通書籍的寫作，主要目的是供連續性的閱讀（consecutive reading），但其中偶爾也有具備參考價值的作品。所謂「參考價值」（reference value），指具備下列兩種條件：

(1) 書中附有有用的參考資料（reference information），這些資料必須是簡明性的（concise）和凝結性的（cohesive），不是拖泥帶水的看到長篇大論的文章以取得概念。

(2) 這些參考資料必須是容易找到的，因此書中應有完善的目次表或精確的索引。

3. 非書資料（non-book materials）

非書資料中，富於參考價值者極多，值得我們注意。

(1) 非書資料大都由原始資料（primary sources）編製而成，因此資料的眞實性、權威性（authoritative），幾乎是不容置疑的。

(2) 非書資料，出版迅速，因此資料特別新穎。

(3) 由於(1)、(2)兩項特徵，利用非書資料的機會大為增加，使用次數及人數的統計，都顯示一種直線的上昇。

(4) 非書資料的種類衆多，如衆所週知的期刊、學報、小册子、影片、唱片、顯微影片、顯微卡片、圖畫等等，近年又增加若干複製品（reproductions），陣容日益加強，參考價值也隨着時間的前進而提高。

五、使用參考資料的困難

一般錯誤的觀念，以爲某一種參考問題，一定可以從某一類參考書中找到答案，因此解決參考問題，不過是走向書架取下一本參考書的舉手之勞而已！

誠然部份的參考問題解答甚爲簡單，也有一定的參考書可以供給答案。例如美國現任國防部長（Les Aspin）的傳記，則至少有五種以上的參考書供給或多或少的資料。最普通的，也常常是首先想到的參考書是美國名人傳（Who's Who in America），如果此書正爲其他讀者使用，稍有書本知識的圖書館員，會建議使用美國國會指南（Official Congressional Directory），如果以爲所有參考問題都會從一種參考書中取得現成的答案，那就大錯而特錯了。假定上述問題如果內容改爲——亞士萍對於美國政府 MX missiles 飛彈增置計劃所採取的立場爲何？則不容易從某一部參考書中，找到完整和已經準備好的答案。

我曾經問過一位在參考室有多年經驗的圖書館專業館員對使用參考書有甚麼感想，他說：

廣博而取捨困難，零散而收集不易。

這種情形，在參考工作中經常遭遇，我們固不必過於樂觀，也沒有氣沮的理由，我們必需心平氣和的承認下列幾種事實。

1. 每人的需要（individual needs）不同，因爲研究工作不同，提出的

參考問題也跟着不同，期待的答案和資料也不一樣。而參考祇是為解決某一類（type）問題而編製的，不以解答某一特別（one particular）問題爲目的，因此就適應「個人需要」而論，甚少可能找到一部十全十美（perfect）的參考書或資料。

2. 個人的需要可能是過於專門的，或特別的，因此甚難找到有志同道合，興趣一致的同路人（interest in a subject shared by so few）。換言之，需要同樣參考資料的讀者鳳毛麟角，出版此類參考資料機會不多，尋找資料困難重重，這是鑽牛角尖的自然現象，不足爲怪。

3. 個人的需要往往是特別新穎的資料，因此常常跑到參考資料出版時間的前面（running ahead of publishing schedule），有時大眾的需要突然變爲熱門，而使參考書出版事業措手不及無法供應。在一九五〇年代的初期，筆者曾目睹美國民間突發的養鸚鵡（parakeet）狂，其狂熱程度較之臺灣過去若干年的養鳥尚有過之。因此圖書館所有論及鳥類書籍全部出籠，當時最標準的參考書爲北美洲的鳥類（Birds of North America），因此變成不停使用的熱門參考書籍，那時還沒有出版 A New Dictionary of Birds. (Sir A.L. Thomson 編輯 McGrawHill, 1965）這樣的好參考書。

4. 基於若干理由，如國家安全，軍事機密，資料不足，研究尚未告一段落之類的原因，若干學科（field），始終找不出像樣的參考書籍和資料（covered inadequately）。筆者曾與一位對太空「飛碟」有高度研究興趣的讀者多次面談（interview），此一位美國朋友所能運用的資料不過是他自己苦心收集的各種報紙剪輯（clippings）和 Keyhoe 少校所寫的兩部暢銷書「飛碟是眞的」(The Flying Saucers are Real）和「來自太空的飛碟」(Flying Saucers From Outer

Space)，而這兩部他視若生命，隨身攜帶的書，並非我們所謂的
參考資料。

5. 參考資料本身也非毫無瑕疵，若干參考書的書名常常誤導讀者，
例如 Encyclopedia of Associations 明明是指南， Civil War Diction-
ary 在實質上應該稱為專科性百科全書。 Funk of Wagnalls New
Encyclopedia 則經常改名換姓，讓圖書館員頭痛萬分，有的參考資
料業已毫無疑問的落伍了，而書名仍然擺着一個「新」（new）字
招搖，這種過失是可以原諒的，因為在數十年前它原來是「新」
的出版品，這種情況，尤以字典為然。曾有一位圖書館界工作同
仁稱，「我幾乎已下了一個結論，凡是參考資料書名加上一個
『新』字字樣的，其中資料必然是舊的」。這種半開玩笑似的議
論，雖有幾分真理，究屬略帶偏激。

6. 參考書中常有若干「人為的錯誤」（human failings），編輯者為了
文字的通順，變動文字，而時常造成與原義相反，或面貌全非的
現象。理想的參考書應該由「直接收集的資料」(primary sources)
編輯而成，但這是不可能的，愈是體積龐大的參考書（如百科全
書）愈仰賴「間接資料」（secondary sources），甚至「間接更間
接」的資料，幾度轉手的資料，自易於發生錯誤，其他如印刷，
抄寫所發生的遺漏、筆誤、排版錯誤，更不用提了。

7. 參考資料中的資料有時發生所謂「如何解釋」（subject to inter-
pretation）的問題，例如日本投降的時間，有的參考資料中記為
Sep. 2 1945，也有的記為 Sep. 3 1945，實際上兩個日期都是正確的，
在美國為九月二日，在東京灣則為九月三日。

六、怎樣選擇參考資料

據墨菲 Murphey 報導美國圖書出版公司每年所出版新參考資料在 300 種以上，僅百科全書一項的銷售量，即佔美國全國圖書銷售總額（ all book sales ）百分之二十，墨菲的估計並未將各種學會組織出版品、政府出版品包括在內，如果加上其他國家，不同文字的參考資料，則當可得到一個驚人的數字。

因為參考書籍名目繁多，圖書館參考室中的參考資料，已達到汗牛充棟的情況，加以前述選用時所發生的困難，如何選擇、使用，已成為專家、學者及一般使用者，最關懷的一個課題。

選用參考資料應注意事項如下：

1. 資料的範圍（scope of coverage ）

(1) 同類型（ same general type ）的參考書，無論在範圍上（ scope ）或細節上（ detail ）並不包含同份量（ same amount ）的資料。

　　最好的例子是字典中的大字典（ unabridged ）和簡編字典（ abridged ）的差異，無論在「單字」數量上，和關於每一「單字」款目中所附的資料繁簡都不一樣。這也是圖書館具備幾套不同的百科全書的原因。

(2) 資料範圍的寬度與資料內容的深度，不成正比。資料範圍愈有限制（ limited ），其所收集的資料愈易於趨向精確（ specific ）因此普通性參考書範圍較廣（ broad ），提供資料多半是一般性的或是粗枝大葉的（ general information ），甚少涉及細節。專科參考書先天上即受學科限制，所收集的資料是專門的，

或是深入的，偏重細節（detail）的討論。

在使用參考資料時應首先考慮所覓取資料的程度(level)，究屬普通性的還是專門性的，然後將所作的決定與參考書的性質配合（match），是普通性的問題，則查詢普通參考書，是專門性的問題，則查詢專科性參考書。

2. 資料的正確

使用參考資料的讀者，必然希望對於資料是否具有權威性(authority)一層有幾分把握（relatively certain），習用幾個方法爲：

(1) 審查編者的資格（qualifications）

所謂「資格」指編著者的學經歷及著作而言。一二人的作品除利用書中自行報導外，還可檢查各種傳記資料，較多人數所編輯的參考資料中有時列出執筆人資歷表，可以稍加瀏覽，而將注意力集中於主編人選。

(2) 執筆者（contributors）的責任

若干大部份參考資料，如百科全書之類，聘用專家學者分別撰寫他所專長的科目，這些經專家執筆的文字，有經專家簽名者（signed），表示對內容負責，權威性自是無疑的，也有由編輯人員執筆而由學者專家擔負名義者，稱爲 authenticated。這種經專家審核認可的文字與專家親自執筆的文字，當然有些區別，尚有逕由編輯人員包辦而不請教專家的作品更是等而下之的了。

(3)　出版商的信譽（reputation）

　　西文出版品多年來即講求分工，某一出版商以出版某一類書籍爲其專長已是衆所週知的事實，因此也建立了信用。例如威爾遜公司（H.W. Wilson Co.）所出版的各種索引，Rand McNally Co.的出版地圖，甚至參考資料中資深望重者也比比皆是，如大英百科全書，是使用百科全書者首先索取的一套百科全書。但這一種審查標準近年來已逐漸失掉聲勢，例如韋氏（Webster）幾乎與字典有不可分離的關係，使用字典者對於任何一種韋氏字典都有無窮的信心，但最近專家的考核並不是如此。（見「字典」一章）最優秀字典中已沒有韋氏的地位，因此這一標準至少已部份的動搖了，甚至推翻了。

(4)　抽樣（sampling）比較

　　比較公平而客觀的方法是將同類型兩種參考資料中抽查相同款目的內容，此一抽查的款目（entry），最好是使用者自己最有把握的款目，如自己專長的學科，自己有研究的項目，自己生長或長期住留的城市等，以決定兩種資料的優劣、詳略、完整。爲求得到公正的結論，抽樣必需是大量的（large sampling），換言之，要多選出幾個款目比較，才不致於產生偏見。

　　有時也不必利用同類參考資料比較，可以將欲審查的參考資料中抽取統計資料與專門統計參考資料比較，傳記部份與專門傳記參考資料比較，某年時事與年鑑比較，都可能幫助建立一種印象。

3. 資料的新穎（timeliness）

書籍的編製，不待出版即已落伍，此一現象主要由於兩個理由：

(1) 科學的不斷進步。

(2) 世界政局的經常變動。

就前者而言，至今還沒有出版一部夠標準的太空科學參考書，將來自然一定有富有權威性的太空科學參考資料，但在目前，沒有任何一家出版商敢於嘗試，其原因在於參考書編輯費時，完成之日也即是報廢之日。更以化學工藝百科全書（Encyclopedia of Chemical Technology）為例，第一版15卷，第一卷於1947年出版，第15卷於十年後出版，第二版22卷，於1963年開始出版第一卷，1971年全部完成，換言之此一套書的第一版第一卷與末卷新穎程度相差十年，第二版前後兩卷新穎程度相差也在八年以上。

就後者而言，非洲國家風起雲湧，不僅影響到聯合國，而且幾乎使幾家地圖製作公司關門歇業。一個頗為有趣的參考書編製故事是1947-1948年間幾種大百科全書的修訂，正在付印期間，忽然巴基斯坦與印度分開而成為兩個獨立國，那時版已製就，無法變動，出版商頗有進退維谷的感覺，但不久以色列獨立，出版者乃將巴勒斯坦（Palestine）款目削短，剔除以色列資料，以容納巴基斯坦（Pakistan）（一個新款目），更將印度（India）款目中巴基斯坦歷史剔除以騰出空間與以色列（Israel）（另一新款目），因此渡過了危機，但這種編製的好運（lucky break）是不多見的。

為了保持資料的新穎，參考資料出版者都採取修正辦法，一種辦法稱為「全盤修正」（complete revison），在理論上，一本經過全盤修正的書籍即等於一個「新版」（new edition）在實際上，則要看修正認

眞到什麼程度。另一種方法稱爲「經常修正」（continuous revision），是隨時發現需要增訂補充刪改的時候，隨即修正。

查核修正工作是否理想，可以用下列辦法：

(1)　先查出參考資料中聲明採用的修正辦法。

(2)　將舊版與新版比較。

(3)　抽樣應不僅在顯明的所在（obvious spots），還要注意若干易於忽略部份（obscure subjects）。

(4)　所謂修正本有新陳代謝的意思，刪除落伍的資料而換進新穎的資料，但也有時必需增加新資料而又無舊資料可以刪除，以便騰出地位，此時編輯人員必需作一選擇，究竟是以加入新資料（insertion of the new），還是保存重要的舊資料（retention of the old），此也爲審查時應該注意的一點。

另一應該指出的看法是參考資料固然以新穎爲主要條件，但不一定所有新版都強於舊版，以大英百科全書爲例，其第九版及第十一版的學術價值（甚至市價），都在現版和許多其他新百科全書之上。

4.　資料的精密和確定程度（preciseness of information）

參考資料中資料提供方式不一，大體上因編製目的和使用對象而不同。

(1)　爲少年與兒童所編製的參考資料，傾向於「避免冷冰冰的事實」（avoidance of cold facts），例如牛津少年百科全書(The Oxford Junior Encyclopaedia)中，地理款目都不登載統計數字，其他若干參考資料則僅供給整數數字（round figures），不用零數，以免少年讀者見而生畏，而影響到使用興趣。

(2)　對於成人所運用的參考書，其趨勢則爲提供準確和精密的數

字和統計資料。

5. 資料運用的便利（usability）

所謂「便利」指「便於尋找」（easy to find data）資料和「便於瞭解」（easy to understand what you find）所找到的資料。

參考資料的編製的形態，幾乎全部是「非自然的組合」（artificially contrived），其式樣多半是武斷的（arbitrary pattern），款目與款目間很少保持一種和諧和有意義的關係，這是參考資料和普通書籍最大的區別。普通書籍的組織，依章回分，段落分明，起承轉合前後呼應，都是和諧的，而且含有連貫的意義，因此尋找部位是方便的，如果有語文和學科的知識，瞭解資料更不成爲嚴重的問題。

(1) 參考資料的組織

爲了找尋資料的方便，必須澈底瞭解參考資料的主要組成部份。

① 部首（forematter）

部首是參考書中最重要但最不受注意的部份，此一部份通常有一篇導論（introduction）文字，說明編製宗旨和編製經過，此一部份最大功用是能表示出來此一參考書的特徵線索（clue to peculiarities）。部首中的書名頁（title page），則供給編著者、書名、出版地點時間、出版者和版次的資料。

② 款目（entry）

參考資料中款目乃單字、名詞或片語組成，代表人

名、地名或事物名稱。

③ 字順排列（alphabetical arrangement）

　　大約有四分之三以上的參考書，都是遵照某種字順次序排列的，經常使用的字順有兩種：

　　一爲依「字母的字順排列制度」（letter by letter system)，在此一制度之中單字與單字間的間隔(space)，是不計算的（ignored）。

例如：American

　　　　Americana

　　　　American art

　　　　Americanization

　　　　American Legion

　　　　American sculpture

　　另一種爲「單字字順排列制度」（word by word system)，此一制度以個別單字爲主，碰見間隔即停頓下來。

例如：American

　　　　American art

　　　　American Legion

　　　　American sculpture

　　　　Americana

　　　　Americanization

　　上面所舉兩個例子均爲一組同樣的六個款目，請注意因爲字順制度不同而造成的不同順序。

④　互見（cross references）

　　「互見」編製目的是讓使用者找到：

㈠　他所尋找的資料。

㈡　將書中所有關於一個科目的資料串連起來，儘管這些資料包含在不同的款目（entry）之下，散佈在書籍中不同的處所。

　　「互見」可以分爲兩種：

一爲「外部的」（external cross reference），在編目術語中稱爲「見」（see）。

　　　「見」是由不用的款目指引讀者到用的款目而設立的，不用的款目下面沒有資料，但爲考慮到讀者可能想到這個標題而設立的款目。

　　例如　白宮（White House）

　　　　　見（see）

　　　　華盛頓（Washington D.C.）

　　　表示參考資料中「白宮」款目下沒有準備資料，需要有關「白宮」資料者，祇有在「華盛頓」款目中尋找。

一爲「內部的」（internal cross reference），在編目術語中稱爲「又見」（see also）。

　　　「又見」是由一個有用的款目指引讀者到另一有用的款目。所以稱爲「內部的」，因爲既可放在款目中間或附設於款目之後。其設立的目的，是讓讀者找到更多的資料和與原來讀者找尋的資料有關

連的科目（related subject）。

例如：**白宮**（White House）

　　又見（see also）

　　　華盛頓（Washington D.C.）

「白宮」款目之下安排有資料，但「華盛頓」款目之下另有若干資料。

⑤　**索引**

參考資料中有無索引的編製，或編製是否完整，往往是參考資料「優」「劣」、「有用」「無用」的最大關鍵。

索引較參見更為重要，因為：

㈠　索引是全書完成之後才編製的，互見的編製，往往是與書籍文字的寫作同時進行的，因此索引較為完整。

㈡　索引可以指引讀者找到很精確的資料，互見祇能指引讀者找到一個學科或一個款目。

㈢　索引可以指引讀者到某一頁，互見指引去的款目則可能從一頁到幾十頁不等。

良好索引必須具備兩種條件：

它必須是分析性的（analytical）。主要標題（major headings）之下，應該附設若干副標題（sub-headings）。

它的編製必須是重複性的（duplicative）。

⑥　**固定格局**（format patterns）

　　　　所謂固定格局，是指款目之下的資料，依照一定秩
序的大綱（outline）編排，所有款目都恪守這個規定（con-
sistently followed）。

　　　　例如一個傳記款目下的資料，依照下一大綱的組織
順序：

　　　　姓名——生死年月日——學位(大學，研究院)——
經歷（依年代次序）——著作（依出版年代次序）——
學會會員——獎勵——家庭（配偶，子女）——住址

　　　　所有傳記款目都遵守此一秩序。

　　如此，有兩大優點：

　　㈠　保證款目下資料的完整，不致有遺漏情形。

　　㈡　便利於尋找特殊項目。

七、參考資料的主要出版者❹

　　找尋在美國出版的參考資料及其出版者，最迅速的方法是檢索R.
R. Bowker 公司出版的 Publishers Trade List Annual 簡稱 PTLA，共六
卷。

　　在本書部首依字順（alphabetical）列舉主要出版公司，更依學科將
出版公司分類（listing of publishers by subject field），使本書的參考價
值更形加強PTLA，收集之出版單位可以分組為：

1.　專門出版參考資料的出版公司。

---

❹：關於百科全書的出版商 Subscription Book Publishing 將在第二章百科全書
　　中介紹。

2. 出版一般性圖書，間或出版參考資料的出版公司。

3. 大學出版社（university presses）。

4. 圖書館學會（library associations）組織。

　　至於政府出版品（government publications）（即官書），學術團體（圖書館學會以外之 learned societies and scholarly organizations）以及專門出版百科全書的出版公司（subscription book publishers）都不在本書收集資料範圍之內。

　　主要出版公司如下：（依字順排列）

ABC-Clio, Inc., Box 4397, Riviera Campus, Santa Barbara, Calif. 93103.

　　本公司全名為 Amcrican Bibliographical Center-Clio Press 於1950年代成立，其特徵為：

1. 對歷史及相關學科的期刊文獻作目錄性控制（bibliographical control）。

2. 率先領導以電腦技術出版索引及書目。

3. 對美國及加拿大以外地區的營業由 European Bibliographical Center-Clio Press, in Oxford, England代理。

　　本公司主要出版品為 Historical Abstracts, ART bibliographies 等。

　　關於本公司的出版消息，可免費索取該公司出版的 Bibliographic News 。

R. R. Bowker Company, 1180 Avenue of the Americas, New York, N.Y. 10036.

　　本公司於1872年正式成立，為與圖書館事業關係最深厚的出版公司，其創辦人包括包克（Richard Rogers Bowker）與杜威（Melvil Dewey）合作創立美國圖書館學會（American Library Association）及圖書館學報（Library Journal）。

　　我曾經對我的學生說，美國圖書出版事業如此發達，文化有今天的成就，R.R. Bowker Co. 和 H.W. Wilson Co. 有一半的功勞，這句話也許有點過大，但却透露了我對這兩家文化事業的敬佩之意。

　　此一公司專門出版參考資料，其主要興趣為圖書館學與出版事業。

F. W. Faxon Company, Inc., 15 Southwest Park, Westwood, Mass. 02090.

　　F. W. Faxon 公司與期刊，學報，有密不可分的關係，不僅為期刊學報最大代理訂購商，其出版品都具有極強烈的期刊學報氣息。自1897年即創刊的 Bulletin of Bibliography 中有一專欄，名為 Births, Deaths and Magazines Notes 專門報導期刊學報的創刊和停刊消息，為圖書館參考部門及期刊管理單位不可缺少的參考資料。

　　本公司於1881年成立，自1907年開始即有計劃的出版一套定名為 Useful Reference Series of Library Books 參考資料，其中最著名者為：

　　Index to Handicrafts, Index to Illustrations, Index to Fairy Tales, Index to Women, Index to One-Act Plays, Index to Full Length Plays.

Gale Research Company, Book Tower, Detroit, Mich. 48226.

　　自1954年建立以來，Gale 即為圖書館參考資料之供應者，其出版

品中最重要者為 Encyclopedia of Associations（圖書館參考資料查詢最頻繁之一）和 Biography and Genealogy Master Index.（傳記資料檢索不可少的工具書）其他如 Book Review Index，Statistics Sources，Contemporary Authors，Research Centers Directory，Directory of Special Libraries and Information Centers. 都有很高水準。

　　Gale 同時以出版翻版書（reprints）及為 Europa 的代理商聞名。New Book News 為該公司發佈出版消息的刊物。

G. K. Hall & Company, 70 Lincoln St., Boston, Mass. 02111.

　　G. K. Hall 於 1942 年建立 ，為提供主要圖書館 ，如 New York Public Library 藏書目錄的複製本，利用顯微技術（Microform technology）攝影，然後將影片複製成為標準書本格式（book format）的目錄。

　　此一出版公司另行出版一套叢刊稱為 Bibliographic Guides，對專門圖書館甚為有用，尤其有意義的是，這些 Guides 是些活生生的例子說明，電腦與MARC 磁帶能夠從一兩個不同的來源（sources 指圖書館目錄）中抽取資料（data）而編製成單獨的專科目錄（bibliographical tools）。

Libraries Unlimited, Inc., Box 263, Littleton, Colo. 80160.

　　此一公司於 1964 年創立，到今天還不到30年歷史，但已經在圖書出版界揚名立萬，是公認的後起之秀。我到美國出席國際會議（ALA. ASIS）我必然每天參觀書展，而 Libraries Unlimited Inc. 所擺設的書

展是我首先拜訪的地方，因爲這家公司專門出版圖書館學用書及參考資料，例如參考書評的聖經 American Reference Books Annual，簡稱 ARBA 。就是它的出版品。

Scarecrow Press, Inc., 52 Liberty St., Metuchen, N. J. 08840.

此一公司之主要出版品 Author Bibliography Series, American Imprints Series 及 The Historical and Cultural Dictionary Series of Latin America 都是圖書館參考室中經常用到的參考資料。

此一公司於 1950 年成立，現已併入 Grolier Inc. 。

The H. W. Wilson Company, 950 University Ave., Bronx, N. Y. 10452.

威爾遜公司是美國歷史最悠久（1898 年成立），出版參考資料聲譽卓著的出版公司，本書在討論索引時將再詳細介紹，讀者請參閱彭歌著「愛書的人」。

八、參考資料的書評
Reviewing of Reference Sources

在選用或採購參考資料時，參考館員要儘可能的利用書評，書評是經由專家執筆的，其權威性無庸置疑，參考資料書評的寫作常常運用歷史法和比較法，前者將接受評論參考資料的來龍去脈作詳盡的交代，後者將甲資料和乙資料比較，或將舊版和新版比較，因此閱讀書

評不僅幫助參考館員在選用和採購時能作迅速，明智的決定，同時也增長了參考館員的書本知識。

主要的參考資料書評（Reviewing Media）如下：

American Reference Books Annual （ARBA），1970 – Littleton, Colo.: Libraries Unlimited.

ARBA 自 1970 年創刊以來至 1992 年止已經提供 39,581 篇書評，並且推出了 1970-1974，1975-1979，1980-1984，1985-1989 四冊彙積索引。

ARBA 在組織上分為四大部份：
1. 一般性參考資料的書評
2. 社會科學參考資料的書評
3. 人文學科參考資料的書評
4. 科學技術參考資料的書評

每一年刊都有著者書名索引，主題索引，及執筆人索引。ARBA 取材於 Choice，College and Research Libraries，Journal of Academic Librarianship, Library Jourlnal, R. Q, School Library Journal，和 Wilson Library Bulletin.但是 ARBA 的書評有較長篇幅，評論較為嚴格（more critical）更有評鑑意味（more evaluative），而且詳盡的指出優劣和得失，其他書評媒介(all other reviewing media)都是選擇性的(selective)，唯有 ARBA 收集的書評是完整的（comprehensive）。

如果祇是選擇性的找尋書評資料，參考館員無妨查詢由 Libraries Unlimited 所出版的 Best Reference Books: Titles of Lasting Value, 1970.

由於 ARBA 不收集政府出版品參考館員可查詢 Government Reference Books, 1968/69- (Libraries Unlimited 出版)，以補 ARBA 之不足。

ARBA 出版迅速，目前 (1993，June) 臺灣各主要圖書館參考室書架上已經陳列有 ARBA 1993. Bohdan S. Wynar 時於參考工作的努力和貢獻，值得敬佩。

Choice, 1964- Middletown, Conn.: Association of College and Research Libraries. Monthly.

1960 年時 A.L.A. 得到 Council on Library Resources 經費補助創辦 Choice。

Choice 原來是爲大學圖書館選購圖書而出版的參考工具，此一月刊每月刊出書評約 600～700篇，其中50篇與參考資料有關，每篇約 200 字內容精簡扼要，由於水準甚高，Diana Thomas 認爲大型公共圖書館及研究機構圖書館亦可參考 ❺。

筆者認爲 Choice 是圖書館學系所師生和圖書館專業館員「必看」的出版品。

College and Research Libraries, 1939- Chicago: American Library Association, Association of College and Research Libraries. Bimonthly.

---

❺ Thomas, Diana and Others. The Effective Reference Librarian New York: Academic Press, 1981. pp.56-7.

此一出版品具有高度選擇性，每年元月份及七月份號載有 "Se-lected Reference Books" 專欄，每年刊出參考資料（合乎研究及學術圖書館程度）約75篇。

Library Journal, 1876-　　New York: Bowker.

Library Journal 是每一個與圖書館事業有關的人必需要看，首先要看的學報，讀者從閱讀 L.J. 之中可以了解圖書館事業的趨勢，並且取得新穎的專業知識。

Library Journal 除在 The Book Review 專欄（經常），Professional Reading 專欄（間或）刊載參考資料書評外，每年四月十五日之一期刊出 Reference Sources 專欄，其中推薦參考資料均為由 A.L.A.精選之傑出參考資料，自 1978 年開始四月十五日一期增加 New Reference Books 專欄。 1967年後之彙積本，書名為 The Library Journal Book Review，其組織24個主題中，兩個主題劃入參考資料範圍，分別定名為 Reference 與 Recently Revised Reference Works 。

在 Library Journal 付印的同時，R.R. Bowker 特別為一種圖書的書印成 3×5 卡片出售，換言之， 在 Library Journal 和 School Library Journal 每一期問世之前，需要這項資訊的人可以先收到個別書評。

Library Journal 每年出版 20 期。

RQ, 1960-　　Chicago: American Library Association, Reference and Adult Service Division. Quarterly.

RQ是唯一專門討論參考服務與參考資料的刊物。除在 In Review

專欄中登載參考資料的書評約三五十篇外（每篇約 150～200 字），每期均有專論將某一專門主題的參考資料作深入的報導。RQ 是參考館員的「必讀」讀物。Thomas 認為參考館員不僅必讀RQ，而且要從頭到尾的讀，一字一句的讀（RQ should be read from cover to cover）。

Reference and Subscription Books Reviews, 1930.

1928年美國圖書館學會為提高參考資料素質，特成立 Subscription Books Committee。1930 年該委員會開始出版 Subscription Books Bulletin，為一書評季刊。1956 年 Subscription Books Bulletin 與 Booklist 合併，更改名稱為 Booklist and Subscription Books Bulletin, 1969 年取消 Subscription Books Bulletion 三字。在 Booklist 中成立 Reference and Subscription Books Reviews 部份，仍然保持其編輯獨立地位，委員會同時更改名稱為—— Reference and Subscription Books Review Committee。RSBR 強調細節與比較，深受圖書館學學生喜愛，其書評具有極高權威，文字褒貶影響參考資料銷售，此一出版品之缺點為出版時差長，同時因為過份注重細節，接受評論之圖書資料數量不高。

RSR(Reference Services Review), 1972, Ann Arbor, Mich.: Pierian Press. Quarterly.

RSR 是第一部專門評論參考資料的學報，每期篇幅至少 80 頁，分為若干部門和專欄。其特徵為：

(1) 專門研討主要參考資料的歷史的專欄稱為 Landmarks of Reference。

(2) 專門評鑑比較若干參考工具如 Social Sciences Index, Disserta-
tion Abstracts International ，連續出版品的專欄稱為 Refer-
ence Serials 。

(3) 編製若干與參考服務有關的解題書目 annotated bibliographies,
如圖書館敎導，參考服務中的對話等專題書目。

(4) 每年編製一次的 Bibliography of United States Government
Bibliographies 是一種依照主題編製的解題書目。

**Serials Review, 1975, Ann Arbor, Mich.: Pierian Press.
Quarterly.**

　　Serials Review 專門研究期刊學報有關的問題，尤其著重 serials 的
選擇，其固定專欄為：

(1) Tools of the Serials Trade

(2) Newspapers in Review

(3) Review Sources

(4) Cumulative Indexes

Wilson Library Bulletin, 1914, - New York: Wilson. Monthly.

　　自 1937 年開始，Wilson Library Bulletin 即成立一個專欄 Current
Reference Books ，每期書評約 20 ～ 30 篇，在圖書館學學報中開風氣
之先。

Microform Review K. G. Saur Quarterly.

此一微縮媒體的書評，到目前爲止，還是只此一家，別無字號的獨佔局面。

Mieroform Review爲一季刊，我們現在介紹的是 v.21，1992. 每一期深入討論10種主要的微縮媒體文集（collections）提供目次的綱要，和索引安排的分析，此外還附加幾篇管理Microform 的論文，維護及書評的資料。

第二章　百科全書簡介
Introducing Encyclopedias

一、百科全書的重要

百科全書是參考資料的骨幹，過去如此，現在如此，將來仍然如此，資訊時代的來臨，使圖書館參考工作發生空前的變化，然而百科全書的重要性不僅沒有衰退，而且還在不斷的加強，我們至少可以提出下列五大功能。

1. 會用百科全書，才會利用其他參考工具書

參考工具書有獨具一格的體制和形態，而這些體制和形態又多半由百科全書創始，因此，瞭解百科全書的結構組織，便能體會絕大多數參考工具書的結構和組織，通曉查詢百科全書的方法，也就能舉一反三利用其他的參考工具書了。

國內外出版的參考資料指南在介紹各頁型參考工具書時，幾乎沒有例外的將百科全書列爲榜首，原因在此。

2. 解答一般性的參考問題

參考服務以解答讀者所提問題爲主，普通、簡單的問題，尤其是有關事實與背景的資訊需求（ factual and background information ），多半可以從百科全書裏找到答案，根據 Helen Carpenter 所作的調查，每510 個參考問題中，約有 290 個問題可以從百科全書裏檢索到讓詢問

者滿意的答案，Chait Cole 和 Van Hoesen 的幾度研究都有相近的結果報導❶。

3. 解答參考問題，絕大多數從百科全書開始不會錯

除了若干特殊，或最具專門性的問題(例如，查生字必需用字典)，幾乎所有參考問題尋求答案都可以從百科全書着手。百科全書雖然不能解答所有問題，但是作為從事研究的良好開始，則綽有餘裕。百科全書論文型的款目常常附有參考書目，圖書館員應該善加利用。

歷史學者 George Sarton 指出：

知道從百科全書開始找尋資料是有智慧的人。

完全不理會百科全書是沒有學術修養的人。

過份依賴百科全書是沒有靈活頭腦的人。

4. 增加新的知識，百科全書可以用來充電

人是智慧型的動物，知識是智慧的基礎。自有文明社會千百年以來，讀書以明理是取得知識的唯一途徑。

資訊時代的來臨，對於「博學於文」的傳統觀念產生了嚴重的衝擊。出版品爆破，完全推翻了過去治學的觀念和讀書的方法，因為：

(1) 人腦不如電腦，不可能無限制的儲存大量資訊。

(2) 由於科學技術的突飛猛進，人腦儲存的有限知識也會很快的陳舊落伍。

如何使自己的知識與時併進？若干學者專家，如 Kenneth Kister 建

---

❶ 詳見 Alexander Carter 在 Special Libraries 學報中所寫圖書館檢索資料的技術 (Technique of Library Search) 一文。

議閱讀百科全書，這種觀點在不久的過去是不可能想像的事。電子百科全書，以及電子排版的印製百科全書出現，徹底解決了內容新穎的問題，也使得百科全書成爲參考工具書王牌夢想成眞。

5.　百科全書具有瀏覽和消閒的功能

多年以來，百科全書的功能爲何，一直是討論的熱門主題，最著名的是 Charles Van Doren 和 Jacques Barzun 的辯論，前者主張百科全書的教育功能（To educate），後者則強調提供資訊（to inform）。他們的的論文在美國行爲科學家學報中同時發表❷，現在的情勢和過去不同，我要增加瀏覽和消閒的功能（to entertain）。

百科全書的編製重視可讀性，在過去祇限於青少年，兒童百科全書。現在這種趨勢已經延伸到成人百科全書，所謂可讀性的解釋，廣義的包括多彩多姿的圖片，精美的印刷，淺顯易懂的文字和完善的索引和新穎的書目，換言之，讓讀者有看了不能釋手的感受。

自有圖書館以來，如何吸引讀者到圖書館來是圖書館運作的主要課題。早期的圖書館利用小說，逐漸轉移到傳記和旅遊書籍來激勵讀者接近圖書館的意願，百科全書內容和編製方法的調整更是近年一大突破。

筆者認爲瀏覽和消閒的功能同時也兼顧了教育和取得新穎資訊的目的。

二、百科全書的源流

威信最古老的西文百科全書爲皮萊氏的自然史（Historia Naturalis）

---

❷　請參閱 American Behavioral Scientist 6（Sep.1962）pp.7-14, 23-26.

英文譯名爲 Natural History of Pliny the Elder）。這一套書是以拉丁文編寫的，於公元後77年初版，編者皮萊氏（Pliny the Elder）是當時名書法家小皮萊（Pliny the Younger）的長輩，Pliny the Elder 以畢生精力搜羅當時有名作家的著作 2000種，整編爲 2493 章回的巨著，他本來不是自然史學者，而他所編的書籍竟然偏重自然史而摒棄社會人文學科，此書資料款目在 20,000 左右，分別置於天文學，地理學，氣象學，動植物學，醫學等大類之下。

至公元 1536年，此書已發行43版，風頭甚健，號稱16世紀最具權威性的著作，此一套書之所以歸類於百科全書之中，並非由於書的內容而是靠着編製方法，後來經 Harris Rackham 譯爲英文成爲羅易古典叢書（Loeb Library Classics）中的一種。

至於第一部英文百科全書的編者是什麼人？甚至算那一套書，專家至今還不能產生一致的意見。Caxton 所翻譯的 Image du Mode 以印行時間而論，或許可以算是第一部英文百科全書，這部書出版於1460年，John Harris 在1704 年所出版的 Lexicon Technicum or an Universal English Dictionary of Arts and Sciences. 在時間上落後兩百餘年，他是倫敦的僧侶，這部書引起學者專家興趣的原因是由於倡導以字順排列方法（Alphabetical arrangement）編製百科全書。

大多數專家都傾向於承認 Chambers Cyclopedia 爲第一部英文百科全書的看法，至少，我們應該同意 Ephraim Chambers 是英國歷史上第一個百科全書編者，因爲第一，他率先利用參見和互見辦法，將有關款目連接起來。第二，這一部書頗有國際文化影響力，這一套書於1728年出版以後，即由當時居留法國的 John Mills 譯爲法文而成爲後來頗具盛名的法國百科全書的藍本❸，這部書和後來在美國出版的Cham-

---

❸　法文書名爲 L'Encyclopedic du XVIII Siecle 於 1772 年左右問世。

bers Encyclopedia 不是同一部書，二者是絕對不可混爲一談的。

歷史學者 Warren E. Preece 依照目的和功能將百科全書的進化分組爲三個時期❹：

　　古希臘時期——使人完整　　Make a man Whole.

　　歐洲中世紀——使人信仰　　Make a man Christian.

　　十八世紀——使人自由　　Make a man Free.

這種觀點頗有創意，筆者頗爲欣賞，但是以流水帳的方式敍述百科全書源流，似乎沒有取得學術界的共識。

在介紹百科全書涉及源流時，參考工具指南傾向於以 1771 年編製現代化百科全書的關鍵年，因爲那一年是大英百科全書的創始年。

三、百科全書的定義和內涵

1. 一個亟待糾正的錯覺

英文 Encyclopedia 這個字沿襲於希臘文 enkloi（英文同義字是 Circle 圓周，也就是範圍的意思）和 Paideia（英文同義字是 of learning 學習），原義指藝術和科學的通盤學習。

多少年來，這個觀念牢不可破，例如 Webster's College Dictionary 對於 Encyclopedia 一字的解釋就運用了「包含知識的所有學科（Covering all branches of Knowledge）」❺字樣，名學者 Jean Key Gates 更指

---

❹　Warren E. Preece. The Organization of Knowledge and the Planning of Encyclopedias Journal of World History 9, NO.3, pp.798-818, 1966.

❺　Random House Webster's College Dictionary, New York: Random House 1991, p.440.

出「自古以來」百科全書編輯者的目的和願望就是把人類整體知識收集在一套書籍之中」❻。

類似的界說和觀點本來只是純學術性的陳述,值得尊重也無可厚非,然而無意之中卻造成一種誤解,在英語中使用 encyclopedic 一字通常表示知識學術的整個領域(Complete Coverage of Knowledge)。在英語社會推崇有學問的人是一個會走路的百科全書(A walking ency-clopedia)和我國的「滿腹經綸」,「肚子裏裝滿了墨水」雖然一動一靜,代表不同的民族個性,卻有異曲同工的意義。Encyclopedia 的中文譯名百科全書對原文尚屬忠實,但是「全」字和「百科」都含有「無所不包」和「一網打盡」的意思,和原文 Encyclopedia 同樣予人一種錯誤印象。

事實證明,早期的百科全書並不曾包涵人類知識的總體,甚至當時有限的學術成就也沒有全部收容,現代的百科全書不僅不曾嘗試收集人類知識的全部成果,甚至從無此項企圖。

2. 百科全書的範圍和定義

百科全書既不能,也無意搜羅天下所有知識和學術,Kenneth F. Kister 說:「沒有一套百科全書能夠收集每一個受過教育的讀者希望取得的知識,同時百科全書從來沒有提出這樣的主張」,他斷言「百科全書祇僅僅涉及知識的骨骼」❼。Richard E. Bopp 附合這種觀點,他指稱:「百科全書的作用在於對特別重要經過精選的題目,提供系

---

❻ Jean Key Gates, Guide to the use of Libraries and Information Soures. New York: McGraw-Hill 1989, p.102.

❼ Kenneth F. Kister, Best Encyclopedias: A Guide to General and Specialized Encyclopedias. Phoenix: Oryx Press 1986, pp.1-3.

統的綱要而已」❽。

　　百科全書另一特性是沒有一定的範圍，（Fixed entity）內容以編者的意向，加上揣測使用者的需要和興趣而定，因此沒有任何一套百科全書能取代所有的百科全書，這也是圖書館，尤其是大型的公共和大學圖書館往往購置多套百科全書的原因。

　　各百科全書之間的區別和差異有時是膚淺而不關重要的，但多半是根本的，使用者根據後者選擇他所要參考的百科全書，圖書館也以此作爲購買取捨的依據。

　　以上所述我們不妨爲百科全書試擬以下的定義：

　　百科全書是由涉及知識每一領域中若干學科的多篇提要文字，依某種秩序排列組合而成的一種參考工具書。

　　由於電子百科全書的出現，對於印製百科全書帶來威脅，Kenneth E. Kister 甚至提出電腦會不會取代百科全書的問題❾，但是由於使用者的習慣，電子百科全書可用性（user friendy）還沒有到盡善盡美的程度，加之價格昂貴，加之印製的百科全書本身若干能夠生存的條件（例如，瀏覽的功能），在可見的將來可能是一個印製百科全書和電子百科全書和平共存的局面，爲此百科全義可以改寫爲：

　　百科全書是由涉及知識每一領域中若干學科的多種提要文字，依某種秩序排列組合而成的一種資料，這種資料可由印製或電子形式出現。

---

❽　Richard E. Bopp, Reference and Information Services. Englewood, Colo. Libraries Unlimited 1991, p.351.

❾　Kenneth F. Kister, Best Encyclopedias, A Guide to General and specialized Encyclopedias Phoenix, AZ. The Oryx Press 1086 pp.10-12.

四、百科全書的分類

論及百科全書的類型時，首先應將普通百科全書和專科百科全書分開（英文有時用 cyclopedia 字樣，以表示和 encyclopedia 不同），專科百科全書將於討論專科參考書時再行涉及，故不列於本章範圍之內，我們此時所謂的百科全書乃是指普通百科全書而言。

現今流行於市面的百科全書，僅就英文一種語言而論，即在三十七種以上（請查看 Encyclopedia Buying Guide），分別類型，殊無一定準則。

1. Constance Winchell 的參考書指南（Guide to Reference Books），將百科全書分為：

   (1) 美英兩國出版的百科全書

   　　百科全書補篇（Supplements）

   (2) 其他國家出版的百科全書。

2. Louis Shores 的基本參考資料(Basic Reference Sources)中的分類：

   (1) 成人用大百科全書（Comprehensive adult）

   (2) 成人用通俗百科全書（Popular adult）

   (3) 成人用單行本百科全書（Adult One Volume）

   (4) 中小學用百科全書（School）

   (5) 英文以外文字百科全書（Foreign）

3. A．J．Walford 在參考資料指南（Guide to Reference Material）中，按照國際十進分類法（Universal Decimal Classification）的分類將百科全書集中於 030.1 號碼之下，然後依國別文字排列。

4. Robert J. Murphey 在 How and Where to Look It Up 中組織成為：

(1)　主要百科全書（Major general）

(2)　簡編百科全書（Abridged）

(3)　其他文字百科全書（Foreign）

墨菲更依價格將百科全書分爲四組：

(1)　每套價格在 100 美元以內者。

(2)　每套價格在 100～150 美元之間者。

(3)　每套價格在 150～200 美元之間者。

(4)　每套價格在 200 美元以上者。

5.　Hester R. Hoffman 所改編的 Bessie Graham's Bookman's Manual 將百科全書分爲三類：

(1)　大套百科全書（Sets）

(2)　單行本百科全書（One Volume）

(3)　學校、家庭、少年百科全書（School, Home and junior Ency-clopedias）

6.　William A. Katz 在參考工作導論（Introduction to Reference Work）中的分類：

(1)　成人百科全書（Adult Encyclopedias）

(2)　兒童青少年百科全書（Children's and Young Adult Encyclopedias）

(3)　小部頭百科全書（One and Two Volume Encyclopedias）

(4)　英文以外文字百科全書（Foreign-Published Encyclopedias）

(5)　專科百科全書（Subject Encyclopedias）

7.　Kenneth F. Kister 在百科全書採購指南（Encyclopedia Buying Guide）中的分類：

(1)　大套成人百科全書（Multivlume Adult Encyclopedias）

(2) 小部頭成人百科全書（Small Volume Adult Encyclopedias）

(3) 大套青少年百科全書（Multivolume Young Adult Encyclopedias）

(4) 大套兒童用百科全書（Multivolume Children's Encyclopedias）

(5) 小部頭青少年、兒童百科全書（Small Volume Young Adults and Children's Encyclopedias）

8. 更有以百科全書中文字長短作爲分類標準的：

(1) 字典型

此一類型百科全書，款目（entry）衆多，每篇文字不長，以字母順序排列，每不需要索引，即可迅速的找到資料，並儘可能避免使用互見。

(2) 論文型

此一類型款目多半爲長篇大論的文章，款目數量較少，題目範圍較爲廣博（broad），每一大題目又分爲若干子題，找尋資料必需利用索引與互見。

以款目的長短作爲百科全書分類基礎並不是絕對的，有的款目不可能不是長篇大論的文章，例如「中國」若干款目則資料有限，沒有多佔篇幅的必要，例如聖馬力諾國（San Marino），因此百科全書的款目多半是混合式的，有長有短。

五、怎樣選擇百科全書

百科全書書價昂貴，因此選購時不能不特別愼重，大體上一般選擇參考書的標準，都可適用於百科全書。

1. 能否稱爲權威作品：

(1)　出版公司的信譽。

(2)　編輯部門是否健全。

(3)　執筆者的資格。

(4)　執筆者中有無特殊色彩、立場和偏見的人物。

(5)　文字是否經過執筆者簽名負責。

(6)　百科全書編製經過。

(7)　書評對於這一百科全書的評價。

2.　資料方面

(1)　資料是否新穎？有無修正辦法？

(2)　資料是否正確？

(3)　資料是否平衡？

將古典性的資料和通俗性資料比較。

將自然科學的資料和人文資料或社會科學資料比較。

將論及不同國家的資料比較。

將統計資料與以統計爲主的參考書比較。

將兩部百科全書相同的款目作一比較。

選擇自己熟習的學科，作抽樣考核。

(4)　是以另一部百科全書爲藍本，還是自行收集的資料？

3.　內容方面：

(1)　內容與百科全書編製宗旨是否符合？

(2)　合乎某類讀者，某種程度讀者的需要？百科全書計劃的讀者
對象是什麼人，兩者是否能配合？

(3)　對於容易引起爭辯的熱門問題，此一百科全書採取什麼態度。

(4) 文字的流利簡潔情況如何？有無可讀性？

(5) 圖表是否能配合文字恰到好處？

(6) 地圖是否彩色？

4.特　徵：

(1) 長篇文字後是否附有書目？書目是否新穎？恰當？

(2) 索引的編製方法，是否分析式的？

(3) 有無使用指導，敎學輔導之類設施？

(4) 字順方法，依單字？依字母？

(5) 參見辦法是否完善？

六、百科全書的修正問題

百科全書體積龐大，因此如何汰除陳腐以保持新穎，成爲百科全書最嚴重的問題。

通常修正辦法有兩種：

(1) 爲全盤修正（complete revision），乃是整套百科全書每一課目每一篇文字都需要經過考核，將需要增訂的部份澈底修正，經過全盤修正手續之後，即成爲一個新的版次（edition），與一次印行（printing）有極大不同。

(2) 爲經常修正（continuous revision），乃是隨時發現某一題目內容有重大變更隨時提出修正。所謂隨時指每年一度，或再度印行時作一次小規模的增訂工作，以避免不可原諒的重大錯誤。

但科學的進步，日新月異，世界局勢，瞬息萬變，無論如何修正，

都難使百科全書追上時代。為達到不致過份落伍的情況，百科全書多半另行出版年鑑（yearbook），或補篇（supplements），以彌補正篇（mother set）的缺失。

　　本書中所列舉介紹的百科全書分為兩組：

1. 本書「推薦的」百科全書（recommended encyclopedias）

　　選擇標準如下：

　(1)　內容必需達到一定水準。

　(2)　必需有固定修訂辦法。

　(3)　必需有年鑑、補篇等補充資料，以保持內容的新穎（除少數極新百科全書，尚未宣佈其年鑑名稱外）。

　(4)　必需仍在繼續出版。

　(5)　經過主要書評介紹並推薦。

2. 本書「不擬推薦」（not recommended）的百科全書

　　這些百科全書不能符合前述選擇標準，但仍有介紹的理由：

　(1)　業已停版，但仍可在圖書館參考室中找到。

　(2)　書評不佳，但仍擁有相當數量的使用者。

　(3)　未經專家品評但內容也有可取之處。

　(4)　現已落伍，但有歷史價值。

　(5)　如果加以適當修正，仍可捲土重來爭一日之長短。

七、百科全書的四大出版公司

百科全書市場90～95％由四大公司控制，這四大公司是：

1. 龍頭老大的大英百科全書公司 (Encyclopedia Britannica Inc.)

Encyclopaedia Britannica 公司聲勢顯赫,多年以來,圖書館界和使用者只要提到百科全書首先想到的是大英百科全書,「大英 (Britannica)」和百科全書好像是同義字,目前這種「唯我獨尊」的情勢略為轉變,然而大英百科全書第 9 版,和第11版仍然是愛書的人收藏的珍貴版次,和第15版獨樹一幟的風格,使得這家公司的領導地位屹立不搖。

(1) 現行出版的主要百科全書為:

New Encyclopaedia Britannica	32v.
Compton's Encyclopedia	26v.
Children's Britannica	20v.
Young Children's Encyclopedia	16v.❿
Compton's Precyclopedia	16v.⓫

(2) 不再繼續出版的百科全書

Britannica Junior Encyclopaedia	15v.

(3) 積極滲透國際書市

大英百科全書一大特色是以英文以外文字在世界各地發行大英百科全書目前已問世者為:

Encyclopaedia Universalis	30v.
Enciclopedia Hispanica	18v.
Diccionario Enciclopedico	15v.

---

❿⓫ Kenneth F, Kirter 在 Best Encyclopedias 指出這兩套書是同一回事,不過是變動書名而已,筆者則認為這兩套書大同小異,這點以後說明。

(4) 對我國圖書出版事業的衝擊

　　大英百科全書公司1980年與大陸中國大百科全書合作，於1986年出版簡明中文版 10 v. 。

　　臺灣中華書局取得大英百科全書翻譯權於1988年出版簡明大英百科全書 20 v. 。

　　最近報載大英百科全書公司已於1992年年底從中華書局買回該書中文版出版發行權，計劃自行設立臺北分公司，另外出版大英百科全書全文中文版 30 v. 名記者朱恩伶在採訪報導中說「外國出版社一脚跨進來的目的是『立足臺灣，胸懷大陸，放眼全球中文市場』❷他們這種大手筆，必然對我國參考業務將有深遠影響。」

(5) 其他重要出版品（舉例）

The Great Books of the Western World　　60 v.

2. 否極泰來的葛羅里百科全書公司（Grolier Incorporated）

在四大公司之中，Grolier的奮鬥精神和堅決毅應該是值得讚揚的，在商場上因爲受到美國政府所訂百科全書銷售法案的打擊，Grolier的經營走過一段崎嶇坎坷的路，自從1980年出版 Academic American Encyclopedia 逐漸看到光明的遠景，這是唯一以線上檢索（online）雷射影碟（Laser Videodisc）和唯讀型光碟（CD ROM）三種格式（Format）提供使用的百科全書，聲譽極佳。

(1) 現行出版的主要百科全書爲：

Encyclopedia Americana　　30 v.

---

❷ 中國時報82年5月7日星期專刊。

New Book of Knowledge   21 v.

Academic American Encyclopedia   21 v. ⓭

(2) 不再繼續出版的百科全書為：

Encyclopedia International   20 v.

American Peoples Encyclopedia   20 v.

(3) 值得大力推薦的大美百科全書（中文版）

大美百科全書（中文版）30 v. 是光復書局經過長達 8 年的愼選與評估，決定以 Encyclopedia Americana 爲藍本重新編撰的一套適合中國人，合於世界潮流的百科全書。1990 年光復書局從 Grolier Incorporated 取得翻譯權。

這部以中文書寫的百科全書，號稱現代中國人的永樂大典，有八大價值 ⓮：

① 所援用的資料最新。

② 所選錄的內容最適用。

③ 編排方式使用最簡便。

④ 所配置圖片最豐富。

⑤ 版式，外觀品質最優。

⑥ 版權所有，無智慧財產權問題。

⑦ 價格最合理。

⑧ 銷售服務最佳。

大美百科全書（中文版）曾獲80年度圖書金鼎獎，在大英百

⓭ Academic American Encyclopedia 在美國以外發行時，更改名稱爲Gro-lier Academic Encyclopedia 在我國較有規模的圖書館參閱室中 兩套常同時出現，造成困擾和誤解。

⓮ 詳見光復書局目錄產品介紹（百科全書）。

科全書公司收回中華書局的翻譯權後，這套書將成為唯一由中國出版界自己編譯的百科全書，其重要性不斷加強。

3. 力爭上游的麥克米倫公司 (MacMillan Inc.)

Macmillan Inc.是美國大牌出版公司，但以百科全書銷售情形而論，則是「四大」中的「殿軍」。

(1) 其出版的主要百科全書為：

Collier's Encyclopedia	24 v.
Merit Students Encyclopedia	20 v.

(2) 專科性百科全書為：

Encyclopedia of Educational Research	4 v.
Encyclopedia of Philosophy	8 v.

這些百科全書都有良好聲譽，此一公司並出版 The Great Soviet Encyclopedia 蘇聯百科全書。

4. 名利雙收的世界圖書公司 (World Book Inc.)

World Book Inc. 是圖書出版事業最成功的例子。

(1) 其出版的主要百科全書為：

World Book Encyclopedia	22 v.
Childcraft: The How and Why Library	15 v.

(2) 其他重要出版品為：

World Book Dictionary	2 v.
World Book Yearbook	
The World Book Atlas	
The World Book Learning Library	7 v.

World Book Inc. 的出版品無不精良，例如：

World Book Encyclopedia

World Book Yearbook

Childcraft： The How and Why Library

World Book Dictionary

World Book Atlas

都得到書評，圖書館員一致的喝采，以百科全書而論，World Book Encyclopedia 的銷售量即佔全球市場的33％，這家公司的一舉一動，值得我們密切注意。

關於百科全書的採購有兩部好書，不可不看，筆者愼重推薦：

Kenneth F. Kister, Best Encyclopedias: A Guide to General and Specialized Encyclopedias. Phoenix Co. The Oryx Press.

Kenneth F. Kister, Encyclopedia Buying Guide. N. Y. R. R. Bowker

讀者同時更應參考 ARBA，Choice 等書評，自不待言。

第三章 本書推薦的百科全書
Recommended Encyclopedias

　　根據前述百科全書選擇的標準，本書特選優秀百科全書四種分別予以介紹。

　　此四種百科全書之分類如下：

　一　大部頭成人百科全書

　　　Multivolume Adult Encyclopedias

　二　小部頭成人百科全書

　　　Small Volume Adult Encyclopedias

　三　青少年百科全書

　　　Young Adult Encyclopedias

　四　兒童百科全書

　　　Children's Encyclopedias

每類之下，更依字順排列，排列所屬百科全書。

一、大部頭成人百科全書
(Multivolume Adult Encyclopedias)

1. **Academic American Encyclopedia.** Grolier, 1992, 21v.
   ISBN 0-7172-2041-9.

Academic American Encyclopedia（AAE）是大部頭百科全書中最新出版的一種，Grolier公司捲土重來的全部希望都寄託在AAE上，其編製的目的在於彌補 New Encyclopaedia Britannica 與 World Book Encyclopedia 之間的眞空。其閱讀對象爲中學及大學學生、成人。

卷　冊　數	21 v.
字　　　數	9 m.
款　　　目	32,000 est.
讀　者　對　象	大、中學生成人

在美國國外發行時，更改書名爲 Grolier Academic Encyclopedia.

AAE自1980年代問世以來即採用電腦排版，其所選用的文字全部可以機讀（Machine-Readable）處理，爲此，更由於資料新穎，OCLC乃選用AAE作爲家庭資訊服務（Home Information Service）的試驗工具，此一 Project 稱爲"Channel 2000"。自1980年起將AAE資料供應200戶家庭，及Ohio州一所大學，遠景看好。依單字字順制度排列（Word-by-word），偏向簡短款目。

其取材的分配爲：

人文科學	36%
科學技術	35%
社會科學	14%
地理	13%
運動	2%

AAE的特徵如下：

1.　內容新穎

AAE資料新穎的程度與當前任何大套百科全書比較，都不稍讓。Kister 認爲 AAE 的 Recency 是「admirably up-to-date 」，而且在題目的選擇，文字的應用以及氣氛上都能顯出順應時代潮流的風格。每年的修正率約爲10％（最低）至20％（最高）。

2.　重視圖表（Illustrations）

圖表約佔全書篇幅¹/₃，編者認爲「我們這一代是在電視機前成長的，因此期盼以彩色圖片補充文字說明的不足，若干研究證明讀者的注意力首先爲圖片吸引，其次轉移到標題說明（Captions），最後才閱讀正文，在「北美印第安人」款目之下，AAE加入有色圖片五十張，另加地圖四幅，可謂大手筆了。

3.　參考書目完善（Bibliographies）

AAE 在 13,000 款目（entry）之後提供書目，換言之全套書中40％的款目都附有參考書目。本書款目總數在 300 左右。

4.　索引完整

AAE的索引項目（index entry）和文字（text words）的比率爲1:45，僅有 Collier's Encyclopedia 1:52，可以相比，其他大部頭百科全書均瞠乎其後。

5.　資料正確

AAE的每一篇文字（article）都經過編輯人員再三求證（Multiple

Review）以求達到客觀、平衡與確實的目標。

　　AAE並非毫無瑕疵，其缺點如下：

(1)　由於篇幅的限制，其深度（depth）無法與「三大」百科全書抗衡。

(2)　由於沒有做到與課程配合（curriculum orientation），同時缺乏「用字控制」（vocabulary control）與「可讀性測驗」（readability testing），在以青少年、學生爲讀者對象的目標上落在 World Book Encyclopedia 的後面。

(3)　因爲過份強調理論性知識（theoretical knowledge），相對的忽略了實際的（practical）和操作的（how-to）資料。在 AAE的書名中 academic 字樣的解釋是狹義的，這是AAE的特徵，但與時代潮流並不完全符合。

(4)　AAE篇幅中僅有13％討論地理項目，因此若干次要地區（secondary places）成了漏網之魚，此點乃此一參考工具書極明顯之缺失。

(5)　過份注重隱惡揚善，有時難免失眞，例如：

　　　　在傑佛遜總統（Thomas Jefferson）傳記中避而不談他對黑奴制度的態度和他的黑人情婦 Sally Hemings 的史實❶。

這是過去版次的書評，AAE如何因應，使用者應該特別留意。

　　AEE 可以 CD ROM 及 online 查詢，online 每季修訂，CD ROM 則爲每年修正。

　　關於我國的資料，AAE 的 China 款目共35P（p. 360-395）其中地圖

---

❶　John Quincy Adams 曾經懷疑：Jefferson 本來是一個廢奴主張者，在1790年後噤若寒蟬，是否爲了 Sally Hemings 的原因？見 Kister p. 80。

6幅，圖片49張，全部爲彩色，極爲美觀悅目。

2. Collier's Encyclopedia Macmillan

Collier's Encyclopedia 於1949～1951年間初版基於原始構想，爲美國三大百科全書之一，依篇幅字數而論 Collier's （二千一百萬）僅次於大英百科全書（四千三百萬）與大美百科全書（三千一百萬）。

卷　册　數	21 v.
字　　　數	21 m.
款　　　目	25,000 est.
讀　者　對　象	青少年，成人

本書依字母字順排列（alphabetically, letter-by-letter Indiana 排於 Indian Ocean 之前），採用範圍較爲廣大的款目(broad entry approach)，文字長短由數行至80頁不等。

Collier's Encyclopedia 的特徵如下：

1. 素質特佳的書目，在所有百科全書中，無出其右。
   (1) 均有解題（annotated）。
   (2) 均可經由索引檢索。
   (3) 所列參考書籍都可以在圖書館中借到。
   (4) 書目中之參考書籍依年級、難易次序排列 listed in graded order（由易而難）。

2. 採取「經常修正」（continuous revision）辦法，每年修正率在20％以上，新穎程度在「三大」百科全書中居首位（大美次之，大英

殿後）。

3. 90％之論文均經執筆者簽名，以表示對內容負責。

4. 索引完善，在「三大」百科全書中居首位（大美次之，大英敬陪末座）。

3. **The Encyclopedia Americana**. Grolier, 1992, 30 v. ISBN 0-7172-0123-6.

　　Encyclopedia Americana 於1829年初版，是根據德文著名大百科全書 Konversations — Lexikon（習慣上簡稱 Brockhaus）中的資料改編而成，爲美國純「土產」百科全書中歷史最悠久的一種，中文譯名爲「大美百科全書」。

卷　冊　數	30 v.
字　　　數	31 m.
款　　　目	53,000 est.
讀 者 對 象	大、中學生，成人

　　在「三大」百科全書之中 Britannica（大英百科全書）最富學術性（most scholarly），Collier's 以內容均衡（balanced coverage）著稱，Americana 則在傳記、地理、歷史等學科方面（尤其是美國與加拿大的傳記、地理、歷史資料）佔盡了優勢。其出版的目的是希望成爲專家與一般讀者之間的橋樑。

　　Americana 的特徵如下：

1. 每一世紀均有歷史論文（共二十篇）。

2. 登載若干重要歷史文獻（historical document）的全文。
（例如：大西洋憲章，華盛頓退休演說等。）

3. 甚多專有名詞字彙（Glossary of Technical Terms）。

4. 在篇幅上 Americana 的 53,120 個款目為第二大的百科全書，僅次於 Britannica（106,800 個款目）。

5. 重視科技資料，在本世紀之初，「科學的美國人學報」（Scientific American）的主編 Frederick C. Beach 兼任大美主編，種下了重視科技的根，以後大美一直保持這一傳統。

6. 在資料內容上，本書40％為傳記資料，20％為地理資料，此點為大美的特長，但同時破壞了資料均衡（balanced coverage）的原則。

7. 有關圖書館學的款目──「美國與加拿大的圖書館事業」（v.17. p.336-395）由一群圖書館學專家執筆，是在百科全書中出現最具權威性的資料。

8. Americana 新穎程度不合標準，此為其最大缺點，編輯部門於1967年開始即實施一種重建計劃（rebuilding program）大事修訂，專家學者對於「重建計劃」的品評殊不一致，Bohdan S. Wynar 大體上採取贊許的態度，在過去的書評中，他對有關 "U.S.S.R" 的款目沒有澈底修訂略有微言。Kister 則認為實行「重建計劃」的結果，Americana 的由 60,000 款目劇減到 53,120，若干次要的美國和加拿大的城鎮都成了犧牲品（Fallen victims）。1992 年的 Americana 對於國際政局的變化極為注意，蘇聯及東歐共黨國家的解體，東西德的統一，波斯灣戰爭都有正確而新穎的報導。

9. Americana 的圖解（graphics）大都以實用為主而不強調美觀悅目，其 21,000 圖形中約 13,500 為黑白像片，現在情形大有改善，增加若干重要的地圖。

Americana 的年鑑爲 Americana Annual 自 1923年每年出版。

此一年鑑的功用祇能作爲某一年的記錄，與母篇（Americana）除同名外並無太多直接關係。

本書的缺點如下：

本書爲重要百科全書之一，但是文字不夠淺顯，單字沒有經過測驗與控制，青少年使用會有困難，因此史蒂文斯（Rolland E. Stevens）教授認爲 Americana 是圖書館購買第二部百科全書時的第一選擇(First Choice for a Second Encyclopedia) ❷ 。

The Encyclopedia Americana 和 The World Book Encyclopedia 是美國讀者極爲喜愛的兩套大百科全書。自從在我國由光復書局出版中文版大美百科全書之後（請參見百科全書四大出版公司）在我國圖書館參考室中的地位不斷上升。

關於我國的資料在 Americana v.6之中共有 105 p(pp 446-591)，提供圖片 39幅（有色 21幅）地圖 6 幅，有極爲詳盡的中國朝代表及行政區域表。

4. **Funk & Wagnalls New Encyclopedia.** Funk and Wagnalls, Inc., 1988 （版權日期1979）, 29 v.

Funk & Wagnalls New Encyclopedia 是改名換姓最多次數的一種百科全書，其過去名稱爲：

Funk & Wagnalls Standard Reference Encyclopedia (1959-1971)

---

❷ Stevens, Rollend E. and Joan M. Walton. Reference Work in the Public Library, Libraries Unlimited, Inc. 1983, p.22.

Universal Standard Encyclopedia(1954-1958)

New Funk & Wagnalls Encyclopedia (1949-1952)

Funk & Wagnalls New Standard Encyclopedia of Universal Knowledge (1931-1948)

Funk & Wagnalls Standard Encyclopedia (1912-1930)

1876年兩位極富事業心而又熱心教育的青年傳敎士 Isaac Kauff-man Funk 和 Adam W. Wagnalls 合伙創立了 Funk & Wagnalls 出版公司，自此一帆風順，成爲美國頗有名氣的出版者。

卷　　冊　　數	29
字　　　數	9 m.
款　　　目	25,000 est.
讀　者　對　象	家庭

1953年以來，此一百科全書祇在超級市場（supermarkets）中出售，生意興隆，獲利頗豐，在超級市場中販賣的書籍水準一向不高，Funk & Wagnalls 爲僅有的例外，即令如此，靠超級市場起家仍然對 Funk & Wagnalls 英名有損。

1960 年代由於熱門電視綜藝節目（Laugh-in television show） 中提到此一百科全書，因此「查查你的 Funk & Wagnalls 看」（Look it up in your Funk & Wagnalls ）成爲當時全美流行的口頭禪。

此套百科全書的特徵如下：

1. 在超級市場出售時，採取一週一册分期付款辦法，家庭主婦在購買第一册時祇需付書價美金 9 仙，購買第二册時免費贈送 Funk & Wagnalls Standard Desk Dictionary 2v. 其餘26册則每週付2.99美

元，全套書售價爲 77.83 美元，可謂價廉物美。

2. 以整個家庭爲讀者對象，因此重視實際性（practical subjects）的題目，例如營養，保險，園藝，攝影等項目，運用文字以日常會話及非技術性爲原則。

3. 內容新穎。在此一套書的 13,000 頁資料中，每年修正至少 2,000 頁，修正率超過 10％的標準甚多。

4. 圖解豐富。計有 7,500 幅之多，約佔總篇幅 20％。

5. 在 v. 27 後所設的附錄，「如何使用圖書館」「如何寫作研究報告」「世界統計資料」均爲極有參考價值的資料。

6. 在最後兩冊附有索引。本書索引極爲優良，在 9 百萬文字之中設有索引款目 193,000，僅次於 Academic American Encyclopedia（同爲 9 百萬單字，索引款目 250,000）。

7. 在 v. 27 附有 200 頁的書目，分設於 150 個主題之下。

8. 本書採用字母的字順排列制度（letter-by-letter）。

9. Funk & Wagnalls 每 4 年取得新的版權一次，因此本書在每冊前所注明的版權日期雖爲 1979，其實出版的日期爲 1980。

10. 本書文字簡單扼要，每篇字數約爲 360 字，通常避免歷史背景性的敍述。

11. 本書傳記與地理資料佔總篇幅（25,000 款目）的 50％。

12. Funk & Wagnalls New Encyclopedia Yearbook 與母篇關係不大。

Funk & Wagnalls 的缺點有下列數端：

1. 科技資料在本書中佔總篇幅 20％，相形之下，人文及社會科學沒有受到應有的重視。

2. 執筆人中 15％業已不在人世，而此一名單尚未修正，予人以過時及陳舊的印象。

3. 本書列有如何利用此套百科全書的指南，但不排列在 v.1的部首，而排在81-84頁，不容易引起讀者注意。

4. 在圖片之中莎士比亞（Shakespeare）的彩色圖片即有四大幅（整頁）之多，似無必要，又美國畫家 Georgia O'Keeffe 的名畫 Cow's Skull: Red, White and Blue 應以三色彩色複製，結果以黑白顏色刊出，不符合實際需要。

5. 爲求每卷厚薄一致，本書採字母分裂制度（split-letter system），因此 v.16 爲 MAP-MOTIO，v.17 則爲 MOTIO NORWE，讀者在v.16 查到"Motion Picture"，"Motion Picture Arts and Sciences, Academy of."等款目，而不知道在 v.17中尚可找到"Motion Pictures, History of"此一款目。

6. 本書所強調的「國際化」（International）似乎祇是一個口號例如「教育」（Education）款目敍述教育歷史，從一個世界整體的觀點，但緊接即安排一項「美國教育」（Education in the United States）的款目，此類例證，不及枚舉。

5. New Encyclopaedia Britannica 15th ed., Encyclopaedia Britannica, Inc. 1991, 32v. ISBN 0-85229

大英百科全書是英文百科全書中最資深、最大，也是最著名的。普通提起百科全書，自然首先聯想到此一部極富學術價值的參考工具書。惟據1965年專家意見調查的結果，「大英」屈居評分第五位，1979與 1980的百科全書排行榜則爲季軍，然而這是無傷的，因爲"The World Book"和"Compton's"兩種百科全書，都是以青少年讀者爲主要對象的，「大英」則爲一部成人用大百科全書，此書眞正競爭的敵

手是「大美」和"Collier's",現在是鼎足而三的局面(指「成人」及「最大」百科全書的天下),而在使用者心目中,對於「大英」似乎多少有點另眼相看。

卷　冊　數	32 v.
字　　數	44 m.
款　　目	65,000 est.
讀 者 對 象	知識份子

　　大英百科全書創刊於美國獨立前八年,創辦者是英國士紳學會的(A Society of Gentlemen)三數學者,主編爲28歲的 William Smellie ,於1768年起以週刊形式出現,至出齊一百期時始合併爲初版,時爲1771年。此書誕生於蘇格蘭的愛丁堡城,因此多少沾染了蘇格蘭氣氛,英國圖書館學參考書專家 A. J. Walford 曾批評「大英」充滿了「蘇格蘭偏見」(Scotish bias),其他國家學者,都不曾附和此一說法,一般印象,倒認爲大英百科全書保有頗重的「英國腔調」(British accent),我們稍加注意,即可發現此書名的書 Encyclopaedia 一字,較美國「土生」的百科全書拼法 Encyclopedia ,多一英文字母。

　　若干人士認爲大美百科全書旣是美國產物,很自然的假定大英百科全書一定爲「英國貨」了❸,此話似是而非,自1902年大英百科全書即「歸化」美國,1920年 Sears, Roebuck & Co. 購得本書版權,旋於1943年轉贈芝加哥大學,卻未爲芝大接受,現在自行成立公司經營,與芝大沒有太深關係。

---

❸　在百科全書排行榜中「大英」不及「大美」可能由於這種誤解。

在本書舊版之最著名，最有學術價值者為：

| 9th edition | 1875-1889 | 24v. |
| 11th edition | 1910-1911 | 29v. |

至今，此二版仍為圖書館和藏書家搜購珍藏的版次。

第14版的大英百科全書在學術界惹出許多是非，凱茲（Katz）對此版的索引贊不絕口，認為在所有百科全書中首屈一指。物理學家愛因白德（Harvey Einbinder）則將14版批評得一無是處，他寫的文章竟然定名為「大英百科全書的神話」（The Myth of the Britannica）。

第15版的大英百科全書簡稱 Britannica 3 或 B₃ 之出現完全是赫京斯（Robert Maynard Hutchins 前芝加哥大學校長），班登（William Benton 大英百科全書公司的東主，曾任芝加哥大學副校長）和阿德勒（Mortimer J. Adler 名教育哲學家，「大書」Great Books of the Western World 的主編）三人教育理想的實踐。

B₃ 的編制耗時15年（10年設計，5年寫作編輯），動員來自134個國家的4,000名學者專家，公司編輯人員400人，耗時2百50萬小時（執筆者寫作時間及排印時尚不計算在內），運用經費3千2百萬美元，可謂洋洋大觀的了。

B₃ 問世之時，讚美之聲不絕如縷，A.L.A. 決不輕易予人好評的 Reference and Subscription Books Review Committee 竟稱B₃是百科全書劃時代（a landmark）的鉅著。吉士特（Kister）在「百科全書採購指南」中強力推薦，他說無論圖書館規模的使命如何，B₃是必（must）買的工具書。甚至過去大罵大英14版的愛因白德（Dr. Einbinder）在態度也作180度的轉彎，他說：「B₃的便利，正確與新穎是其他百科全書比不上的，B₃的誕生使得所有的百科全書顯得落伍」。

15版的B₃完全是一部新書，讀者決不可將B₃看成14版的修正版，

14版的主編皮力斯（Warren Preece）聲稱，這兩版的內容資料雷同之處不到10％。

B₃的編組計分爲三部份：

1. Propaedia（Outline of Knowledge）1v.（知識的綱領）

 是知識的分類，同時作爲Macropaedia 的論題索引 topical index。

2. Micropaedia（Ready Reference and Index）12v.（知識的途徑）。

 是快速參考的工具。Kister 稱爲小知識（small knowledge）同時爲 Macropaedia 的分析索引（analytical index）。

3. Macropaedia（Knowledge in Depth）17v.（知識的泉源）Kister 稱爲大知識（large knowledge）。

 另外有索引 2 v.

B₃共32卷，由於同編組是三分天下（Tripartite）的安排，因此稱爲B₃。1981 年，大英百科全書出版公司更出版「大英百科全書使用指南」（Library Guide to Encyclopaedia Britannica）1v. 計有 145,000款目，20,000參見，24,000引用文獻（Citation），其目的在於將 Micropaedia 和 Macropaedia 的索引款目，合併爲一册以便利查用的讀者，此一企圖並不成功，Kister 甚至建議不滿意的圖書館員不妨「退貨」。

爲了教導讀者使用大英百科全書公司（Encyclopaedia Britannica Educational Corporation（EBEC））於1977 製作 一部名爲 How to Use Britannica 3 的有聲幻燈捲片。

EBEC 另外出版 年鑑三種：

 Britannica Book of the Year（1938- ）

 the Britannica Yearbook of Science and the Future（1969- ）

 Medical and Health Annual（1976- ）

均與B₃沒有太多直接關係。

B_3 的特徵如下：

1. B_3 的排列採用「字母的字順制度」。

2. Propaedia 將知識劃分為十個範疇：

物質與能源	Matter and Energy
地球	Earth
地球上的生命	Life on Earth
人類生活	Human Life
人類社會	Human Society
藝術	Art
技術	Technology
宗教	Religion
人類歷史	The History of Mankind
知識的分枝	The Branches of Knowledge

Propaedia (1v.) 並可用為 Macropaedia 的論題索引。

3. B_3 資料豐富：

(1) Micropaedia (12v.) 計有 102,000 篇文字，每篇約750字。總字數 1千4百萬，除大美3千1百萬，Collier's 2千1百萬之外，已超過任何其他百科全書的篇幅。

(2) Macropaedia (17v.) 更為龐大，計有 4,027 篇文字，每篇平均約 7,000 字，總字數為 4千3百萬。

4. B_3 國際性資料超過其他任何一套百科全書。

5. Macropaedia 中所有論文均經執筆者簽名，表示負責。

6. Macropaedia 附有精選的解題書目（annotated）。

Kister 對過去 B_3 所附的書目頗有微言，他認為：

(1) 書名之後沒有注明出版公司的名稱。

(2) 若干書目略嫌陳舊

在1970年代出版者　　　　10%

在1960年代出版者　　　　50%

在1960年代以前出版者　　40%

使用者應該注意1991年的B₃對於這種缺失，有沒有改進。

7. 在 Micropaedia（Volume 10）的中部插入的附錄（Addenda）包括6種重要的歷史文獻的全文（例如，大憲章，美國獨立宣言等）及世界各國的國旗，可惜置放的位置有欠考慮，這些資料甚難為讀者發現。這也是1974年出版B₃的小毛病。

8. 大英百科全書在傳統上重視人文學科，B₃自不例外，在學科的分配上，B₃的最顯著的轉變在於強調科技，科技資料佔總篇幅40%以上，前述的 Warren Preece 指出：在1929年，人類還有沒進入太空，1957 我加入大英百科全書公司時人們想不到可以換「心」，現在是甚麼時代，不注意科技，行嗎？

9. B₃的地理資料佔總篇幅 15%。

10. 在傳記資料方面，次要人物如哈定（Warren Harding）祇登錄在 Micropaedia 之中，最重要的傳記才能在Macropaedia 中出現。

大英百科全書並非沒有缺失，200 多年前出版的第一版「大英」就曾犯了嚴重的錯誤，將「加里佛里亞」形容為「西印度群島的一個大國」（California as "a large country of the West Indies"）。B₃的問題如下：

(1) 修正問題

過去B₃的編輯顯然認為 Macropaedia中的資料中絕大部份，（如果不是整體）是相當「定型」（static）的，沒有經常變動的必要。

1991 的B₃有很大的轉變，編輯部門在序文指稱新版修訂部份有 5,982頁之多，其細分如下：

Propaedia	394 p.
Micropaedia	1,338 p.
Macropaedia	1,972 p.
Britannica World Data	352 p.
新加款目	4,714 個

(2)　索引是否夠用問題

1974年版的 B₃企圖將10v. 185,000 索引款目的 Micropaedia 作為 Macropaedia（總字數 2 千 8 百萬）的分析索引是自不量力的，此點為 B₃的致命傷，Kister 估計至少需 500,000 索引款目。

1991年版的B₃從善如流，除兩卷單獨索引以外增加索引47頁，加之參見總數已達43,100個，使用者找尋資料，不像過去困難。

(3)　圖解問題

Propaedia 完全沒有圖解

Micropaedia 附有 16,000圖解，大部份為非彩色的

Macropaedia 僅有 7,000圖解

美國各州，加拿大各省都沒有地圖，巴黎的地圖竟然不將龐畢度文化中心（Pompidou Center,1977 年成立）列入，Kister 的評語是「非常失望」。這是過去的事，1991年版的B₃大有改善，僅以像片而論就增加了 271幅。

(4)　文字深奧問題

　　B₃的文字不與課程配合也沒有經過「單字控制」，Choice的書評指出B₃關於原子能的報導比 McGraw-Hill Encyclopedia of Science and Technology，（一部科技專門的百科全書）中相同的款目還要難懂。

　　這種評論，筆者不以爲然，B₃是精密文化的結晶，其讀者對象是高級知識份子，如果爲了市場而走通俗的路線則失去了本眞。

　　⑸　內容是否公正（Bias)引起爭議：

　　由於有關蘇聯及其15個共和國的款目是由蘇聯官方通訊社 Novosti 執筆 ，Romauld J. Misiunas 在 Savic Review, Samuel McCracken' 在 Commentary 中大肆評擊 ，認爲有意將美國人民洗腦。愛因白德(Harvey Einbinder) 則指這種做法是生意經，希望打開國際市場。公平的講B₃想使百科全書加強國際化的企圖得到了反效果，爲了因應這些反對的宣傳，B₃承諾要重新成立一個委員會聘請專家將這些款目予以修正。（請參見紐約時報 New York Times, September 21, 1975 的報導）

　　現在前蘇聯已經解體，就心爲共產主義張目的憂慮已逐漸沖淡，討論版次的書評也沒有再提這件事。B₃如何交代倒是值得我們注意，筆者所關心的是執筆人和出版者的言論自由權以及出版者如何因應書評專家的不利評論。

　　B₃收集有關我國的資料極有深度：

　　Micropaedia v.3有 18 p文字（ p220-238 ），並有最完整的朝代
　　　　　　地圖 1 幅。

　　Macropaedia v. 16 有 204 p文字，（p36-240），地圖13幅（三
　　　　　　國，五代，種族，自然地理，春秋人口密
　　　　　　度）均爲彩色。

　　　　　　圖片有色者 6 幅，黑白圖片 29幅。

（有關款目及參見款目的頁數未計算在內）

B₃致力於國際化，其出版中文版的經過，請參閱本書第二章第七節百科全書的四大出版公司。

B₃歷史悠久，實力雄厚，1991年版更力求改進，其能保持百科全書龍頭老大的地位，決非倖致。

二、小部頭成人百科全書
（Smll-Volume Adult Encyclopedias）

6. The New Columbia Encyclopedia. Columbia University 1992, 1v.

The New Columbia Encyclopedia 在「單本」（one volume）百科全書中不僅是最大的（在篇幅上等於其競爭對手的兩倍）而且也是最傑出的（outstanding）。

在百科全書分類時 Kister 採用「小部頭」（small volume）字樣，因為在這一類型百科全書有 2 冊，3 冊不等，不僅限於 1 冊。

New Columbia 的原名為 Columbia Encyclopedia（1935-1974 1v.），四十年來一直維持良好聲譽，另一姊妹出版品為 24v. 的 The New Illustrated Columbia Encyclopedia，在超級市場中出售，只是本書的內容加上 5,000 幅圖片而已，即令如此，讀者仍然不可將此兩部書混為一談。New Illustrated Columbia 字體較大，版面則較小，讀者對象為家庭及兒童。New Columbia 是供成人及學生「快速參考」（instant reference）之用，而且以電腦排版，易於修正。

New Columbia 的特徵如下：

1. 本書的 50,000 款目 660 萬單字中， 45%為傳記資料，30 %為地理資料，在學科分配中自然科學，人文學科比社會及行為科學較受重視。

2. New Columbia 採用「字母順序排列制度」（ Letter - by-Letter ），每頁可刊出 15-16篇短文，每篇平均 150 － 170 個字，本書文字筆調直接（ Direct ）簡單，編輯部門自稱「看本書文字好像看報紙」。

3. 本書有 66,000 互見，因此不用索引，圖片甚少（ 全書僅 407 幅圖片 ），其 40,000 目錄引用文獻（ Bibliographic Citations)均為新穎而且有代表性的著作，唯一缺點在於這些目錄資料只註出著者及出版時間。

New Columbia 為一部好書，如果圖書館能同時購置 Random House Encyclopedia （1v.）則可以達到相輔相成的目的。

7. **The New Lincoln Library Encyclopedia.** Frontier Press Company, 1992, 3v.

The New Lincoln Library Encyclopedia 已有 60年歷史，為一紀念林肯（ Abraham Lincoln 美國歷史上最偉大總統之一 ）提倡自我教育（ self-education ）的一套小部頭百科全書。在1924 － 1977 年之間本書書名為 The Lincoln Library of Essential Information，共 2 v。出版公司 Frontier Press Company 宣稱此一百科全書的書名再度改回書名為 The Lincoln Library of Essential Information ，卷冊也將改回為 2v.

（ 讀者請注意本書書名中之 Library 字樣不可 翻譯為圖書館，而應解釋為圖書，尤其指成套的圖書 ）

New Lincoln Library 將知識區分為12個主題 topical sections部份。

v.1. 以48頁世界地圖集開始，並包括地理、經濟、歷史等學科。

v.2. 包括，政府與政治，教育，語文，與藝術等學科。

v.3. 包括數學，科學，傳記等學科。

每卷之後均附有整套三卷的總索引計 26,000 個款目。

New Lincoln Library 的特徵如下：

1. 歷史性與事實性（historical and factual material）資料特強。
   （例如藝術史，音樂史，經濟史，交通史等方面的資料）

2. 大量的統計與事實資料以表格（tabular form）形式提供。
   本書附有空氣污染，美國銀行，主要運河，世界港口等表格 200 種。

3. 本書內容雖屬正確但新穎程度不夠，自 1981 年開始所有資料將在磁帶（magnetic tape）中儲存，將來修正快速而經濟（類似 The New Columbia Encyclopedia 的做法）。

4. 在 v.1 前部部置極詳盡的目次表。

5. 每一主題部份（topical section，本書稱爲 department）的前部均有「學科指南」（Subject Guide）。

6. 主題內部大半設置「互見」。

7. 主要索引（Master Index）計 65 頁，共 26,000 個款目。

8. 每一主題之後均附有書目，均經仔細選編。其中有關美國歷史的書目尤其新穎。

9. Lincoln Library 對於敏感的題目採取避而不談的立場。

10. 大部份主題之中均附專有名詞字典。

11. 每一主題之後均有測驗題目，全套百科全書之中總共有測驗題目 10,000 條，對自學教育甚爲有益。

在同類型百科全書中 New Columbia 篇幅最大，資料最多，Random

House, University Desk 以圖片及設計取勝，Lincoln Library 缺點雖多但能將甚多資料濃縮是爲其優點，Volume Library 爲其中最弱者。

8. **The Random House Encyclopedia.** Random House, Inc., 1990, 1v. ISBN 0-394-58450-3

Random House Encyclopedia 是國際間出版公司合作的成果。英國的 Mitchell Beazley Publishers, Ltd. 負責編製，美國的 Random House, Inc. 則籌措4百萬美元的經費。愛因白德（Harvey Einbinder）在芝加哥論壇報（Chicago Tribune）的書評中（September 25, 1977）以開玩笑的口吻指出：「這是一個良好的合作，英國人用『頭腦』，美國人出『錢』」。實際上此種國際合作，在商場裏的名詞稱爲 coproduction 已經逐漸形成一種趨勢（a growing trend），本書在英國以 Joy of Knowledge 的書名出現，共 10v.。

Random House Encyclopedia 重視圖解，其主編 James Mitchell 聲稱，「我們是看電視成長的一代，光靠文字是不夠的，一般的成人百科全書利用圖解補充文字，我們認爲圖解是文字整體的部份（integral part）。換言之文字和圖解在成人百科全書中同等重要（equal importance）。

本書 1v. 分爲兩部份：

1. the Colorpedia（彩色圖片表達的知識）
   以一萬餘幅彩色圖片爲主，分爲7組，（Sections），每組都有詳盡的目次表，款目是以論題形式（thematic arrangement）討論範圍廣泛的主題（broad topics）。

2. the Alphapedia（以文字表達的知識）

收集約25,000個，依 A—Z秩序排列的款目（entries），將絕大部份在 Colorpedia 中刊出的人、地、物包括在內。

在 Colorpedia 與 Alphapedia 之間則插入 48 p. 的「時光表格」(Time Chart)，將人類自 4,000 B.C. 至 1976 年之間重大的事件排列成爲表格。

Random House Encyclopedia 的特徵：

(1) 地圖都是 Rand McNally 1990年的版本，精美絕倫。

(2) 索引不足。編者認爲 Colorpedia 附有 15,000互見，在本書中稱爲「連接」（connections ），因此本身就是索引。

(3) Random House 的 9 頁書目排在 Alphapedia 之後，包括1,500個引用文獻（Citations）依照 Colorpedia的 7 個部門組合，然後再予以細分。本書書目尚稱新穎。

(4) Random House的圖片在質與量上都是值得讚美的，其精美圖片在同類型百科全書 3 倍以上，但是在學科的分配上也產生了問題。

Colorpedia 的重點在於藝術，科技與醫學等容易運用視覺資料的學科。歷史、文學、哲學宗教等學科不能特別強調視覺資料，因此居於次要。

本書分爲兩大部份是一特色。據 Mitchell 解釋此兩部份定名爲 Colorpedia 和 Alphapedia 是編輯部門同仁開玩笑起綽號的結果。Mitchell 的談話引起了文化界人士的圍攻，Edmund Fuller 的評語是「悲哀之至」(Deplorable)，Chistopher Lemann-Haupt 則大罵「這些討厭的字」(awful words)，其他攻擊所謂「Pedia Jargon」（Pedia狂）的人士比比皆是。

這是若干年前的事，目前事過境遷，讀者已經慢慢習慣這種安排，

在書評界也聽不到，看不見負數的評論（regative review）。

平心而論在圖片與設計上，在運用的便利上，Random House都比同類型的百科全書優越，The New Book of Knowledge 則在學術價值上取勝，兩部書相輔相成，圖書館應該同時購置。

9. **Webster's new world encyclopedia.** Prentice Hall, 1992, 1,230 p lv. ISBN 0-13-947482-X.

Webster's New World Encyclopedia.這本小部頭（1 v.）百科全書對很多讀者來說可能是陌生的，根據在英國出版的Hutchinson Encyclopedia 第 9 版（1990)改編、增訂而成，其目的在於打開美國市場，這部百科全書內容新穎，使用方便，價格低廉，完全迎合了美國朋友的心意，書評中出現了一片讚揚之聲，就發行目的而論，Webster's 是成功的。

Webster's New World Encyclopedia沒有索引，也很少運用參見，在1,230 p 篇幅中安排了 25,000 簡短款目，依字母順序組織，其高達2,500件圖片多半是彩色的。

Webster's比較有世界性的着眼，例如解體後的蘇聯，其報導就比同類型小部頭百科全書詳盡新穎而正確，唯一缺點是字體太小，每頁排成三條縱欄（three-column per page）的形式，也讓讀者難以適應。

這小部頭百科全書和Webster's New World Dictionary 書名近似，但完全是兩回事，讀者不可將這兩部書混為一談。

三、青少年百科全書
（Young Adult Encyclopedias）

10. **Barron's Student's Concise Encyclopedia** New York: Barron's Educational Series, Inc. 1988, 1v. 1200 pp ISBN 0-8120-5937-9.

Barron's Student's Concise Encyclopedia經過精心設計，是讓讀者隨意瀏覽充實知識，加強對世界了解的一卷百科全書。

在生動的導論中，編輯部門說在這本百科全書中你可以找到很多在學校裏學過的東西，但是你可能已經記不得了。除非你能夠把一部電腦放在頭腦裏，一個次一等的辦法就是利用這部百科全書。

在組織上，Baron's分成25個單元，每一單元之下的款目都依字母順序排列，只有第23項技術（Technology）是依各項人類發明的時間排列，這套書重視實際用途（Practical uses），例如第13項獨立生活（Living independently）包括飲食營養，保健，醫藥常識，旅遊，存款開戶，申請補助等項，為遠離親人家庭的青少年着想，第22項閱讀與學術指導和第4項電腦都能提供簡明，扼要，合用而又正確的資訊。

編輯部門更指出這部百科全書只有1,200頁，因此刪除的資料比收容的多，本書的內容是高度選擇性的，我們的目的只是作為快速參考之用，以這一點而論Baron's Student's Concise Encyclopedia 是勝任愉快的。

11. **Compton's Encyclopedia** Encyclopaedia Britannica Inc. 1992, 26 v. ISBN 0-85229-530-8.

在Encyclopaedia Britannica 公司的出版系列之中：

New Encyclopaedia Britannica 　　　是成人的百科全書

Britannica Junior Encyclopaedia 是青少年的百科全書

Compton's Precyclopedia 是兒童的百科全書

有若干讀者可能覺得B₃太深奧而 Britannica Junior Encyclopaedia 又太簡單， Compton's Encyclopedia 的讀者對象就是這些人。

此一百科全書初版於1922年問世，原名爲 Compton's Pictured Encyclopedia，並非由其他百科全書改編而成，1961 年大英百科全書出版公司取得版權，1974 年將書名中" pictured "一字取消，但並不意味到編輯政策的轉變， Compton's 自創始到現在爲圖解最豐富、優良的百科全書。

在百科全書編製史中， Compton's 代表着進步和革新的觀念， Compton's 開風氣之先，提出一連串的措施，其紀錄如下：

(1) 首先建立圖解式索引（ Illustrated Index ）。

(2) 首先複製彩色圖片。

(3) 首先編製事實索引（ Fact-Index ），計 200,000 款目。

一方面作爲正文的分析索引，另一方面作爲人、事、物、地、動植物等項目的「快速參考」。索引本身即附帶有事實的資料，The New Book of Knowledge 的索引就是沿用 Compton's 的辦法。

Compton's Encyclopedia 的其他特徵如下：

1. 內容組織依字母的字順排列制度(Letter-by-Letter ）。

2. 在篇幅上本書共有 45,000 個款目，其中15,000爲範圍較爲廣大的論文（ Articles ），長度由 1 頁至40頁不等，簡要款目約 30,000個，稱爲「事實款目」（ Fact Entries ）。

（讀者應注意 Fact Index 和 Fact Entry 的區別）

3. 設有甚多的閱讀指南稱爲「參考綱要」（ Reference-Outlines ）。

4. 每册前部都編製有供讀者任意瀏覽（ browsing device)的部份稱爲

"Here and There in Volume…，"。

5.　　"Exploring Compton's Volume…，"爲該冊的參考問題及解答，訓練並加強讀者查詢的能力。

6.　　本書文字寫作採用金字塔式（pyramid style），由簡而難，文字生動活潑，可讀性高。

7.　　附設書目400種（包括電影影片在內），數字略嫌不足。

8.　　偏重美國與加拿大的資料，例如加拿大文學的篇幅佔 6 頁，而中國文學則只能在「中國」款目之下找到幾段的資料。

9.　　大部份款目均未經執筆者簽名，但其正確性（Reliability）似無問題。

10.　對於若干敏感的問題，Compton's 的立場不失公正，Linda Kraft 在分析各百科全書的「性別歧視」問題所提出的報告 "Lost Herstory"中認爲，只有 World Book 和 Compton's 的處理方式是不偏不倚的。

11.　運用 Compton 時一定要先檢索事實索引(always consult fact index first.)。

12.　Compton's 的年鑑有二，Compton's Yearbook 及較爲專門的 Year-book of Science and the Future。前者有參見與母篇連接，因此對 Compton's 保持新穎的目的頗有助益。

Compton's 的缺點如下：

國家主義的觀念過於強烈（此乃與學校課程配合的結果）對於敏感問題的立場雖然公正，但仍然儘力廻避，不肯深入討論 Bohdan S. Wynar 在書評中指出對於 Abortion 的問題，Compton 只用兩句話來解釋人民爲甚麼 Anti-Abortion 或是 Pro-choice。

在青少年百科全書中 World Book 居首，Merit Students 次之，Compton's 則屈居季軍。

Comptons 介紹中國的資料佔篇幅49頁（pp335-384）比較Worldbook
（38p），Merit student（28頁）超出甚多。

其中彩色地圖9幅，彩色圖片48件，黑白圖片6件，書目24頁，
尤其可貴的是 China Fact Summary 2頁是不容易在其他百科全書中看
見的。

12. Encyclopedia International. Grolier, 1982, 20v.

Encyclopedia International 於 1963年強調學生課業與課外活動，本
書的特徵如下：

1. 內容編制採取「字母字順排列制度」（letter-by-letter）。

2. 完整的參見辦法（cross-references）。

3. 分析索引達 120,000 款目，由圖書館學專家泰百（Maurice F. Tau-
   ber）設計。

4. 款目50％爲傳記與地理：

   (1) 傳記資料約爲10,000款目，其中$^1/_3$爲著名的美國人，若干文
       藝作品中的人物，例如Bobbsey Twins 及聖經中的人物也包
       括在內。

   (2) 地理資料一向爲 International 的優點，尤其重視主要國家，
       如美國、加拿大、中國等，幾乎所有百科全書均載有 Pots-
       dam, Germany 款目，唯有 International 收集有 Potsdam,
       N. Y. 的款目，———一個人口不到10,000人的美國小城
       鎮。

5. 重視社會科學（social sciences）。尤其是社會問題（social pro-

blems）如空氣污染、離婚、毒品等項目。

6. International 75％的款目屬於簡單、專門的範圍，平均每頁可刊出文字三篇。

7. 其讀者對象除在學中學生以外，並希望進入家庭，因此儘可能重視「如何做」（how-to）和實際的（practical）項目，如防火，購買股票。又如在 “Refrigeration” 項目之中不僅提到理論而且進一步解釋機械基本操作，維護及設計。

8. 在300篇論文（articles）之後附有閱讀指導（Study Guides），此外尚有職業指南（Career Guides）及若干種辭彙。

The International 的缺點如下：

(1) 修正率自1975年以來每年約為 3％，遠在標準 (10％) 之下。其年鑑 Encyclopedia Yearbook 與母篇不能配合，因此在幫助 Encyclopedia International 使其新穎的企圖上，不起作用。

(2) 在本書的 30,000 篇之中約2,000篇附有參考書目，佔總額 7％。書目未依年級程度分組（World Book, Compton's均為 graded）。

(3) International 收集的圖片僅13,000幅，而且大部份為黑白色的，在數量上顯然不足。

此套百科全書有關中國的資料為 50 p.（pp 335－385），地圖6幅，圖片17張（均為黑白色）有方塊資料（Box）分別介紹地理，人口，語言，文盲，貨幣，國歌，首都及主要產品，與其他主要百科全書比較，有其獨到之處。

International 具有潛力，目前只有1982年版，但有捲土復來的機會。

13. **Merit Students Encyclopedia.** Macmillan 1991, 20 v.
    ISBN. 0-02-943752-0

 Merit Students Encyclopedia 於1967年間世,是一套全新的百科全書,沒有仰賴其他百科的資料,更不是由舊的百科全書改編而成,(當時的百科全書排行榜榜上無名,是由於出版時間的關係,Kister 爲此耿耿於懷),在短暫的十幾年中緊迫釘人直追World Book Encyclopedia,成爲坐二望一的青少年百科全書。

卷　冊　數	20 v.
字　　數	9 m.
款　　目	21,000 est.
讀 者 對 象	小學五年級至高中三年級

此書的特徵如下:

1. 學科內容均衡發展(subject coverage is well balanced)。
2. 在21,800個款目之中50％爲傳記與地理資料。
3. 文字簡單扼要,每篇字數平均在400左右。
4. Merit 的文字採用「金字塔」筆調(Pyramid Style)由淺入深。同時更依題目的性質決定文字的深淺,例如「農業」(Farming)的文字較爲淺顯易懂(讀者應爲低年級學生),「自動化」(Automation)則文字較爲艱深(讀者應爲高年級學生)。
5. 所有文字均經執筆者簽名,在 v.20 後列舉他們的個人資料。
6. 經常將主要的事實資料列入方塊(boxed information)以引起讀者注意,同時有便於快速參考。

7. 在 20,000 種圖片（graphics）大部份爲彩色的，其中 5,000 爲全部色彩（full color）與兩種色彩（two color）有很大差別。彩色圖片的運用以能發揮視覺功能 "functionally" 爲目的，並非爲了美觀悅目。

8. 素質精美的地圖 1,500 餘幅，均由 Rand McNally and Company 製作。

9. v.20 有 140,000 名詞索引，20,000 圖片的資料，也納入索引。

10. 約 20 % 的論文附有書目，若干書目依讀者程度區分爲 "For Younger Readers," "For Senior High School Readers," "For Advanced Students" 三組，所列圖書均經精選。在傑佛遜傳記的書目中（爲高材生所編的書目）列入 Fawn Brodie 所著 Thomas Jefferson: An Intimate History(1974)，這是一冊好書，其他百科全書的書目中很難發現。

11. Merit 的編製是依照「字母順序排列制度」(Letter-by-Letter) 排列。

12. 1991 年版正文 12,000 頁中 2,270 頁經過修正，修正率遠超過 10 %的標準。

此一重要的青少年百科全書的有關圖書館學的款目（題名 "Library science, careers in"）原來由圖書館學大師 Louis Snores 指導寫作 Shores 不幸於 1981 年逝世，何人接棒，而且圖書資訊學瞬息萬變，讀者應留心這套盛名在外的百科全書如何因應。

Merit Student Encyclopedia 提供介紹中國的資料 28 p（pp 419-447）9 幅地圖之中，7 幅彩色（氣候，土壤等），2 幅黑白，圖片 18 幅，其中彩色 5 幅均極精美。

14. **New Standard Encyclopedia** Chicago, Standard Educational Corporation, 1992, 20 v. ISBN 0-87392-197-6(set)

New Standard Encyclopedia 的前身是 Aiton's Encyclopedia ⓒ 1910 和 Standard Reference Work ⓒ 1912 and later　1930年以後才採用現在的書名。

卷　冊　數	20 v.
字　　　數	6.5 m.
款　　　目	30,000 est.
讀　者　對　象	小學，初中

這套百科全書的讀者對象是小學四年級到初中二年級的兒童，編輯部門聲稱 9 至 10 歲的孩子可以看得懂，而高年級學生甚至成人也可用這套百科全書爲運用更專門，比較深奧的參考資料舖路，因此重視閱讀指導（study aid）。

以字母順序排列（Letter-by-letter），款目由編輯人員執筆，每篇文字不是一個人寫作，而是幾個同仁協同合作的結果，稿件經過至少一名專家評論，這些認可者（authenticator）對內容的正確與否負責。

統計取材於政府機關和聯合國的機構，在 v.19中報導人口統計的時間和資料的種類。

中國人士的姓名採用中國的習慣例如顧維鈞（Ku Wei-Chun），但是如果這位人士採用西式姓名時，顧維鈞的姓名排列方式就是Koo,V. K. Wellington.

本套百科全書20卷，索引安排在最後一卷，其參見有三種：

1.　見　　　　　　　　　See

2.　又見　　　　　　　　See also

3.　如需更多資訊參見　　For Further Information, See.

在主要款目之後，都列有書目，圖書新穎都可以在圖書館中找到
（合乎小學四年級到初級中學二年級程度）。

修訂率高，在數目40％以上採用經常修正辦法（Revision is conti-
nuous）。

New Standard Encyclopedia 1992 有關介紹中國的資料共 21 p.(pp.
288-309）。其中：

 彩色地圖 　　　2 幅

 圖片 　　　　　21 件（彩色17件，黑白 4 件）

其特色如下：

1. Books about China 參考書目

 分為兩種，一種比較艱深，供普通讀者閱讀，另外一種比較簡單，
 供青少年閱讀。

 選用圖書全部是1980年代出版品。

2. For further Information 參見

 指引讀者到傳記、藝術、城市、歷史、自然、地理等款目，以便取
 得更多資訊。

15. **The World Book Encyclopedia.** Chicago: World Book, 1992,
 20 v. ISBN 0-7166-0092-7.

本書於1917年初版，並非由任何較舊百科全書演變（derived）而
來，也不根據其他百科全書的資料，其製作完全本於一種原始、新創
（original）的觀念，當初並未引起重視，至1963年後的新版，才一鳴
驚人，躍登百科全書的王座。

卷　冊　數	20 v.
字　　數	10 m.
款　　目	17500 est.
讀　者　對　象	青少年，成人

1965年World Book Encyclopedia 經圖書館專家意見調查公推為第一部好百科全書。

在1979年與1980年先後在美國與加拿大舉行的圖書館員運用百科全書情況調查World Book Encyclopedia 均榮膺榜首，從此光輝萬丈，聲勢竟在大英百科全書、大美百科全書之上。

此一偉大的工具書，成名決非倖致，其執筆者達三千人，本書中均分別列舉他們的資歷和負責書寫的部門，其中三十八人為諾貝爾獎金及蒲立滋獎金（Pulitzer Prize）得主，主要文字每篇均經執筆者簽名以表示負責內容的權威性（authority）。

本書的特徵如下：

1. 資料新穎

(1) 本書已有六十年歷史，自1925年以來，即按年實行「繼續修正」（continuously revision）辦法，最近十年修正率超過10%，據其出版公司WBCI報導修訂費用在2百萬美元以上。

(2) World Book 專為修正工作，設立「電子編輯系統」（electronic composition system）使修正工作的效率與速度大為加強 ❹。

---

❹ 見World Book Editors, Artists to Create, Revise Encyclopedia Pages on Terminals 一文。Publishers Weekly, September 1, 1975, p.47.

2. 爲確保新穎，本書更出版 World Book Year Book ，內容分爲 8 組
（sections），此一年鑑與母篇息息相關，並利用互見（cross-
re-ference）將雙方資料連接一起 World Book Yearbook 爲書市中
最受歡迎的年鑑。

3. 文章寫作採用金字塔筆調（pyramid style）由淺入深，專門或新穎
名詞則以斜體字（italicized）印出，以引起讀者注意，有時附加界
說。

4. World Book 編製的基本原則在於與學校課程密切配合及澈底了解
學生的需要。

   (1) 款目題目（Topics）根據 Nault-Caswell-Brain Curriculum Ana-
       lysis ，此一課程分析共有61 大冊（活頁裝訂），（Nault 是
       World Book 的靈魂人物，領導作業20 餘年）。

   (2) 百科全書的內容並在選出的 400 個班級中測驗，學生填寫卡
       片作答，編輯將收回的100,000 張卡片加以分析研究以進一
       步的了解讀者。

5. 單字控制無懈可擊，乃是根據 Ohio 州立大學敎授 Edgar Dale 所
   編製的44,000 單字字彙，這些單字依年級、程度排列，Dale 是文
   字權威兼任 World Book 的顧問。

6. 約在1,300 個款目之後附有書目（bibliographies），經過精選極爲傑
   出，書目依讀者程度，編製分爲二類——爲青少年編製的書目
   "Books for Younger Readers"和爲成人讀者編製的書目"Books for
   Older Readers"，此外在 200種 reading and study guides 之中也
   列有目錄，稱爲 "Books to Read"。

7. World Book 的索引稱爲 Research Guide/Index （自1972年開始，過
   去 World Book 不用索引）共有150,000 個款目，完善良好容易應用，

圖解及表格均已列入索引。

8. 「科技製作」（Science Projects）計 18 種，按部就班的，以圖解配合文字教導讀者如何去做，這些 Project 都是根據科學原則陳述而且是讀者力能勝任的（例如：空氣壓力的影響）。

9. 若干款目之後附有複習題目（review questions），例如「美國革命戰爭」款目之後提出 10 個複習題目，以測驗讀者對較長篇幅的內容了解程度。

10. 在度量制中，本書首先採用米達制（metric）。

World Book 採用「單字字順排列制度」（word-by-word），"Indian Ocean" 排列在 "Indiana" 之前。芝加哥市立公共圖書館於 1978 年所作的調查，本書為使用最頻繁的參考工具書。

11. 新版的 World Book 重視圖片。其 30,000 左右的圖片中，有 25,000 件是彩色，這是一大進步。

World Book 的缺失都是無傷大雅的：

(1) 避免談論引起爭議的（controversial）的問題，在薩爾瓦多款目之中進行多年的流血內戰，World Book 的處理好像平安無事。

(2) World Book 圖片甚為豐富，在 29,000 圖片之中 14,000 為彩色的，另外附設地圖 2,300 幅，平均每兩頁即有圖片一張，但其中若干模糊不清缺乏美感，1993 ARBA 的書評說 The World Book Encyclopedia 企圖以量來補質之不足。

(3) 由於重視學生的興趣與需要，World Book 必需經常修正，因為 World Book 的資料是容易過時的（dated）。

(4) 由於與學校課程的關係密不可分，因此：

① 內容國家，和民族主義的氣息極為濃厚（Wynar 稱為 overly

nationalistic）❺。

②. 在資料平衡上，人文學科比較不受重視，尤其在休閒活動（Entertainment and popular culture）方面資料不多。

(5) 本書款目篇幅長者達數十頁，短者僅有數行，若干書評專家認爲此一工具書需要若干不長不短的款目（midlength articles）。

World Book 以38頁（pp 474-512）介紹中國，並安排複習問題，閱讀及研究指南，設計週詳，資料豐富。例如新版中增加李鵬的傳記。此外附設彩色地圖14幅，彩色圖片48張，黑白圖片兩張（八國聯軍，及萬里長征）。

以這一部份圖片的美觀程度而論，遠不及Merit Students Encyclopedia 。

四、兒童百科全書
(Children's Encyclopedias)

16. **Childcraft: The How and Why Library.** World Book-Childcraft International, Inc., 1991, 16v. ISBN 0-7166-0191-5.

Childcraft 已有50年以上歷史（1934年誕生），是一部供兒童（4—10歲）瀏覽翻閱的大套書（browsing set），圖書館學專家公認爲兒童百科全書，但其出版者WBCI 寧可稱之爲「兒童資料叢書」(children's

---

❺ Wynar, Bohdan S, Recommended Reference Books, Libraries Unlimited, 1984, p.17.

resource library)。

　　1991 的 Childcraft 本身 15 v. 外加兒童字典一卷，這本字典書名是 World Book Student Dictionary) 可以單獨出售，字典外封面也沒有註明 Childcraft v.16 字樣。

　　Childcraft 以一種創造性與想像性的構想，利用生動活潑的筆調及吸引注意的圖片，將資料提供給他的幼年讀者，為同類型百科全書之佼佼者。

　　Childcraft 之特徵如下：

1.　本書依主題組成（ topically arranged ）（ 除 v.15 外），每冊討論一種學科（ Subject ）或題目（ Theme ）。

　　　例如 v.12　「一面看，一面學」（ Look and Learn ）
　　　　　　　　討論藝術，建築學，廣告術。

　　　　　v.13　「數學的魔術」（ Mathemagic ）
　　　　　　　　以啟發兒童對數學的興趣為主，甚至教導兒童親手製作算盤（ abacus ）。

2.　v.15 為此套書中唯一供成人使用的一卷，稱為「家長手冊」（ Guide for Parents ）。 1981 的版次在 v.15 之中增加課業指導（ Curriculum Enrichment Guide ）。

3.　本書另有西班牙文，葡萄牙文，法文，意大利文，德文及日文版，行銷全球。

4.　本書無參見，但每冊均有單獨的索引，v.5 並另外附設 110 頁的總索引。

5.　1980 年版僅在 v.13, v.15 附有書目，1981 年版計劃大幅增加書目及字彙。

6.　Childcraft 的圖片精彩絕倫，佔總篇幅 60％。

7. v.14「我自己」（about me）爲此一套書精華之所在，在心理上及生理上輔導兒童成長，其中心構想「我對於我自己究竟有甚麼意義？」（What does me mean to me？）鼓勵兒童自覺自省。

8. 在 6 卷之中設置有新字字彙稱爲（New Words），爲在正文所用的 35 － 100 個新的單字。

9. 在 v.15 中附設極爲有用的家庭醫藥指南共 145 頁。

10. Childcraft 的年鑑名爲 Childcraft Annual ，其編製方式與其他百科全書之年鑑不同，每年以一個特別的題目（Theme）作爲中心，例如1970年的年鑑定名爲「世界每一角落的兒童」（Children everywhere）收集 30 個國家有關兒童的故事。

11. 本書修訂頻繁，而就其題材而論，新穎本來不是一個嚴重的問題。Childcraft 缺點不多，Kister 認爲此一套書過份強調美國市郊生活價値（Suburban U.S. Values）（指美國中産以上階段的生活方式），世界其他地區貧苦的兒童（Disadvantaged Children）看來可能有失眞（Unrealistic）的感覺。

17. **Children's Britannica.** Encyclopaedia Britannica, 1991, 20 v. ISBN 0-85229-226-0.

Children's Britannica 取代業已停止出版的 Britannica Junior Encyclopaedia for Boys and Girls, 15 v. 1934 － 1984. 這套兒童百科全書於 1960 年在英國問世， 1988 年進入美國書市。

有了五年的經驗，1991年版的 Children's Britannica 盡了最大努力，以適應美國讀者的閱讀習慣與需求，儘管如此，這套兒童百科全書和眞正土生土長的美國兒童百科全書比較，仍然略嫌偏英國，大英國協

和歐洲的資料。

　　Children's Britannica提供約 4,200 個款目，是一部以課程導向（curriculum-oriented）為小學學生設計的百科全書，共20卷，因為參見不多，使用者應該先檢索在 v.20 中的索引。

　　這套兒童百科全書的問題如下：

1.　沒有採用文字控制。

2.　款目內容深淺程度不一。

3.　沒有大量運用彩色圖解（彩色和黑白各佔一半）。

4.　致力國際化，但是功力不足，例如在討論文字字母時，其補充圖解有中國文字，但是讀後不知所云。

5.　若干款目的份量有欠分寸，如有關 "酒" 的文字居然佔用五頁篇幅（見 Booklist，Oct 1，1991，p.355）。

6.　對於 Children's Britannica 的外型，書評的見解殊不一致。

　　Reference Books Bulletin 的書評說這套書的沒有吸引力（not an inviting set）（ Oct 15，1989，p.980），RRB89 則說「漂亮」（attractive），這點只好留待讀者自己判斷。

18. **The New Book of Knowledge**　Grolier，1992，21v. ISBN
　　0-7172-0523-1.

　　取代舊版 Book of Knowledge，New Book of Knowledge 脫胎換骨，以全新面貌於 1966 年問世。此處介紹者是精益求精，更上一層樓的1992年版，此一套書特徵如下：

1.　文字均經過 Dale-Chall Readability Formula 測驗通過，認為對 7 －
　　14歲年齡讀者適用。Dr. Edgar Dale 是文字可讀研究權威，也是

World Book Encyclopedia 的編輯顧問（本書在討論 World Book Encyclopedia 時業已提到），Jeanne S. Chall 也是研究文字可讀性的專家並兼 New Book of Knowledge 編輯顧問，此二位學者胼手編訂了 Dale-Chall Formula for Predicting Readability.

1992年版的 The New Book of Knowledge 將讀者對象拓大從學前兒童到他們可以運用成人百科全書的時候。

2. 筆調以新奇，能吸引注意為主，尤其着重一篇文字中的第一句話（First Sentence）的語氣，例如：

「臭鼬」（Skunk）當你在走路途中忽然碰見臭鼬—— 不要動（Stand Still）。

3. 充份利用圖片（Graphics）。在本書中 13,000 件圖解為全部彩色（Full Color），1,000 地圖大部份為彩色，此外有照片、圖畫 22,400 幅，尤其可貴者，這些圖片和文字配合得恰到好處，都安置在最適合的位置。

4. 地理資料特強，佔全書篇幅 25％，以非洲為例計共有資料 22 頁，自然地理，資源，經濟，歷史，人民等項無所不包，並附衆多圖片。關於外國的資料，寫作完成後，還特別邀請那個國家的人士過目審查，以避免錯誤。

5. 傳記資料雖不如地理資料充實，但重要人物並未受到漠視，Thomas Jefferson 傳記資料佔 7 頁，亞里士多德約 1 頁。

6. 在學科分配上，人文學科資料最強，例如兒童文學款目中包涵兒童故事，詩歌計 170 種，自然科學及技術次之，其討論電腦之款目計有 9 頁資料，此外尚有相關款目如自動化，電子，電子通訊等互為呼應，社會科學相形之下較為落後，但與其他百科全書比較並不稍讓。

7. The New Book of Knowledge 是一部論文型（Essay Type）的百科全書，因此索引極爲重要。本書索引特別完善，稱爲字典式索引（Dictionary Index），可惜由於書評反應不佳，1992 版取消字典式索引，但是 Fact Summaries，（5,000 個簡短款目，包括人名、地名、名詞等）年代表等仍然繼續。

8. 此一百科全書在1,000個論題之下附設書目，依程度列爲三個等級：初級 primary，中級 intermediate 及高級 advanced。

9. 款目依字母字順制度（letter by letter）排列。

10. 甚多款目（篇幅在一頁以上者）執筆人及評審人都簽字，以示負責。

The New Book of Knowledge 有關中國的款目共17頁（pp256-277），品質甚高，數量略嫌不足，其中彩色地圖 2 幅，彩色圖片 12 張，黑白圖片一張，均甚精美。

19. The **Talking Cassette Encyclopedia.** Troll Associates, 10v.

由書名可以看出 The Talking Cassette Encyclopedia 是一部利用「聽覺」（audio）而不仰賴「視覺」（visual）的百科全書。本書的設計是使學前兒童及低年級國小學童習慣於注意收聽新穎的事實資料，同時逐漸的了解百科全書的架構。

本書於1971由 Troll Associates 製作發行，對於圖書館員與小學教師而言，Troll 並不陌生，此一公司以製作視聽教材著名，其出版品最受重視者爲 Troll Talking Picture Dictionary 及 Talking Encyclopedia of New American Nation.

The Talking Cassette Encyclopedia's 10v. 由 100 支卡式錄音帶

（cassette tapes）組成每支將一個主題（subject）錄音，每卷包括10個主題，由於受到數量限制（100），其內容具有高度選擇性，祇有三位美國總統Washington, Jefferson及Theodore Roosevelt，三個國家（巴西，日本，墨西哥）入選，每一卡式錄音帶可以收聽8－12分鐘（約1,000字）。

　　本書錄音帶的對白都是充滿趣味的對白，或是以講故事方式表達。在「魚」（fishes）錄音帶中，是用母親帶子女參觀水族館的對話方式提供的，並插入音響（sound effects）和背景音樂（background music），讓兒童聽來有身歷其境的感受。

　　本書無書目，無圖片，有印製的索引稱為"Cross-Referenced Subject Guide,"製作卡式錄音帶的百科全書尚有The World Book Encyclopedia。

第四章　快速參考資料
Ready Reference Sources

在近代圖書館參考服務中，一個頗爲值得我們注意的現象是讀者對事實問題 (Fact questions) 的需求不斷加強。這類問題的首要特徵是迅速的 (最好是立刻的) 取得答案，爲了因應這種局勢，圖書館必須特別重視「快速參考資料」 (Ready Reference Sources)。

和其他類型參考資料比較，所謂快速參考資料往往不需要太多分析 (analysis) 而其特徵是：

1. 更具體。
2. 更深入。
3. 更詳盡。
4. 更新穎。
5. 更專門。

圖書館參考部門爲加強服務效率，常將其中三種參考資料（如 World Almanac Encyclopedia of Associations），置放在參考館員辦公桌上，成立一個小型的快速參考書架 (Ready Reference Shelve)（小型圖書館的做法以避免購買複本）或購買複本（大型圖書館的作法），在參考書架上和參考館員桌上各有一册，以便隨時查詢。

在西文參考資料中快速參考資料最複雜，也最混亂，因此將此類型的參考書編組成類。但參考書的選擇都多少是主觀的，往往受選擇者的成見所左右。

茲爲討論便利起見，將所收集的參考資料分爲下列六類：

- 百科全書補篇 (Encyclopedia Supplements)
- 年鑑 (Almanacs)
- 指南 (Directories)
- 統計資料 (Statistics)
- 雜類手冊 (Handbooks of Miscellany)
- 唯讀型光碟 （CD - ROM）

這種排列的秩序，完全是尊重傳統的習慣，並不表示是重要性的排行榜。

- 圖書館、博物館 (Libraries and Museums)

一、百科全書補篇
Encyclopedia Supplements

百科全書最大問題，在於如何使其龐大篇幅保持新穎，因此有所謂「補篇」型參考書產生，在西方參考資料中百科全書的補篇（supplements），多半稱爲年報 (yearbook)，也有運用其他名稱者如 Britannica Book of the year 19--, Americana Annual 。

由於現代的大部頭百科全書都已經採用電腦排版，更新內容 (updating and revision) 都已不是嚴重問題，使得補篇的功能產生根本的變化。

良好的百科全書補篇，其用途及價值，等於該年一年報紙或新聞雜誌所載重大事項的彙積本 (a document of the years major events，此外尚有使用便利及儲藏不佔位置二大優點，然百科全書補篇亦並非沒有缺點：

1.　百科全書補篇為爭取出刊時間，往往潦草完成，因此內容欠缺平
　　衡，甚至資料的準確性也受影響。在統計方面有時無法將過去一
　　年整個統計加入資料，而僅以十個月或十一個月資料應付。

2.　百科全書補篇因受篇幅及出版時間的限制，無法「補充」百科全
　　書中所有資料，甚至補篇的標題，常常是以論題導向的 (topically
　　oriented) 也常常不能和母篇的標題完全吻合 。（唯一的例子是
　　World Book Yearbook)。

3.　將補篇與百科全書配合使用，本為理所當然之事，但實際應用，
　　並非易事，使用者往往不知如何着手，因為百科全書每年皆有補
　　篇，究竟應選用何年補篇？或查遍所有補篇？在那一標題之下查
　　尋？對圖書館學無研究的使用者會感覺困難。

4.　補篇的學術價值一般的都不及百科全書，此點在科學與技術學科
　　上特別顯著，在一年中的科學改變，是否業已定型而不再改變，
　　往往是一未知數，反之百科全書的記載都經過考驗，其權威性自
　　不成問題。

　　為減少使用百科全書補篇的困難，茲特建議下列應注意事項：

(1)　百科全書補篇在封面上及書脊上均注明年限。

　　　例如 The World Book Yearbook 1993.

　　　使用者可按年索取，但必需了解， 1993 的百科全書補篇所
　　　載，祇是 1992 的資料，因此找某年的資料必需索取次年的書
　　　籍。

(2)　留心每一百科全書補篇的特徵 (Special features) ，此項特徵
　　　往往較正文更有價值。

(3)　對統計數字應當心使用，不可將不完整的統計和估計，認為
　　　是最後統計 (Final Statistics)。

(4) 資料來源和正確性發生疑問時，應複核其他參考書。

(5) 百科全書補篇雖可與母篇配合運用，但也非絕對必要同時使用，百科全書補篇常常單獨使用。

20. The Americana Annual, an encyclopedia of the events of 19- — . New York: Americana Corporation, 1923-

大美百科全書年刊 (The Americana Annual) 所載資料，在性質與組織方面，與其母篇——大美百科全書 (Encyclopedia Americana) 極為近似，款目衆多，討論頗為深入，重視與加拿大有關的題目。

年刊副書目 (subtitle)中所指明年份，即為該一年刊所載資料的年份，使用者即依此索取某一年份的年刊，例如：

The Americana Annual, an encyclopedia of the events of 1993 年的大美百科全書年刊，索取時可逕稱為 1993 Americana Annual.(當然內容主要是 1992 年的)

(大凡年刊的副書名都載明年限，因此可以同一方式索取)。

自 1950 年後，本年刊所附索引都採用五年彙積辦法，即是以年刊當年資料滲入前四年年刊的索引，因此 1965 Americana Annual 的索引，為 1961-1965 的彙積索引，為使用者增加不少便利。

本年刊載有二種大事年表，一為依時間次序排列的大事年表，另一為將大事依學科排列，附注發生時間的大事記，一般認為本年鑑優點在於傳記性資料和人物死亡紀錄。

作為過去一年所發生事項的紀錄 (Record of the Years Events)，Americana Annual是一部優良的年刊，作為快速參考的工具書，其功能

遠超過於擔任百科全書補篇的作用。

21. **Britannica Book of Year, 19-—.** Chicago: Encyclopaedia Britannica, Inc., 1938-

　　大英百科全書年鑑使用頗不容易，使用者必需詳細閱讀書前所載說明，以免遺漏。在1938至1973年之間，此一年鑑與其母篇 Encyclopaedia Britannica 相似之處，在於都着重簡短論文；不同之處，在於年鑑較母篇近代化，且文字較爲淺顯易懂。內容方面，年鑑偏重於「地理」與「事物」(place and things)，所載傳記性資料，較其他年鑑爲少。

　　本書所附一年大事年表，極爲詳盡，在其他年鑑之上。更有少數長篇論文，將一年重要事件加以分析說明，此類文章皆由權威人士執筆。若干款目後附有最新參考書目及最新出版品目錄。與大美百科全書年鑑相同，本年鑑也附有五年彙積索引。

　　自 Britannica 3 問世以來，此一製作精良，內容豐富的年鑑與母篇的配合更形困難。The New Encyclopaedia Britannica 的補篇另有兩種出現——「科學與未來」(Science and the Future) 以及醫藥衛生年鑑 (Medical and Health Annual)，百科全書設三種年鑑者祇有大英百科全書聲勢浩大，氣派驚人，這三部年鑑都是優良的快速參考工具書。B₃ 的編著部門認爲 15 版的「大英」在內容及實質上幾乎是永恒的，不太需要修訂，因此這些年鑑我們祇能考慮他們本身的價值，例如1990年的年刊幾乎以 400 頁以上的篇幅報導 1989 年全世界發生的重大事件，而且 "World data" 部份的資料幾乎佔了本年刊篇幅的½，把它看成補篇不僅可惜，作用極爲有限。

21A. Collier's Year Book, covering national and international events of the year 19- —. Macmillan 1939-.

Collier 年刊的最早三卷（即最初三年年鑑）稱爲 National Year-book，至第四年起始改名 Collier's Yearbook，以與母篇 Collier's Encyclopedia 名稱符合。

此一年刊同時擔任 Merit Students Encyclopedia 的補篇，但在實質上和這兩套百科全書都沒有太多關係。

例如 1980 年的 Collier's Year Book 以 12 篇大衆關心的主題寫成短文，如「三哩島災難」，「中國」，「如何控制通貨膨脹」等。其正文爲 300 項以字順排列的款目，討論過去一年（Dec. 1978-Nov. 1979）發生的事件，包括項目如「新聞人物」，「各種獎勵」等。

此一年刊附有索引及「大事表」。

22. The Book of Knowledge Annual, 19-. Grolier 1939-.

此一年鑑的副書名爲 The Young People's Book of the year. 篇幅在 350-400p 之間。讀者對象是 7-14 歲的兒童。

The New Book of Knowledge 百科全書的前身爲 The Book of Know-ledge（1912-1965），1965 年前年鑑爲 The Book of Knowledge Annual。其編製方式與其他百科全書補篇頗有不同，不是以有系統的方式，將一年中所發生事件敍述，而是貨眞價實的爲其母篇 The Book of Kno-wledge 的補篇（supplement）。其內容約分爲一百篇論文，將母篇中論文重行縮寫或補充，每一論文不註明日期，而且內容也不限於一年事中

發生的事項，但確將母篇論文陳腐部份刪除，而代替以新穎資料。唯一使 1965 年以前年鑑與其他年鑑看來步調一致部份，乃是此書中的「一年大事」(Years events) 專欄。　此一部門的編製，是依地理位置為出發點，將世界各地區發生的大事，加以簡單敍述。

　　例如 1980 年版的 The New Book of Knowledge Annual 包涵極為豐富精美的圖片，但是沒有互見將年鑑的內容和母篇百科全書連接起來，如「核能：究竟是好還是壞？」就沒有參見指引讀者去閱讀 The New Book of Knowledge 中的款目，但在 1980 版中卻重印了 (Reprint) 百科全書中的文字，我引用一本過去的年刊為例，因為核能建廠正是我們全國上下熱烈討論的問題，此一年刊獨特的作風值得欣賞，讀者應該注意新的年刊編輯政策有甚麼變化。

23．**World Book Yearbook**　World Book-Childcraft International，Inc.

　　在美國書市中，World Book Yearbook 是最受歡迎的百科全書補篇，每年至少售出 200 萬冊以上。

　　此一年刊共分為 8 個項目：

1. 過去一年大事表 (Chronology)。

　　共 9 頁，將去年發生主要事件依月列舉。

2. 一年焦點 (The Year in Focus)。

　　將一年來的主要發展與趨勢作一總結。

3. 特別報導 (Special Reports)。

　　選出若干重大事項作深入報導，如「美國太空計劃」，「宗教的

旁門左道」(Religious Cults)。

4. 回首當年 (A Year in Perspective)。

追溯過去若干年發生的事件及其影響。

5. 一年紀事 (The Year on File)。

從廣告術 (Advertisement) 到動物園 (Zoos)（由 A 到 Z）所發生的事件，逐一檢討。

6. 百科全書補篇 (World Book Supplement)。

登載 7，8 篇母篇百科全書中經過修訂的論文（選擇性的 Reprint）。

7. 新文字字典 (Dictionary Supplement)。

最新出現的新字與片語。

8. 彙積索引 (Cumulated Index)。

最近幾期年刊索引的彙積本。

WBCI為補充科技資料另外出版 Science year 年刊。為幫助學生利用百科全書及年刊並印行兩種指導手冊 Working with facts, 與 Fun in finding facts。

此一年刊以互見將資料與母篇 World Book Encyclopedia 連接起來，為年刊中最成功的一種。

二、年 鑑 Almanacs

年鑑與百科全書補篇究竟有何不同？墨菲 (Murphey) 認為二者之間最大的差異在於「變動性」(Variable) 資料的多少。通常百科全書補篇目次甚少變動，年鑑則強調每年變動的資料，此類資料必需經常修訂，始能跟上時代，事實上，若干年鑑僅刊載過去一年的資料（如

1993 年的年鑑所收集的必然是 1992 年的資料。）

年鑑中所載資料不外下列各方面：

1.　政治時局演變情況：

此種資料多在國家名稱下敍述，有時也刊出當年所簽訂的主要國際條約、協定的內容和條款等資料。

2.　科學技術發展的報導：

此類資料有時歸納於若干較廣泛主題之下，例如：「醫藥」，「原子能」，有時將吸引世人注意的若干特殊事項或發明，另成一專門款目。

3.　傳記性資料：

年鑑多刊出當年死亡名人名單，若干並刊載世界聞名人物傳記（包括死亡與生存的名人）。

4.　各種統計數字，尤其與經濟有關的數字。

5.　當年體育新聞及紀錄。

6.　若干新聞項目，不可能在其他參考書中找出者。

7.　藝術文化事業的傾向和動態。

8.　該年大事表（往往依時間排列成為大事日記）。

9.　精選該年新聞照片。

年鑑的特徵有三：

1.　年鑑中絕大部份統計資料自政府機構取得。

2.　年鑑雖然強調變動的資料，但是除了這些必需修正的資料外，大部份資料是穩定的，逐年往下留傳（如大山的高度，名川的長度）

3.　近代的年鑑可以作瀏覽（Browsing）之用（此點為過去不能想像之事）。

年鑑主要用途亦有三項：

(1) 對近年統計，年鑑中資料，較百科全書補篇更完整，百科全書補篇編製重點在於傾向、趨勢與發展 (trends and developments)，年鑑則將重點放置於收集具體事實 (specific facts)。

(2) 年鑑之編組，最適宜於參考用途，索引極為完善，使用者可於最短時間內，取得所需資料。

(3) 由於年鑑統計數字的完善，與百科全書配合運用，可謂相輔相成。使用者可於百科全書中獲取基本資料，而以年鑑中尋取之統計數字與具體事實，補充百科全書之不足。

使用年鑑時應注意事項如下：

① 必需先查索引，以取得資料，即令熟習年鑑運用方法者，也不例外，因年鑑內容過於龐雜無章，印刷也極為緊湊，從正文中覓取資料，極為費時。

② 使用年鑑者最好將目次瀏覽至少一次，往往可找出使用者以為不屬於年鑑範圍的資料。

③ 使用某一年鑑資料，最好與同類參考書（另一年鑑）核對 (Double check)，以避免引用錯誤資料。

24. Chambers Book of Facts. 1v. Chambers, Edinburgh, 1992. 718p. ISBN 0-550-17255-6.

　Chambers Book of Facts 是根據 Chambers Quick Facts 擴編而成，Quick Facts 以收集 250 種學科範圍，100,000 件事實資料為號召，Book of Facts 的口氣更為驚人，在封面上刊出收集 280 種學科範圍，150,000 件事實資料 (Facts)。

　由於重視表格及數學，這部年鑑中的資料是比較緊湊的結合在一

起，有目次表和主題索引各 7 頁。

　　書評家 Bob Duckett 說這部年鑑中提供的資訊不及 Whitaker's Almanack，（英國出版品），和其他年鑑比較如果排行第一的話，他認為 Chambers Book of Facts 有資格做亞軍，他的話能否取得其他書評家的共識，不得而知，我沒有查傳記資料，猜想他是英國學人。

25 . **Europa Yearbook.** London: Europa Publications, 1926-, 2v.

　　Europa 為唯一以 2 卷出版的年鑑。其特徵如下：

1. 內容編組遵守固定格局（format pattern）。

   在每一國家的款目之下，首先作概略性的介紹，然後提供統計數字、憲法、政府、政黨、外交代表、司法、宗教、出版事業、大眾傳播事業、工商、教育等，最後附註此一國家特殊的資料。

2. 由於此一年鑑為 2 卷，收集資料較為豐富，為其他年鑑所不及（字數最多）。

3. 各國資料，依國勢而論尚屬平衡，蘇聯約 100 頁，法國 50 餘頁，安哥拉則僅一頁。

4. 資料新穎程度尚可與 Statesman's Yearbook 抗衡，而在 International Yearbook and Statesman's Who's Who 之上。Europa 之缺點在於索引使用不便。

   本書應與 Facts on File 或 New York Time's Index 配合使用。

26 . **The Facts on File encyclopedia of the 20th century,** Facts on File 1991. 1,046 p. ISBN 0-8160-2461-8.

本書有 8,000 款目以及 1,000 張照片是一部新穎而又適合快速參考的出版品，「搶先一步」是 Facts on File 出版品的特色，從本書的書名就可以看得出來，在 1991 就打算爲 20 世紀做個總結。本書另一特色是重視傳記，編輯部門「人」是世界的主宰，唯有對「人」研究才能眞正了解歷史。

本書的照片，年表和索引（ 54p ）和參考書目都是一流的，文字簡短扼要這是符合精簡格局 (Concise-entry-Format) 原意的這部有用的單行本如果我們硬要找出缺失的話，是地圖不太理想，我深信本書不久會有新版出現，而且會改正這個缺失。

27. Facts on File, world news digest with index. New York: Facts on File Inc. 1940-

Facts on File 每星期出刊一次，每期共 8 頁，均爲活頁本 (loose-leaf form) ，訂購者可自行裝訂。每年 52 期，頁數連貫，出版商也置有合訂本備購。此一出版物，每兩週出索引一次，每月、每季、每年、每五年均有索引彙積本。自 1950 年開始，稱爲 Five-year Master News Index.

此書分爲十個項目：

1. 世界新聞。
2. 美國新聞。
3. 外交。
4. 拉丁美洲。
5. 財政經濟。
6. 藝術科學。

7.　教育宗教。

8.　運動。

9.　死亡訃告。

10.　雜項。

此書收集新聞中之精華，然非報紙與新聞雜誌之代用品，其價值遠在報紙雜誌之上。除前述項目外，Facts on File 報導工商、學校、社團主持人物異動、書籍出版時間、電影話劇初演情況及評論、每週金融商業總結、婚喪生育、災禍、生產數字、氣象等新聞，加之使用容易，索引完善，使此一出版品成為重要參考資料之一。

本書編者精益求精，於 1960 年出版 New year 19-一，1965 年更出版 Facts on File's News Dictionary。

此書若干圖書館學專家將之歸類於 Serials（如 Shores），更有將之分類於新聞內（Iasl wecks cvents 如 Katz）。但從快速參考立場，此書應與年鑑配合使用。

Facts on File Yearbook. New York: Facts on File, Inc., 1940.

Facts on File 每星期出刊一次，每期共 8 頁，均為活頁本（loose-leaf form），訂購者可以自行裝訂。每年 52 期，頁數連貫，出版商也有合訂本出售。此一出版物，每兩週出索引一次，每月、每季、每年、每 5 年均有索引彙積本。

此一出版品的內容極為充實，僅次於 New York Times Index,但出版時間則較為迅速並有文摘（digest）及完善的索引。在組織上由過去的十類改組為四大項。

1.　世界事務。

2.　美國事務（約佔總篇幅的½）。

3.　其他國家及地區事務。

4.　一般資料（約佔總篇幅 10 ％）。

　　此外並附有活頁地圖一幅。

　　本出版品編者為精益求精，於 1960 年出版 News year 1960-—，
1965 年更推出 Fact's on File New Dictionary 。

28．**Find It Fast: How to Uncover Expert Information on
Any Subject.** Harper & Row. 1990. 333 p. ISBN
0-06-055194-1.

　　從事寫作的人，甚至圖書館參考館員都知道也會用 Lois Horowitz
所編著的 Knowing where to look (writers Digest Books 1984) 和 James
M. Hillard 所編著的 Where to find what (Scarecrow Press 1984)　來尋
找資料。Robert I Berkman 所編著的 Find it Fast 有異曲同工之妙。

　　這部編組極為完善的手冊分為兩大部分：

1.　介紹能夠提供資訊的機關、社團。（當然圖書館是不可少的）

2.　介紹能夠提供資訊的人，各行各業的專家。

其目的在於迅速的，直接的取得資訊，並且舉例為證，編者教導讀者
基本的研究方法，對於希望取得商業以及社會新的問題極為有用，尤
其值得一提的是他不厭求詳的討論如何利用線上檢索以取得資訊。

29．**Information Please Almanac Atlas & Yearbook,** New
York: Simon & Shuster, Inc, 1947 to date.

　　Information Please Almanac 於 1947 年問世，其前身乃著名的無線電節目──" Information Please "，次年即一躍而爲年鑑曆書暢銷書之一。

　　本書收集一年的資料，但所謂「一年」指當年的一至十一月加上前一年最後一月的資料，因此 1965 Information Please Almanac, 祇是 Dec. 1964-Nov. 1965 的 Information Please Almanac 。

　　其主要資料如下：

　　地理性資料──美國及其各州、城市。加拿大及其他國家。

　　美國政府、歷史、當前政情──包括機構組織、重要人員、各種重要文件。

　　傳記性資料

　　統計數字，尤其經濟、工、商方面的統計。

　　教育資料──尤其大專院校的概況資料。

　　其他項目如宗教、運動、郵政法規、航空、國家公園、國旗等，光怪陸離，無所不包。

　　Cheney 認爲 Information Please 在實質上和百科全書補篇，年報 (Encyclopedia supplements, Yearbooks) 較爲近似，和典型的年鑑（almanacs）反而較爲疏遠❶，凱茲（Katz）支持 Cheney 的觀點❷。

　　此一年鑑力求革新以適應世界潮流，由於袖珍電子計算機的普遍，編輯部門已取消原有的 Squar-Foot Tables ，而加入若干文字資料。

　　薛爾斯（Shores）以爲本書最有價值之處，爲美國都市、本土各種

---

❶　Cheney, Frances Neel. Fundamental Reference Sources, Chicago, A.L.A., 1971 p. 219.

❷　Katz op. cit p. 218.

地圖。華爾福 (Walford) 卻認爲世界曆書 (The World Almanac)的價值，在本書之上。

30. International Yearbook and Statesman's Who's Who.
Surrey: Neville House, 1953-

本書編製的目的在於提供有關世界各國政治組織及經濟情況的資料，並備有各國重要人物的傳記資料供參考之用。

除英國皇室，國際組織，五強的外交機構等特殊項目外，其他各國資料大體上與 Statesman's Yearbook 相同。

其不同之處在於本書傳記部份有一萬左右世界名人簡單資料，其編排組織與 International Who's Who 近似，取得傳記資料的方法是由被傳者填報一組問卷 (questionnaire)。

Statesman's Yearbook雖然不收集傳記資料卻有參考書目，（本書無書目），索引較爲良好，資料更新穎。

31. Kessing's Contemporary Archives, weekly diary of important world events with index continually kept up to date. London: Keesing's Publications, Ltd., July 1937-

本出版物爲英國的 Facts on File，每週刊出一次，計十六頁，自 1937 年創刊起，頁數連續不斷，因此現今的頁數已在五個數字以上，查用不及 Facts on File 便利。

此一出版物，每兩週出索引一次，彙積而成每季索引，但不編輯

每年索引，而以三年彙積索引替代。

Keesing's Contemporary Archives 內容重點偏於政治經濟方面，其主要價值在於紀錄性資料 (Documentary information)，如政治性宣言、條約、協定，均將全文刊載。此一出版品與 Facts on File 不同之處尚有以下二點：

1. 本書的內容以英國、歐洲、大英國協爲主。

2. 本書不重視運動、電影、展覽等方面的資料。

Keesing's原爲荷蘭出版物，並在比利時、奧大利出刊姊妹版，但今日的 Keesing's已與其姊妹版脫離聯繫而成爲一個獨立的英國出版物。

32． **The Macmillan Book of Fascinating Facts: An Almanac for Kids**. Macmillan, 1989. 436 p.ISBN 0-02-733461-9.

Macmillan 這部書有三點與衆不同的特徵：

1. 這部書說得上老少咸宜，本來是以青少年、兒童 (middle grade and teenage readers) 爲讀者對象，但是成人也會願意翻閱本書。

2. 這部書對青少年的品德行爲有潛移默化的功能，在提供娛樂休閒的資訊中包涵了鄭重、實際，有關青少年福祉的生活教育。

3. 這部書既是參考書（書名啓示），又可以作爲流通書籍，換言之有參考、瀏覽的雙重功用。

關於兒童、青少年遭遇的迫害、困擾和問題，例如虐待、勒索、吸毒、性愛、鑰匙兒，都是近代開發國家面對的問題，我強力推薦本書，不僅建議圖書館採購，更希望能有兒童問題專家經過必要手續將本書譯爲中文。

33． **The People's Almanac**. Doubleday 1975 to date,
　　irregular.

　　The People's Almanac ， 是一個學術世家異想天開的產物。名小
說作家華萊士 Irving Wallace，和他的獨子 (David) 愛女 (Amy) 深感參考
書必需要有可讀性，他們僱用工讀生 14 名， 搜集並核對資料 ， 於
1975 年出版此一篇幅達 1500 頁的年鑑。

　　The People's Almanac 問世時創造奇蹟，立刻成為暢銷書。此一
年鑑將資料分組為 12 個範疇，以論文體裁寫作而成，執筆者都是專
家，他們的筆調生動活潑並有強烈的幽默感，因此也是良好的休閒讀
物，使閱讀者不忍釋手。

　　作為一種年鑑，若干基本資料當然會與其他年鑑重複，換言之若
干資料在 The People's Almanac 中刊載者在其他年鑑也可以找到，但
是很多不容易查詢的資料會在此一年鑑中出現。

　　由於 1975 年出版的空前成功，華萊士家族於 1978 年印製 1978
年版，值得我們注意的有下列幾點：

1. 此一 Almanac 並不按年出版 (Irregular) 。

2. 　1978 年版並不是 1975 年版的修正版，二書內容完全不同。圖書
　　館決不可以「新版代舊版」的 weeding 原則處理本書，參考室應
　　該同時保存 The People's 的所有版次。

3. 此一年鑑附有索引，與其他年鑑本身就是索引 (Self Indexing) 不
　　需要索引的特徵不一樣 。 The People's 的正文沒有一定的格局
　　(pattern) 因此不能不用索引。

　　華萊士別開生面的作風為參考服務帶來極大震撼 ，有人對他將
「好萊塢的閒言閒語」 (gossip about Hollywood)也放進年鑑頗不以為然，

他們詬罵 The People's Almanac 是一個「瘋狂的出版品」（The mad collection），他的出現象徵着參考服務的沒落。這些批評，當然是過份的，Katz 甚至建議圖書館要購置若干複本以適應讀者需要。

34. The Reader's Digest Almanac and Yearbook. N.Y. Readers Digest Association, 1966-

「讀者文摘」是世界上最著名，最暢銷的雜誌，所有的出版品如 Reader's Digest Complete do it yourself manual, Reader's Digest Complete Guide to sewing 等都保持着特有的風格。

1. 強調「如何去做」（how we do it）。
2. 迎合大衆喜愛（popular appeal）。
3. 廉價出售，以平裝裝訂，減輕成本。
4. 運用圖解，以加強說明，（此點在年鑑中並不多見）。

　　Reader's Digest Almanac 在 1966 年創刊時將資料區分爲 20 個部門，近來將正文擴充爲 40 個單元，由「家庭」（包括好癖與食譜）至「運動」無所不包。

　　此一文摘附有索引。

　　由於年鑑市場多年以來已爲 World Almanac 壟斷，（根據 Julie Miller 與 Jane Bryan 在 Reference Services Review, July/Sep. 1979 年的研究報導 pp. 77-8）所以 Reader's Digest Almanac 想力爭上游，還需要一段時期的艱苦奮鬥。

35. Republic of China Yearbook 1992-—. Taipei: Kwang Hwa Publishing Companuy.

　本年鑑在內容上共分爲 35 章包括地理、語言、人口、教育、能
源、環保等長篇論文。

　傳記爲單獨的項目，佔篇幅 120 頁，提供約 1000 人左右的資料，
體例仿效 Who's Who ，依英文字順排列。

　附表 16 項，如朝代表、本年重要文獻、大學一覽、國定及民間
假期，都是有參考價值的資料。

　有 title 和 subject 混合索引。

36. Rodale's Good-Times Almanac. Pa., Rodale Press, 1989.
　　408 p. ISBN 0-87857-835-8.

　這部書名稱爲年鑑的書卻合很多標準的年鑑 ，例如 The World
Almanac , Information Please Almanac 在內容上，重點上都不太相同。
使用者在 Rodale 中就很少看見彩色圖片，統計數字和各國國旗。

　依時間秩序編組，每月指出值得紀念的日子，並且提供怎樣慶祝
的建議，資料都有時令意義和價值，注意實際生活及家庭需要，食譜、
營養、消費者資訊、園藝都是這部年鑑的焦點，若干表格、雜項不過
是點綴「年鑑」這兩個字而已，有不錯的索引，Rodale 會受家庭主婦
喜愛的。

37. Statesman's Year-Book. New York: St. Martin's Press,
　　Inc., 1864-

Statesman's Year-Book 爲快速參考服務最主要出版品之一。

129th 出版的 Statesman's Yearbook (1992-1993) 在編組上分爲兩大部

份：

1. 國際性組織 U.N. OPEC, NATO 等。

2. 世界各國，款目依國民字母順序排列。

這一版的重點有三：

1. 蘇聯、南斯拉夫的解體。

2. 擴充年代表。

　Stateman's Year-book 重要，原因為：

(1) 資料新穎，其新穎程度遠在 International Yearbook and State-sman's Who's Who 之上，甚至 Europa 也有所不及。

(2) 索引良好，易於運用。

(3) 資料簡單扼要 (Compact)。

(4) 有系統的組織資料。

(5) 提供第三世界 (The Third World) 170 個國家地區的資料。

Katz 對本書的評價極高，但我們在使用此一年鑑時應注意以下兩點：

(1) 西方國家的資料仍然是此書的重點所在，第三世界的資料僅佔總篇幅的 10％。

(2) 本書儘管內容新穎，但使用時仍須與 Facts on File 或 New York Times Index 核對。因為國際風雲變化無常，找尋資料不能以 up-to-date 為滿足，而應以 up-to-the-minute 為目標。

38. **United States Government Manual**. Washington: Government Printing Office.

此一手冊原名為 United States Government Organization Manual.

近年以來編輯部門爲擴大服務對象，認爲讀者不應侷限於政治科學家，任何人都有權過問政府之事，乃將 Organization 一字於書名中撤銷。

在西文參考書中，75％以上都是以字順秩序編製的，少數的參考資料則依其資料的性質採用特別的方式編組。United States Government Manual 則是根據美國三權分立的精神，將政府組織分爲立法、司法、行政三大部份，各部會及單位依隸屬層次往下細分。

本書每年出版一次（annual）。爲了解美國政府神經中樞——華府——的必要參考資料。每一單位均有組織圖表（chart），主要負責官員（或人員）的姓名，沿革及功能的資料。

此一手册附有詳細的人名、單位及主題索引。

Municipal Yearbook. Washington: International City Management Association.

Municipal Yearbook 每年出版一次，爲研究美國都市 (City) 的權威參考書。

其提供的資料分爲兩大部份：

1. 討論城市有關問題的論文，均經執筆者簽名。討論題目如稅收、警政、災難等。

2. 提供個別都市的統計資料。

此外，尚有每一都市主要公務員的名册（凡人口在 2500 人以上都包括在內），及有關市政問題的參考書目。自 1974 年以後更增加市政府的電話號碼，以便市民直接洽詢公務。

本書的功用在於提供事實的資料 (Factual Information)，但也可同時

看到市政發展的趨勢和方向。

City and County Data Book. U.S. Bureau of the Census.

此一出版品亦爲 Statistical Abstract of the United States 的補篇。

本書提供美國各州、都市、郡縣（county）和地區（region）的統計

資料。各大都市（metropolitan area)的統計資料爲 144 項，在 25,000

人口以上的都市（city）統計資料則爲 113 項（均爲本書自訂的標準)。

每五年出版一次。

39．Whitaker's Almanack, 1869- . London: J. Whitaker.

此一年鑑的原來全名爲 An Almanack, for the Year of Our Lord

1-，由於其創辦人爲 Joseph Whitaker，因此本書簡稱爲 Whitaker's

Almanack ，在圖書館中索取本書，皆用簡稱，正式書名反而鮮爲人知。

使用者請留心本書書名中曆書 Almanack 一字拼法與其他美國曆書 Al-

manac 不同，英式拼法多一" k "字母。

Whitaker's Almanack 於 1869 年初版，爲年鑑中篇幅最大者1993

年版計有 1220 頁，包括 25,000 以上的款目，而World Almanac 祇有

9,000 個款目。

英國出版的參考書，具備強烈的英國色彩，強調英國的利益和需

要，Whitaker's Almanack 自不例外。但此書仍不失爲最具權威性的參

考工具，墨菲 (Murphey) 認爲如同時置備 Whitaker's Almanack 和任何

一本美國出版的曆書，最好爲 The World Almanac ，即可完成一切曆書

參考工作，解答所有曆書參考問題。

例如 Whitaker's Almanack 的 115 版（即 1983 年版），以 60　頁篇幅報導 Sep. 1, 1981- August 31, 1982 的重大事件，篇名爲 "Events of the Year"，如福克蘭島戰役（Falkland Islands conflict）。新增加資料爲廣播事業包括英國各地電臺的名單，歌劇的演出等。

此一年鑑最有價值部份爲有關英國皇室勛爵（90p）與歐洲各國政府組織（150p），英國各大專院校（本書甚至列舉各大學教授名單）的資料。

Joseph Whitaker 在這一年鑑創刊時曾要求英國高級官員提供薪金資料，遭到拒絕，Whitaker 乃依己意，認爲這些官員應該得何種待遇，而列成薪津表公佈，至今儼然成爲 Whitaker's 的一個傳統。

40. The World Almanac and Book of Facts. 1868-　　. World Almanac/Pharos Books, annual 1992. ISBN 0-85021-220-0.

The World Almanac 是年鑑中的王牌，溫契爾（Winchell）認爲在檢索雜項資料（miscellaneous information）　時,此一年鑑是最完整的,也是最有用的（Cheney p. 220）。

本書不僅是辭書中出版時間最久的（ 1868 —）而且也是曆書中最暢銷的一種。估計在 1957 年以前　，此一曆書的各種版次，共售出兩千一百萬册以上，其銷售量僅次於聖經。

本書目次中一半爲固定項目，每年將內容修訂，另一半爲該年特殊的科目，例如 1954 版的特殊款目爲英國伊利沙白女皇的加冕大典和史達林之死亡等。 1984 版的特殊款目「 25 位在美國最有影響力的女性」。 1993（ISBN 0-88687-659-1）版則刊出在 1992 年對本書使

用者的調查，(Readers Survey) 將需求排列成爲：①當年大事的日期表，②重要人物傳記和③運動訊息。此外還提出 10 大新聞，1992 名言摘要 (Notable Quotes)。

此書對於有關美國的款目幾乎無所不包，尤其關於美國政府行政立法機構的組織及活動，紐約州、市的描寫，至爲詳盡。其他國家的敍述則較爲簡約，但一般圖書館員仍然形容世界曆書可以解答百分之八十的參考問題，語雖誇大，但也可見此書的參考價值。

本書可貴之處，在於各種歷史年表 (Historical chronologies)，除大事年表外，尚有各種特殊性質年表，例如各種災禍 (Disasters of various kinds)，暗殺等，另一有重要價值的項目，爲項目頗多的各種統計數字，如工商各種物資的生產、貿易、銀行、交通、運動等的統計和紀錄。

The World Almanac 在前部有一般索引 "General Index"，後部則另外設有快速參考索引 "Quick Referene Index" 檢索極爲便利。

The World Almanac Infopedia: A Visual Encyclopedia: for Students. World Almanac/St. Martin's Press, 1990. ISBN 0-88687-500-5.

是爲青少年準備的英國出版品，提供宇宙、地球、世界各國動植物、科技、交通、藝術及娛樂等方面的資料，有主題索引。關於資料的新穎、平衡、書評並不理想。

The World Almanac 似應注意改正，以免對多年以來建立的聲譽有損。

三、指　　南 Directories

「找尋機關團體、個人地址、電話號碼、和傳眞號碼是參考室中最普通而經常發生的問題，指南就是提供這些資訊的參考工具。」這一段文字在表面看似乎毫無問題，但在作參考服務時這樣運作便表示功力不足，因爲：

1. 找尋地址和電話傳眞號碼極有可能，只是讀者提出資料需求的步驟而不是資訊需求的目的。

   例如讀者可能物色工作伙伴、進行投資、尋求經費補助、加入社團等。

2. 指南的功能也不止提供聯絡方法，而是提供機關團體的宗旨、活動、資本、過去成就、個人的背景、經驗、興趣、職等多種有價值的資訊。

在快速參考資料中一個顯然的趨勢是指南的價值和使用率不斷提升，相形之下年訊、年鑑等的地位則不如過去，這種參考資料重要性的消長是參考工作人員必需隨時注意的。

41．Directory of American Research and Technology 1993
　　 R.R. Bowker 750pp. ISBN 0-8352-3230-1.

此一指南指供 11,000 美國和加拿大企業積極從事基本以及應用研究組織及設備的資料，也是這一類型商業 R&D guide 中範圍最廣泛的一種。

款目未列舉主要人員，工作人員數額、研究活動以及如何與這些

研究單位聯繫的資料。

　　運用本指南中的人名索引及分類索引可以參考 33 個大的資料區域（fields）以及 1,500 附屬資料區域（subfields）簡稱 DART ，已進入線上檢索。

　　Directory of American Research and Technology Online　不僅立刻可以找到這 11,000　所商業爲背景的研究單位的資料，而且可以查出合作研究的大學。

42. Directory of Corporate Affiliations 1993　R.R. Bowker 2-vol. 2,380 pp. ISBN 0-87217-151-5.

　　Directory of Corporate Affiliations 1993　提供美國 6,000 母公司以及其 50,000　了公司和關係企業的資料，這些公司的每年營業額至少在一千萬美元以上。

　　本書一卷在手，使用者可以立刻查出某一公司的後臺是那一家大公司，他們之間究竟是甚麼關係，也可以查詢複雜的多國商業組合以及合作經營的商業行爲(complex multinational relationships and joint ventures)。

International Directory of Corporate Affiliations 1993 R.R. Bowker. 2 vol. 2500 pp. ISBD 0-87217-176-0.

　　International Directory of Corporate Affiliations　1993　提供全球 57,000 最有影響力的大公司資料。

　　其內容包括主要的各項公司統計，重要人事，領導系統經濟情況

等。

Directory of Leading Private Companies 1993 R.R.Bowker
1,353 pp. ISBN 0-87217-201-5.

Directory of Leading Private Companies 1993 是唯一提供美國
22,000 私人商業公司資料的參考工具書，這些私家公司的每年營業
要在一千萬美元以上，他們提出資料，但經過本書編輯部門仔細核對
修正。

其內容包括主要負責人員、會計制度、主要服務供應商、電腦系
統等，都是不容易取得的資訊。

43. **Directory of European Business** 1992 Bowker-Saur 512 pp.
ISBN 0-86291-617-8/£99.00

此一指南爲有意在歐洲經商者必需探索的參考工具書，其內容包
括：

1. 東、西歐 4,000 主要商業單位以及政府組合的完整資料，選擇標
準以機構大小爲依據 (selected size)。
2. 高層主管、東主、貿易總額以及商務活動的細節。
3. 每一國家該一商業組合的排行榜。
4. 每一國家經商環境的報導，如政治制度、氣候 (economic climate)、
商業文化、busi ness culture 、貨幣、銀行、稅收結構、商務法
規、投資鼓勵、會計制度、資本來源等。
此外並附設 EC 的歷史與組織的資訊，所謂東、西歐包括 35 個

國家。

　　利用本書時最好同時參考 Who's Who in Europearn Business 1993.

44．Encyclopedia of Associations．Gale

　　Encyclopedia of Associations 不是百科全書而是指南（Rollend Stevens 和 William Katz 都作這樣的分類）。

　　公認爲圖書館參考室中最有價值、最不可少而最常用的參考資料（Rollend Stevens p. 25, William Katz pp. 255-6, James Hillard pp. 33-4）。

　　1991 年的 Encyclopedia of　Associations：

Volume 1, 美國會社組織 National Organizations of the U.S.。有三冊，其中第三冊爲名稱及關鍵字索引。

Volume 2, 地區及負責人索引 Geographic and Executive Indexes. 依州，及人民排列。

Volume 3, 新成立會社及活動 New Associations and Projects.

Volume 4, 國際會社 International Organizations.

　　此一指南自 1956 年出版以來，一直爲查詢有關會社組織最可靠的資料來源，關於每一會社，本指南所收集的資料爲：

1.　地址與電話號碼。

2.　負責人員。

3.　會員。

4.　工作幹部。

5.　歷史與宗旨。

　　索引分爲二種，會社名稱及會社名稱中的關鍵字（key word）。幾

乎所有會社團體都出版有指南，因此在本書的主題標目下一定可以找到。

在其他參考書中（如百科全書、年鑑）也可查詢有關會社的資料，但決不及本書正確完整，（本書收集 18,140 個 directories）因此解答會社問題時應將此書列爲第一優先。

45. International Research Centers Directory 1992-93: A World Guide. Gale, 1991. 1481 p. ISBN 0-8103-7525-7.

本書稱爲 International，因爲美國並不包括在內，讀者需要美國研究中心的資訊應探索 Directory of American Research and Technology. R. R. Bowker 1993.

凡是支援研究工作的機構和單位都是本書收集資訊的對象，包括政府機關、大學、基金會、科學園、實驗站等。

其組織依國別，而將多國組織（multinational bodies）排列在前，很特別的是其字順既不是字母順序也不是單字順序而是關鍵字字順（key word），在主要索引（master index）之中運三個字母組成的地區代碼（geographic codes）。

本書已有線上撿索，磁片（diskette）和磁帶（tape）等形式。

46. Moody's Manuals. New York: Moody's Investors Service, 1929- Annual.

Moody's Manuals 爲有關投資的主要參考書，但因其中包括甚多指南型資料，所以在此討論。

此一部書為多套手冊 (Manuals) 組成，其單獨發行之卷冊 (Separate bound volumes) 為：

Bank and Finance Manual	**2v.**
Industrial Manual	1v.
Municipal and Government Manual	**2v.**
OTC Industrial Manual	1v.
Public Utility Manual	1v.
Transportation Manual	1v.

其中除 Municipal and Government Manual 略有不同外，所有手冊均包括下列項目。

1. 公司簡史。
2. 與其他公司合併與購買過戶 (mergers and acquisitions) 情形。
3. 附屬公司 (subsidiary companies) 情形。
4. 分公司 (branches)。
5. 產品及服務。
6. 董事會、法律顧問、財產審計人。
7. 股東及股東大會時間。
8. 職員。
9. 總公司地址。

其他重要資料為，資產負債表，經濟情況之報告等 (過去五年者)。Moody 並發行「雙週報導」" News Report "，為保持上述各項手冊新穎 (updating) 的出版品。附有索引。

47. Thomas's Register of American Manufacturers. New York: Thomas Publishing Co., 1906- . Annual. 16 vols.

　　此一指南僅列舉美國製造商。其主要編組方法乃根據產品，並指
出那一家製造商生產這一產品。

　　以上為本書主要內容，附有製造商指南，包括地址、電話號碼、
公司人員、倉庫、經銷商及門市部等資料。

　　新版（本出版品每年出版一次）包括甚多廠商目錄。

　　本書主要用途在於其中包括甚多其他指南沒有收集的資料。

　　附有產品索引。

48． **World Wide Chamber of Commerce Directory**. Loveland,
　　　CO: Johnson Publishing Co., 1965-. Annual.

　　本指南自 1965 年起按年出版。

　　其主要內容為提供全球國家的商會資料。

　　有關美國的商會先依州名排列，再依城市細分，每一款目的資料
內容為，會長、地址、電話號碼及地域區號。

四、統計資料 Statistics Sources

　　統計問題是參考工作中的熱門，若干有規模的圖書館甚至聘用統
計專門人員以解答所提出的統計問題，這些統計專家在圖書館參考室
中的地位竟然與學科目錄專家（Subject Bibliographer）相等。

　　在年鑑型參考資料中也可能找到甚多的統計資料，但這些資料究
竟祇是普通的，如果讀者的問題層次提高，則不是年鑑可以應付裕如
的，為此參考資料中必需加強有關統計方面的工具書。

49. **Encyclopedia of Statistical Sciences**, Wiley-Interscience, 8v.

本書共 8 卷，預計四年之間完成。

此一有關統計學的百科全書將收集所有主要學科能運用的一切統計方法，其內容是完整而詳盡的。

由於編寫方式經過精確計劃，非統計專業人員使用本書將毫無困難。

50. **International Encyclopedia of Statistics**, Free Press.

本書共二卷，V.1 A-J, V.2 K-Z.

在百科全書型參考書中收集統計資料最多者為 International Encyclopedia of the Social Sciences ，簡稱 IESS 。 本書則補充、修正 IESS 有關統計方面的資料。

本書兩卷共 1,500p. 其中資料包括 75 篇專門討論統計學的論文，42 篇社會科學的文字，但與統計學有重大關係。此外尚有統計學者的傳記 57 篇。

在編製上，所有文字依字順排列，附有互見，索引完整。

51. **Historical Statistics of the United States**. U.S. Bureau of the Census.

本書為 Statistical Abstract of the United States 的歷史性資料補篇 (historical supplement)，將殖民時代至 1957 年間的美國社會與經濟的

發展作一統計性總結（summary）。

其內容組織區分為 21 章（chapters）及 51 個部份（sections）。 包括範圍極廣，農業、教育、移民、氣候、交通、國際貿易、人口、建築等，凡對構成美國歷史有關係的任何事項都收集在內。

本書最有價值的部份為美國在殖民地時代的統計資料，這些資料不易在其他參考書中找到。

52. Statistics Europe: Sources for Social, Economic and Market Research, Gale.

本書為查詢歐洲國家統計資料來源的最重要的參考書。在內容上，凡能提供歐洲某一國家任何統計資料的官方、半官方及民間出版品，都由本書排列成為一種清單（list）。對於這些出版品本書除提出統計資料的類別（type）、出版者、經銷者、地址及價格等資料外，並製作解題（annotated）。

53. Statistics Sources, Gale.

本書並不提供統計資料，但可能是查詢統計資料來源（source for locating source materials）的最佳參考書，篇幅達 1,875 p.。

在本書中讀者不僅可以找出某類統計來源的名稱（或書名），而且還可得到如何訂購的方法（order information）。

由本書的副書名 " a subject guide to data on Industrial, Business, Social, Educational, Financial and other topics for the United States and selected foreign countries " 中可以看出此一參考書的學科和地域的範

圍。在 20,000 個精確標題之下列舉 30,000 引用文獻（citations）。第 8 版新增加之資料為每一國家的主要金融統計單位的清單（Primary Financial Statistical Sources for each country ）。其原有的「主要統計來源選目」(Selected Bibliography of Key Statistical Sources) 在新版中亦大為擴充，包括機讀格式的書目。

　　本書的競爭者是 Guide to U.S. Government Statistics ， 簡稱為 A Andriot Guide.

54．Statistical Abstract of the United States. U.S. Bureau of the Census. 1978- Annual.

　　此一統計摘要為一年刊，自 1878 年以來不斷發行，其主要資料來源為美國政府機構，其餘則取材於 75 所私人機構。

　　本書內容編組為 3 部份（sections），每一部份均有總結（summary）說明，解釋名詞同時指出資料來源。主題範圍甚為廣泛，包括教育、人口等多項。無論專家學者或一般社會人士都可能發生興趣。

　　本書大部份資料均以表格形式提供，內容每年修正，但為便於比較研究，常保持幾年的資料。舉凡電視機在美國家庭中分配情況，多少美國人接受社會福利補助，美國每年生產玉米多少噸之類資料均可從本書中取得。

　　此書索引極為優良，尤其重視學科主題（Subject）的索引。

　　其附錄有三種：

1.　統計資料來源指南。

2.　美國各州統計摘要指南。

3.　其他國家統計摘要指南。（ 我國並不在內，殊感遺憾 ）

在世界 94 個最大城市人口及成長率表格中：

上海排名 23　　　臺北排名 26　　　北京排名 28

由於本書是政府出版品，若干圖書館不把本書置放在參考室內，而放在政府出版品室（也有稱爲官書室），使用者應注意這種安排。

55．**Statistical Digest**: UNESCO．

此一聯教組織的出版品副書名爲 A Statistical Summary of Data on Education, Science and Technology, Culture and Communication, by Country，爲主要的國際統計參考資料。

本書提供聯教組織 UNESCO 158 個會員國的統計資料，每一國家的資料約佔 2 頁（總篇幅 330p.），以英法兩國文字對照編寫。

聯教組織於 1982 年出版 Unesco Statistical Yearbook 本書即爲其文摘（digest）。Yearbook 包括的國別地區較多，資料收集範圍亦較爲廣泛，但 Digest 的每一國家地區的資料則較爲完整。

本書內容分爲：

教育	31	個範疇
科技	5	個範疇
文化	8	個範疇

此書的缺點有下列數項：

1. 資料全部由一組問卷（questionnaire responses）取得，由各國自行提供，沒有經過覆核，正確性發生疑問。
2. 本書無目次表，沒有索引，查詢不易。
3. 沒有世界性及洲際的合併統計。
4. 在若干表格中統計資料不全（Yearbook 也有同樣毛病）。

　　儘管缺失甚多，本書仍有其參考價值，參考館員在運用時必需求證。

56．**Taiwan Statistical Data Book.** Council for Economic Planniwg and Development.

　　本出版品爲一統計年鑑，所謂臺灣，包括臺灣省及臺北、高雄兩個特別市。

　　自臺灣公私立機關組織取得資料，國外的資料則取材於聯合國及其所屬國際組織。

　　在內容上分爲：

1. 經濟指標。
2. 面積人口。
3. 國民所得。
4. 農業。
5. 工業。
6. 科學、技術。
7. 交通及通訊。
8. 銀行及貨幣。
9. 財政。
10. 物價。
11. 國際貿易。
12. 美援。
13. 國外投資及對外技術援助。
14. 教育。

15. 健康、衛生。

16. 勞資關係。

17. 國際統計。

另外有附表三種。

57. U.S:A Statistical Portrait of the American People.
New York, Penguin Books.

本書企圖以統計方式描述美國人民，其統計報告取材於 138 種文件（documents）及 8 種學報。主編者為社會科學家 Andrew Hacker ，他於本書中敍述美國聯邦統計署如何取得抽樣的方法（sampling methods），及整理統計資料的程序，加強了這些資料價值和正確性。Hacker 將有關美國人口的資料分組成若干章回如下：

住址	(residences)
生與死	(births and deaths)
婚姻	(marriage and divorce)
職業	(employment)
收入與支出	(income and expenditures)
政府	(government)
犯罪情況	(crime)
教育	(education)
房屋	(housing)
旅行	(travel)

Hecker 收集、整理的數字有的表示 100 年期間的轉變，如「美國十大都市」，有的顯示與過去報導的不同（即變化），如「住戶性質

的變遷」，有的則是此次報告特有的項目，如「女性與男性壟斷的職業」。他指出的若干主要變化如：

1. 非家庭式的住戶在 1970 至 1980 年之間由 18.8 ％升至 26.1 ％。
2. 在上述十年期內每一住戶的人口由 3.14 人降至 2.75 人。
3. 女性的每年收入約爲男性 58.7 ％。
4. 美國最富裕的都市爲內華達州 (Nevada) 與 Reno 市，每一國民平均所得最高。
5. 美國物價最高的都市爲聖地牙哥 (San Diego) 市（加州）。
6. 美國維持一個家庭，費用最高者爲檀香山。

　　本書的說明文字生動活潑，充滿趣味，可讀性高，加之附有完整的索引，爲圖書館不可少的參考書。

　　讀者應注意本書新版的消息。

五、雜類手冊

Handbooks of Miscellany

　　雜類手冊包羅萬象，本書所推介的幾種參考資料都是常用的而又特別重要的工具書。

　　這些手冊的共同特徵有二：

1. 並不年年修正，如 Roberts Rules of Order。
　若干種參考資料甚至不作修正打算（如 5,000 Facts and Fancies)
　這是因爲資料特殊，沒有修正必要，但仍然不影響其快速參考的功能。
2. 其中若干種早已絕版，而因爲若干較有歷史和規模的圖書館參考室仍然珍藏和利用，因此樂於介紹。

58. **Amy Vanderbilt's Complete Book of Etiquette.** Double-day.

59. **The New Emily Post's Etiquette.** Crowell.

討論社交禮儀的書籍是參考工作中不可缺少的參考資料。

Amy Vanderbilt's Etiquette 於 1952 年初版 ， 編寫人爲禮儀大師 Amy Vanderbilt 。 1978 年修正版編輯者爲 Letitia Baldrige ，她曾先後擔任魯斯夫人（ Clare Luce ， 美國前駐義大利大使 ）及甘迺廸總統時代白宮交際秘書，對於此一工作自然勝任愉快。

此書在組織上分爲 9 大部份：

第一部份「家庭與家的重要」 (The Importance of Family and Home)。討論家庭關係和在家中的應有禮節。

第二部份討論「生活的禮儀」 (Ceremonies of Life)， 提出婚喪的禮俗建議。

其他部份分別討論接待賓客，商業習俗，贈送禮品，信函格式，旅行習俗等項目。

本書所強調者爲由於社會對結婚、離婚、同居 (live-in)， 性關係的態度有所轉變，而如何應付困窘與尷尬的情況，其章回之一特別對日益增加的單身人提出各種建議。

Letitia Baldridge 認爲良好習俗的基礎在於善良的內心，對於社交禮儀採取較有彈性的立場。

Amy Vanderbilt Etiquette 的以後各版次都是根據這種原則編製的。

如果 Amy Vanderbilt's Etiquette 是較爲自由和開放的 ， Emily Post's Etiquette 則是較爲保守和尊重傳統的。 Emily Post 著書的宗旨

是使我們的世界成為一個愉快的 (pleasanter place to live in) 居住場所，讓我自成為一個能愉快相處的人 (pleasant person to live with)。

　　新版的 Emily Post Etiquette 設想極為週到，是駐外官員，從事國際貿易人士，留學生必需細讀的書，本書在組織上分為 15 個章回：

1. 講話的藝術。
2. 怎樣寫信。
3. 別人怎樣看你。
4. 對旅遊者的建議——入境問俗。
5. 正式宴會。
6. 非正式交際。
7. 特殊場合。
8. 婚禮。
9. 如何寫請帖。
10. 拜訪和運用名片，簡短致意卡片（例如賀年卡、慰問卡等）。
11. 正式場合應有禮貌。
12. 良好的風度。
13. 如何才算良好的穿着。
14. 井然有序的家庭。
15. 家庭生活。

　　雖然這兩種參考書中都討論到婚姻，但有一種專門為婚姻禮儀而編的書，參考館員必需知道：Emily Post Wedding Etiquette: Wonderful World of Weddings. ed. by Elizabeth L. Post. Crowell。

60. Robert's Rules of Order. New Jersey: Scott, Foresman 1991. ISBN 0-673-38754-2.

Robert's Rules of Order編著目的在於教導如何主持會議，如何組織和管理會場，是以理性而不是以愛情來領導羣衆。其重要性等於我國的民權初步，無論政府機構（西方國家）及公私社團均以此書爲標準參考資料。

本書體積不大，但出版公司爲使用者方便着想，更編有簡本(Simplified edition 0-399-51697-2）美國出版公司一方面爲使用者着想，同時也推廣了出版品的市場，一舉兩得，利人利己的作風，令人感嘆不已。

Deschler's Rules of Order 爲資深美國聯邦衆議員（任職48年）Lewis Deschler 所編製 （Prentice-Hall 出版 1976 ）。 在內容上與 Robert's Rules of Order 並無太大不同，但較爲重視歷史背景，同時提供有關組織會員份子的具體建議。

61. A Book About a Thousand Things. Harper & Brothers.

本書內容複雜，自無法將之歸納於任何類目。其中有問答式款目數百種，大體上乃以「爲什麼？」體材，解答自然科學及宇宙現象若干玄妙問題。款目中也有傳記性質料，但與其他傳記體材不同，乃是敍述若干歷史上重要人物的若干小事，雖則本書甚少列舉資料來源，但是正確性爲專家承認。本書索引甚佳。

62. Brew Dictionary of Phrase and Fable. Harper & Brothers. 14th ed. 1989

本書內容偏重文學，若干參考書編者將其書編入文學類。但此書

製作以普通資料爲主，似與其他手册相同，同時對歷史、宗教、神話、傳記，均可供應極爲實貴資料，故列入年鑑曆書、手册一類。

本書乃以二萬個款目，依字順編排而成。若干較短款目，形式與字典相同，解釋單字與片語，但大多數款目，內容較爲豐富，如鑑定文學作品、考核歷史上不甚顯揚事物等，均爲較長篇幅文字。

本書文筆流暢、風趣，爲其一大特色。其濃重英國色彩，因顧慮美國市場，逐漸加入美國有興趣款目而稍形冲淡。

63. 5000 Facts and Fancies, important, curious, quaint and uniquc information in history, Literature, sciences, art and nature. New York: G.P. Putnam's Sons.

本書久已絕版，但在若干圖書館參考室中仍可找到，對於十九世紀歷史、文學、藝術之類資料，此書仍有頗高參考價值，但本書中科學款目錯誤百出，使用者應特別注意。

六、唯讀型光碟 CD-ROM

CD-ROM的出現對於圖書館參考服務產生了莫大的衝擊，除了高密度、成本低、貯存空間小、貯存期長和幾乎是0的錯誤率之外，還有以下功能：

1. 使用者能依照自己的意願檢索。
2. 使用者能自己調整檢索所用時間。
3. 使用者沒有繳費的壓力。
4. 使用者有自由、獨立的感覺。

5. 使用者以一己之力找到資料會產生一種快感。

所以 Lois F. Lunin 指稱「CD-ROM 爲電腦革命打開了一個新的局面，甚至於可能完成電腦革命」❸。

我將 CD-ROM 排在快速參考資料最後，正是因爲它的重要性，有壓臺戲的意思，讀者應特別注意新推出的出版品和產品。

64. **The CD-ROM Directory** 1992. London, TFPL Publishing; distr., Detroit, Omnigraphics, 868 p. ISBN 1-870889-26-6.

The CD-ROM Directory 和 CD-ROMS in Print（是 CD-ROM 的名稱，不是印製品）都是有關唯讀型光碟的主要參考資料。本書出版較早（1986），而且在附帶資料（peripheral 部份）方面佔了優勢，如：

● 圖書與期刊學報（當然是與 CD-ROM 有關的）的書目。

● 國際會議與展覽的時間表。

● 索引較多。

● CD-ROM 硬體和軟體的名單 (Listing)。

有關 CD-ROM 的生產和市場消息，國際性資訊的供應都是這件出版品的特色。

65. **CD-ROM Periodical Index.** Westport, Conn. Meckier, 1992. 420 p. ISBN 0-88736-803-4.

---

❸ Journal of the American Society for Information Science Jan. 1988 p.31。

此一索引是在 CD-ROM 中出現經過摘要、索引以及全文處理 (Fulltext) 期刊學報的指南，也是 Computers in Libraries, NO. 48的補篇，收集了在 77 個 CD-ROM 資料庫中 30,000 期刊學報論文的資料。

分組爲兩大部份：

1. 資料庫依字順排列

    提供出版者、價格、年代、運用的軟體，檢索能力以及依字順排列的期刊學報。

2. 30,000 期刊學報

    依字順排列，並且指出期刊隸屬的資料庫。

此一索引有兩大用途：

1. 採購時參考、圖書館期刊特藏和索引的配合是重要考慮因素。

2. 便於讀者檢索期刊學報，圖書館參考館員運用此一索引指引讀者到相關的資料庫。

66. CD-ROMS in Print: An International Guide to CD-ROM, CD-I, CDTV & Electronic Book Products. CD-ROM 1992. Meckier. ISBN 0-88736-812-3.

如果要購買 CD 產品，無論是爲圖書館和學校，這片唯讀型光碟是必要的參考資料。

這片磁碟 (disc) 包括兩個資料庫 (databases) 的資料。

1. 約 3,000 CD-ROM 的名稱 (title)。

2. 約 3,000 個生產 CD 的公司。

    在 1. CD ROM 名單之中提供：

    　　　書名 (title)

　　　　　　說明（description）

　　　　　　學科範圍

　　　　　　磁碟大小及數目

　　　　　　出版項及經銷商

　　　　　　語文

　　　　　　價格

　　　　　　技術方面的資訊

　　　　2. 公司名單之中提供：

　　　　　　公司名稱

　　　　　　地址

　　　　　　電話

　　　　　　聯絡人

　　　　　　運作（activities）

　　以上每一細節都可用爲索引。功能近似而不同類型的參考資料爲 CD ROM Directory（印製形式）， 但定價昂貴幾乎等於 CD-ROM in Print （CD ROM形式）的三倍，而且款目較多，經費困難的中小型圖書館和學校應當優先採購這件唯讀性光碟。

67. Cumulative Index to ONLINE, DATABASE & CD-ROM Professional 1986-1991. Wilton, Conn., Eight Bit Books/Online, 1992. 210 p. ISBN 0-910965-06-4.

　　ONLINE, Database 以及 CD-ROM 都是有關高科技的重要學報，這部索引將這三種學報最近五年（1986-1991）的資料彙積成爲一冊。

　　在組織上，本索引分爲兩大部份：

1.　著者索引，包括
　　● 著作經過書評評論的著者
　　● 書評執筆人
　　● 讀者投書的個人
2.　主題索引
　　每一款目都提供論文的年、月及頁碼 (Page Number)，使用者可經
　　由 Online/CD-ROM Fax Article Delivery Service 取得 (當然是採購)
　　其中任何一篇寫作。
　　由於技術的進步，使用者和圖書館都應該密切注意此一索引的新
　　版和彙積、修訂的情況。
　　筆者鄭重推荐圖書館參考室採購，如果可能，用 Standing Order。

68. Directory of Portable Databases. Gale.

　　此一指南是半年刊，這是本書佔優勢的地方，因爲其主要的競爭
對手 The CD-ROM Directory 和 CD-ROMS in Print 都是一年刊出一次。
　　不過出版界的事情很難肯定，尤其新穎是生存的要件，使用者和
讀者，圖書館參考館應該隨時留心出版時間的變動，但是本指南也有
不利的地方，其收集的款目在數量上只有後兩者的一半。
　　此處討論的是 V.3 No2. 1992. 473p. ISBN　0-8103-8435-3.
ISSN 1045-8352. 其內容組織分爲五部份：
1.　資料庫產品的介紹 (CD-ROM，磁片 diskette 和磁帶 magnetic
　　tape)。
2.　生產者的名單。
3.　經銷商名單。

4. 主題索引。

5. 總索引，master index 。

七、圖書館、博物館
Libraries and Museums

69. American Library Directory 1992-93-一。 45th Edition 2,000pp。/2-vol. set ISBN 0-8352-3157-7.

 此一指南提供美國與加拿大 38,000 所各類型圖書館資料在州及城市之下，圖書館依字母順序排列，查用此一指南，使用者可以查詢特藏（special collections） 與其他地區類似圖書館比較服務與設備及經費。

 圖書館學系所、圖書館協會及各種組合也收集在指南之中，每年修訂。

 此一指南已有CD-ROM請參見Library Reterence PLUS。

70. American Library Directory Online.

 以名稱、地址、預算、人員、館藏、主題等多項檢索點（search points），使用者可立即取得美國與加拿大 38,000 所圖書館中任何一館的資料。

71. Library Reference PLUS。R.R. Bowker.

Library Reference PLUS 將五種 Bowker databases 的資料收集於一片 CD-ROM 之中：

1. American Library Directory 中 35,000 所圖書館的完整資料。

2. American Book Trade Directory 中 35,000 圖書零售及批發商的資料。

3. Publishers, Distribu tors, and Wholesalers of the U. S。中 63,000 公司的全部資料。

4. Literary Market Place International Literary Market Place 所載，在從事 85 種出版事業和相關活動的 30,000 人員及公司的資料。

5. Bowker Annual Library Book Trade Almanac 的全文。

每年修訂。

72. World Guide to Libraries. K.G. Saur 10th ed. 1991.
ISBN 3-598-20541-4.

此一指南提供 167 個國家中 40,000 所圖書館的資料。

凡國家圖書館、地區圖書館 (reginal) 公共圖書館、大學及學術圖書館，學校圖書館藏書在 30,000 冊以上，以及議會圖書館、政府機關圖書館、專門圖書館、宗教圖書館藏書，在 5,000 冊以上者都在收集之列，本版增加東歐國家的資料。

本書依國別組織、國別以下依城市及圖書館的種類排列，其內容包括圖書館名稱（原文及英文譯名同時列出），通訊地址、電話 telex 及 Fax 號碼，主要書藏及特藏、統計數字、參與網路情況及館際互借的資料。

本書除單獨發行外同時為 Handbook of International Documentation

and Information Vol. 8 。

72A. World Guide to Special Libraries. K.G. Saur 2nd ed. 1990. 1,200 pp. ISBN 3-598-22230-0.

本書收集 160 個國家 32,000 專門圖書館的資料。

在內容上，此一指南組織成爲五大部份：

1. 一般性的專門圖書館 General 。

2. 人文學科的專門圖書館。

3. 社會科學的專門圖書館。

4. 醫學生物科學的專門圖書館。

5. 科學與技術的專門圖書館。

再依國別、城市排列。

本書單獨出版同時爲 Handbook of International Documentation and Information, Vol. 17 。

72B. Libraries, Information Centers and Databases in Science and Technology. K.G. Saur. 696 pp. ISBN 3-598-10757-9.

本書是一册全球性的指南。

在理論與應用科學兼顧的理念之下提出各國 11,000 所圖書館，線上檢索資料庫、文獻資料中心 documentation centers 的資料，所謂圖書館指專業國家圖書館、技術學院圖書館、大學圖書館。

運用本書時應索取最新版次。

73. The Official Museum Directory 1993. R. R. Bowker 1,822 pp. ISBN 0-87217-957-5.

　　The Official Museum Directory 1993 收集 85 個範疇中 7,000個單位的資料，包括博物院、水族館、植物園、動物園、天文臺等機構。在資料中指出這些單位在那裏，陳列展覽項目以及管理人員。

　　其他有用資料爲美國博物館協會的情況和工作，產品和服務，1,600 所提供博物院設備、補給的公司。

第五章　字　典
Dictionaries

一、字典的參考價值

　　如果以使用次數多少，作爲衡量參考書功用的標準，則最重要參考書的榮譽，當屬於字典。墨菲 Murphey 指出「字典所以使用最頻繁，使用的人最多（most frequently and most widely used）的理由，是因爲我們的參考需要，多半爲語言性的（linguistic）」。在課程設計中，我國以「國、英、算」三門列爲主課，美國則以「三R」爲重點（reading, writing, arithmatic。讀、寫、算），三分之二均與語言有關。研究語言，自然不能離開字典，因此薛爾斯（Shores）在其所著《基本參考資料》（Basic Reference Sources）一書中討論字典時，即以語言問題（language questions）及語言參考資料（language sources）爲該一章的主要議題。齊列（Cheney）在其所著《主要參考資料》（Fundamental Reference Sources）則以文字參考資料（Sources on words）爲章回名稱，字面看來略有區別，但在實質上並無任何差異。

　　近代學術研究，尤其是具有國際性的文化交流，在實質上，研究者的負擔，不外學科內容的理解及語言文字的掌握。就治學程序而論，語言文字的掌握，往往應在理解學科內容之先，因爲惟有了解語文，才能接近學科。若干教育學者，主張增進閱讀能力的方法（尤其爲提高閱讀速度），爲不作停頓的重複閱讀，週而復始，可以體會若干

生字的意義。此一方法的要領之一，是儘量避免使用字典，不過，此種方法祇能適用於閱讀訓練過程中某一階段，而「儘量避免」也並非「絕對不用」。

胡適之先生爲了鼓勵後學多買好字典，特別寫了一首白話詩如下：

少花幾個錢，多賣兩畝田，千萬買部好字典。

它跟你到天邊，只要你常常請敎它，包管你可以少丟幾次臉。

作爲一個現代人，究竟應該認識多少單字？這是一個極有意義的課題，學者專家的研究殊無定論。墨菲認爲「最博學強記的人，不可能記憶及使用超過 50,000 單字」，吉士特（Kister）提出來的估計，一個普通人可能認識 20,000 個字，但在應用時所需單字則不到 12,000 個。吉士特所提出另一極有興趣的研究爲 50％的英文讀物（ reading matter）由 135 個單字組成，又貝爾電話公司實驗室（ Bell Telephone ）的研究報告指出，美國人日常會話中 75％祇運用 100 個單字。即令如此，英文大型字典的款目，業已接近五十萬大關，因此不用字典，殆爲不可思議的事。大體上使用字典者不外兩種目的，一爲求領悟某一篇、段、句文字的大意以建立印象和概念（concept），一爲必需澈底瞭解某些單字的確切涵義（exact meaning），前者需用字典，後者更離不開字典。

二、英文字典的歷史

歷史上第一部英文字典爲 Robert Cawdrey 所編輯的 A Table Alphabetical，於 1604 年出版，不過是拉丁文和法文課本內所附帶的英文字彙而已。此一字彙僅限於難字（ difficult words），編者假定其他單字，並不需要解釋，而且解釋字句的編排，頗像今日的註解，零散出現在字裏行間（ interlinear ），與我們所謂「字典」的形式大異其趣。次一

著名的例子是1658年的 New Worlds of English Words，此一字典的編者是 John Milton 的外甥 Edward Phillips，內容僅僅包涵由其他文字蛻變而成的英文難字。六十三年以後，英文字典才開始擺脫祇收難字的傳統，向製作「大型字典」（unabridﾟd）的方向邁進一步。1721 年 Nathan Bailey 所編輯的 Universal Etymological Dictionary，兼收難、易英文單字，但此一字典，仍然跳不出「選擇單字」（selection）的圈子，Bailey 本於正人君子的立場祇收集「好」字（of good standing）。

　　大約歷史上最著名的字典製作人爲 Dr.Samuel Johnson(1709-1784)，他曾經說「有些照本宣科讀死書而不能變得更聰敏一點的人很少怪自己差勁，而埋怨生字太多，詞句艱深，他們問爲甚麼要用別人看不懂的文字寫書呢？」❶

　　他所編輯的 Dictionary of the Engish Language，於1775年出版，此一字典有四點值得一提的特徵：

1.　此一字典完全是 Johnson「一人之力」的傑作。

　　據 Boswell Journal 記載，曾有人詢問 Johnson：「你如何能在三年之內單獨完成這一工作呢？法國學院的四十位會員以四十年的時間才能編出他們的字典。」Johnson回答：「我必能在三年的時間之內完成，三對一千六百，豈不正是英國人與法國人能力正當的比例嗎？」

2.　此一字典收集單字遠在 Bailey 之上。

---

❶　"He that reads and grows no wiser seldom suspects his own deficiency, but Complains of hard words and obscure sentences, and asks why book are writter which cannot be understood. —Samuel Johnson—Camp's unfamiliar from 2000 B.C. to the present.p.7. N.Y. Preatice Hall.

3. 此一字典率先倡導以「引用語」協助說明字義。

4. 此一字典中字義的解釋充滿偏見。

Johnson 的「一家之言」，有以下例證：

(1) 「字典編輯者」Lexicographer——寫作字典的人，一種無害於人的苦差（a harmless drudge）。

(2) 「燕麥」oats ——穀類中之一種，在英格蘭用以飼馬，在蘇格蘭則用爲人的食物。

（對於此種諷刺，蘇格蘭人也反唇相譏：「英格蘭以"馬"著稱，蘇格蘭則以"人"聞名於世。」）

儘管此一字典有若干顯著缺點，但仍然爲字典中的權威達一世紀之久。

第一部美國的英文字典於1828年問世，名爲 An American Dictionary of the English Language ，主編爲 Noel Webster ，是後來極具盛名韋氏字典系統的創始者。此一字典收集 70,000 個款目，較 Johnson 字典多出 12,000 個款目，在精神上，此一字典和過去若干字典無何差異，因爲編製者都以單字的「檢查者」（censors）自居，企圖決定那些字是正當的，適合讀者使用。

眞正打破這種「字典的倫理觀念」的，是 Dean Trench 氏於 1857年在倫敦哲學會（London Philosophical Society）中宣讀他的抗議論文——「當今英文字典的缺點」（Deficiencies in Existing English Dictionaries）。他指出：「字典是語言的總登記簿，字典編製者的責任，不在於選擇語文中的好字，……他們的工作，是歷史學家而不是評判者。」此一偉大學人的思想，影響到以後牛津英文大字典的製作。

字典中收集單字的「好」「壞」之爭，在二十世紀的初期已趨於平息，目前所關切的問題是字典的編製在內容上究竟應該是採取教導

式（prescriptive），還是陳述式（descriptive）的問題。所謂 prescriptive 是指文字「應該如何運用」（tell how the language should be used），descriptive則指「文字正在如何運用」（tell how the language is used）。照吉士特（Kister）看來，字典的功能非楊即墨，一條是立法者訂定規則的路（lawgiver），另一條是記者新聞報導的路（reporter）。

　　因此，以為查詢祇是查詢難字或長字是一種錯誤的觀念。長字如 dichlorodiphenyltrichloroethane ❷，祇有一個意義（簡稱DDT），而會用英文中的短字如 in, on, at, of, by, to 等，則此人的英文水準已遠在中人以上了。

三、字典的有關名詞

　　與字典有關的名詞頗多，有可以與字典交換使用者，若干則有特殊的涵義，在中文譯名中有字典、字彙等不同字樣，選擇使用殊無一定標準，同時對英文原義亦不盡相符，茲特列舉數種名詞說明如下：

1. Gradus ——專用於詩韻的字典。
2. Gazetteer ——專用於地理名詞的字典。
3. Wordbook ——指某一地區人民或某一階段、職業特別用字的字典。例如：水手用字字典（Sailor's Wordbook）。
4. Lexicon ——可與 Dictionary 交換使用，但多用於：
   (1) 古代文字，如希臘、拉丁、希伯來文的字典。

---

❷　Time. July 12, 1976. 我的學生李萬晉君（臺大圖書館學系）發現一個更長的字 PNEUMONOULTRAMICROSCOPICSILICOVOLCANO KONIOSIS：肺塵症，礦工因呼吸原由火山噴出含有矽的微塵而患的肺炎。

(2) 以一國文字解釋另一種文字的字典。例如：

拉丁——英文字典 Latin-English Lexicon 。

5. Glossary —— 有時印製爲一部單獨書本的形式，但多半附設於一書的附錄之中。所收集的單字，都具有一種共同的特點，如古代的字，特殊的字，某一專業的用字，或某一種技術性的字。例如：

圖書館學術語字典（A Glossary of Library Terms）

6. Thesaurus ——經過特殊安排的單字組合（specially arranged collections of words ）。

四、字典的種類

英美圖書館學者，習慣於將字典分爲四大類別：

1. 普通英文字典（General English Language Dictionaries）

墨菲（Murphey）認爲普通字典不僅供給組成一種語言的單字界說，而且應該將解釋擴展到「字」的各方面（all aspects），如讀音、字源等，這是一起碼的要求。若干字典更進一步的供給相關資料（related materials），以增加字典的價值，所謂「相關資料」大都爲百科全書性的（encyclopedic），如度量衡、元素表等，也可稱爲「附加資料」（additional materials）。

2. 補充性英文字典（Supplementary English Language Dictionaries）

此一種字典的名稱由薛爾斯（Shores）提出，指從一種特殊立場或觀點（specialized point of view），來處理一種語言（此處指英文）中的單字，事實上可稱爲特種字典，但爲避免與專科字典混淆起見，仍然沿用「補充性」字樣。

　　　　屬於此一類型的字典，有以下諸項：

(1)　習慣用語（usage）

(2)　同義字（有時加入反義字）（synonyms, and antonyms）

(3)　縮寫字（abbreviations）

(4)　俚語、地方語言（slang and dialect）

(5)　讀音（pronunciation）

(6)　韻文（rhyme）

(7)　外國名詞及比較語言（foreign terms and comparative language）

3.　專科字典（Specialized Dictionaries）

　　　　此類字典墨菲（Murphey）稱爲「範圍有一定限制的」（limited）字典，因爲他們僅僅處理一種語言中單字的一部份（partial list），通常爲專用於某一專門學科，某一特殊行業的單字，如化學字典、政治學字典等。這些專科字典，當與該一學科共同討論，不在本章範圍之內。

4.　多種文字字典（Foreign Language Dictionaries）

　　　　指兩種以上文字的字典，如英、俄字典，德、法字典，英、法、德、西字典等。

　　　這些字典編排目的不是解釋性的，而是比較性的（comparative），列舉不同文字中含有同等意義的字。

　　　此四種類型字典，除第三類「專科字典」，不在本章討論範圍之內，已見前述外，其餘三類中（「普通英文字典」、「補充英文字典」，及「多種文字字典」）顯然以「普通英文字典」爲主體，不但應用較廣，而且出版品數量方面，也佔絕對優勢，爲讀者參考便利起見，特將普通英文字典，作進一步分類。

五、普通英文字典的分類

討論分類，必需首先決定分類標準。英美圖書館學者對於普通英文字典的分類標準，殊不一致，有以使用對象爲標準的，如成人、青少年、兒童（adult, young people, children）所用的不同字典；有以適用地點區分的，如大學、中小學、辦公室、家庭（college, school, office, home）所用字典；更有以體積篇幅大小爲標準的，如大型字典、簡編字典、中型字典（unabridged, abridged, intermediate）等；更有以程度、價格作爲標準的，不一而足。

本書特將各種意見綜合，列爲各種表格，附入此一章回之內，普通英文字典的分類，有下列五類：

1. 大型字典（Unabridged Dictionaries）
   款目數字 260,000以上
2. 簡編字典（大學字典）（Abridged and College Dictionaries）
   款目數字 130,000以上
3. 中學字典（School Dictionaries）
   款目數字 45,000至100,000
4. 兒童及小學字典（Children and Elementary School Dictionaries）
   款目數字 30,000以下
5. 特種用途字典（Specialized Dictionaries）
   如字源、歷史、拼字等特殊用途的字典。

六、字典的選擇

據 English Language Dictionaries in Print 估計，英文字典的銷售

量，每年均在一千萬册以上，流行市面的不同版次達七十種，因此如何選擇？應該購買那一字典？爲當前值得關切的問題。

選購字典時應注意以下項目：

1. 價格問題

字典價格至爲懸殊，由每部1.25美元的袖珍版至高達 395 美元的牛津英文大字典（O.E.D.），價格出入爲三百餘倍，然此不過兩種極端的例證，我們無意用爲選購的參考。字典的價格與成本有關，例如 Webster's Third New International Dictionary，最近一次增訂，即耗資三百五十萬美元，而此一部字典是一部優良參考書，因此其售價75美元是貨眞價實的，也是購買者應該付出與值得付出的代價。至於若干翻印的字典，價格雖然便宜，是否值得購買，則要再三考慮。但「價格」與「品質」，並不一定成爲正比，若干字典的價格，因爲加入「附加資料」而提高，往往這些「附加資料」，與字典本身用途，並無太多關係，因此「附加資料」變爲購買者的「額外負擔」，這是不合理的現象。茲建議購買字典的人，首先應考慮購買能力，然後比照本書所附兩種字典優劣等次表選購。

2. 字典的權威性

近代國家的出版事業，已經採取了「各有專長」（specialized publishing）的路線，例如威爾遜公司（H.W. Wilson Co.），以出版各種索引著名。至於字典的製作方面，在過去Webster 一字與字典幾乎有不可分的關係，凡在書名上附有 Webster 字樣的字典，「權威」是無庸置疑的。但現在的局勢，完全改觀，眞正能保持Webster 榮譽，而爲 Webster 嫡系的出版商，僅麻省春田 Springfield, Mass. 的 G.&C. Merriam Co. 一家而已。目前最著名的字典商標爲 Thorndike-Barnhart，風頭最健的字典編輯人爲 Edward L. Thorndike 及 Clarence L. Barnhart 二氏，他們主編的字典，無不精良。

3. 新穎程度 (up to dateness)

普通使用字典者，都不太注意字典是否新穎，此種漠不關心態度起因於一種錯覺，以爲字典的內容是靜止不動的 (static)，甚少變遷。再則若干字典書名中的「標準」(Standard)、「新」(New)之類字樣，使讀者產生虛僞的安全感，因而鬆弛了戒心。實際上，每年增加的新字與科學新名詞，數以千計，若干名詞，由於時間的轉移或變爲廢字，或產生新的涵義。基於這些理由，現代專家列舉的優秀者，都爲新的出版物，除少數外（如 O.E.D.）大部份是1970年代的產物。

4. 適用對象 (age suitability)

圖書館學專家選擇字典標準之一，爲字典對那一年齡階段的讀者合用，英文名詞爲 (age suitability)。字典的編製，往往有一定目的和一定的使用對象，超出此一範圍，字典的效用，就要打一極大折扣，甚至等於廢物，我們不妨試想兒童查用高深字典 (advanced) 及大學生查用兒童字典的可笑結果。

本書所附英文字典適用學齡比較表及兩種字典優劣等次表中列有使用者教育程度資料，乃根據 English Language Dictionaries In Print 中的適用年齡建議表改編而成，但參考此表者，必需緊記中外國情背景的不同，涉及問題包括英文程度、年齡和學科知識等各方面的條件，不可拘泥於表中所列的範圍。

5. 附加資料（additional material）

　　字典的功用，是解答參考問題中有關「單字」的問題（questions about words），若干字典中附加百科全書性、年鑑性的資料，已超越了字典功能（functions）的範圍，如統計資料、大專學校名單、度量衡、動物彩圖等，均爲其他參考工具書中可能輕易找到的材料，讀者不必求之於字典。又由於印製成本而提高售價，對於購買者也是不公平不合理的負擔。近來若干字典，每年增訂，雖可以保持附加資料的新穎，但大部份的字典，都沒有這種經濟能力和魄力，因此附加資料不能跟上時代，其結果是供給使用者一些過時的資料，此種害處，似非編著時所能考慮到的。

6. 字典中的資料

　　馬賽斯（M. Mathews）在介紹 Webster's New World Dictionary 的序文中指出：「一部良好的英文字典不僅是一部書而已，而是多部頭書籍（A small library of books brought together into one.）的綜合。」這些書籍的書名如下：

> How to Spell English Words
>
> How to Capitalize English Words
>
> How to Divide English Words into Syllables
>
> How to Pronounce English Words
>
> A Brief English Grammar
>
> A Dictionary of English Etymologies
>
> Levels of English Usage
>
> The Meanings of English Words

A Dictionary of Synonyms

A Dictionary of English Phrases

他的意見和本書的觀點完全一致。

一部良好字典，款目及附錄中應包括下列項目：

(1)　使用字典的方法。

(2)　文法基本原則。　　　　　　　　　字典附錄或部首。

(3)　指導使用者如何加強生字的貯藏（vocabulary building）。

(4)　字義解釋，包括片語及表情（expressions），最好將最通用解釋，擺在前面。

(5)　拼音，以當前流行者為主，最好注出英美拼音的區別。

(6)　最準確、最簡單的讀者制度。

(7)　字的用法，以附加引用語（quotations）解釋為最理想。

(8)　字的源流，及歷史上發展變遷的過程。

(9)　同義字及反義字。

(10)　簡字及符號，尤其近代名詞中常用者。

(11)　普通應用的俚語及通俗用語。

(12)　英文字中常用到的外國字及片語。

七、主要英文字典

1.　大型字典Unabidged Dictionaries

本書的大型字典共四種（書市中僅有此四種），均依字母順序排列。計為：

Funk & Wagnalls New Standard Dictionary

Random House Dictionary

Webster's New Twentieth Century Dictionary

Websters Third New International Dictionary(W₃)

（以上爲常用書名，完整書名請查看個別字典的款目）

其中以W₃爲最優良的字典。Random House 次之。 6,000 Words, 9,000 Words, 12,000 Words只是W₃的補篇，故未列名。

Oxford English Dictionary 篇幅雖大，但在性質上只能算是特種用途字典（O.E.D.是歷史性與研究用的字典）。

74. **Funk & Wagnalls New Standard Dictionary of the English Language.** Funk & Wagnalls. Distributor: T. Y. Crowell Co.

卷　　　册	1
頁　　　數	2,817
款　　　目	458,000
款 目 字 數	18（平均）
圖　　　解	9,000
尺　　　寸	$9\frac{1}{2} \times 12\frac{1}{2}$吋

Funk & Wagnalls New Standard Dictionary 爲一頗有歷史的大型字典，其初版於1913年問世。在體積上爲大型字典的亞軍（458,000 個款目），僅次於 Webster's Third New International Dictionary （464,000 個款目）。

此一字典編製的目的在於盡收所有英文「活字」（ all the live

words）。因此在正文前部增加補篇（supplement） 34 p.，收集 1950 及 1960年代新加的若干科技單字，此舉用意雖佳，然而本書是 1963 的版次，因此就收集新字的目標而論，只是一種理想而已，與實際情況有很大的差距。

此一字典中的資料包括 65,000 個專有名詞，16,000 項簡短傳記，30,000個地名，並收集頗多的地方性的解釋和讀音，其內容代表第一次世界大戰時代的文字知識（word knowledge）（Kister 的評語）。

Funk & Wagnalls New Standard Dictionary 最著名之處在於將字義的新解釋排在前面，追溯到過去。此種由新到舊的排列方式和 Merriam-Webster 系統由舊而新的排列方式恰巧相反。本字典的編輯部門認為讀者所要找尋的主要目標是「字」的現在意義，安排字典的排列次序時，先例應該退居便利之後（precedent should give way to convenience）。目前凡是具有 Funk & Wagnalls 及 Standard （標準）的字樣字典（二字是註冊商標）都將最通用的釋義安排在前面，其他的界說則按使用的頻率（frequency）多少的秩序排列。

此一字典最大缺點為不夠新穎，收集字中竟然查不到 databank 之類重要字樣。所收集百科全書型資料雖多，但這些資料都可以自其他參考資料中查詢得到。

在大型字典中 Webster's Third New International Dictionary 是唯一可靠、綜合及新穎的大字典。

75. **Random House Dictionary of the English Language.** Random House 1984, ISBN 0-345-32298-3.

卷　　册	1
頁　　數	2,059
款　　目	260,000
款目字數	17（平均）
圖　　解	2,000
尺　　寸	$9^1/_2 \times 12$ 吋

　　Random House Dictionary 以初版時期（1966）而論是四大大型字典中最新的一種，以篇幅而論（260,000個款目）是四大大型字典中最小的一種。若干書評專家甚至懷疑，一個款目在300,000以下的字典有沒有資格稱爲大型字典（Unabridged Dictionary）。吉士特（Kister）站在支持的立場，在他所著的《字典採購指南》（Dictionary Buying Guide）一書中，將此一字典與 Funk & Wagnalls New Standard Dictionary Webster's New Twentieth Century Dictionary 及 Webster's Third New International Dictionary 並列爲「四大」大型字典之一，雖然他也承認在範圍（scope）及深度（depth of coverage）上是無法與 W3 相比的。

　　此一字典是爲二十世紀中葉的使用者編製的，其編輯宗旨中指出：「如果現代的人想在他所生存的社會中應付裕如，他必需要與急驟成長的文字同時轉變」，因此 Random House 強調文字的當前用途（Current use）。

　　此一字典的特徵如下：

1. 附設多種文字對照的字典（德、法、義、西班牙文）。
2. 提供主要參考書書目。
3. 列舉歷史上重要日期。
4. 提供論文寫作教範。

5. 64幅有色地圖（由 C. S. Hammond & Co. 提供）並對照地圖列舉 27,000 個地名。

6. 提供 10,000 個同義字。

7. 利用 2,000幅圖解加強對動植物、工具、樂器等項目的說明。

8. 採用 Edward L. Thorndike 的方法以說明加強對定義解釋。

9. 重視百科全書型資料，如上所述篇幅總計達 400 頁，佔總篇幅 2,059 頁的 1/5。

10. 首先利用電子設備 Electronic data processing equipment整理資料。

　　由於這些優點，書評家 Allen Walker Read 對此一字典印象特佳，他竟然指稱：「毫無疑問的，Random House Dictionary 是他的世代中最優秀的字典」❸。

　　此一字典的百科全書型資料，頗受好評，在手邊沒有百科全書的情況之下，的確可以應急。但也是由於編製得法，才影響了書評家的觀感。在 Funk & Wagnalls New Standard Dictionary中的百科全書型資料卻沒有這種好運，書評的反應是認為畫蛇添足，多此一舉。

　　Random House Dictionary 的唯一缺欠在於為文字所下的定義略嫌過於簡單，使使用者產生不夠完整的印象。

76. Webster's New Twentieth Century Dictionary of the English Language. Collins + World.

---

❸　Kister op. cit p. 48.

卷　　冊	1
頁　　數	2,345
款　　目	320,000
款目數字	11（平均）
圖　　解	3,000
尺　　寸	$8\frac{1}{2} \times 11\frac{1}{4}$ 吋

Webster's New Twentieth Century Dictionary 是以韋氏字典系統的嫡系自居的，在其書名頁記載有如下文字：

根據諾艾・韋伯斯特（Noah Webster）所訂定的廣博原則編製。

在緒論中，爲了進一步強調這種淵源，編輯部門甚至追述到Noah Webster 於 1806 年所編輯的 Compendious Dictionary of the English Language。Noah Webster 在字典編輯史上地位等於「美國的 Samual Johnson」（America's Dr. Johnson）他所編的 Compendious Dictionary 是第一部研究美式英文的字典。在其 37,000 款目之中，約有 5,000 款目是立國不久的美國土生土長的單字。

專門出版韋氏系統的 Merriam-Webster 公司卻在另外的場合中，斷定 Noah Webster 的主要字典是 1812 年出版的 An American Dictionary of the English Language，實在大煞風景。

此一字典自 1941 年開始採用現名，過去曾更改書名數次，如：

Webster's Imperial Dictionary 1904

Webster's Universal Dictionary 1904

Webster's Standard Dictionary 1907

Webster's Universities Dictionary 1940

我們現在所討論者爲具有 1977 年版權的字典，乃是根據 1955 年版

多次修正而成。此一字典的1955版及1977修正版都列舉 Jean L. McKe-chnie 女士為主編，但McKechnie 女士並未列名於任何傳記資料之中，是字典出版史上一個神秘人物。

此一字典永遠掛着Webster 的招牌，但在若干措施上似乎並沒有嚴格遵循Webster's 的傳統。在定義的排列次序上沒有一定的原則（Ran-dom-House 將常用的，新穎的排在前面；W₃則依照歷史的次序），編者指稱依照實際情況（ practicality ）而定，此種理由頗難解釋。

一般而論，此一字典的定義尙屬正確淸晰，但其每一款目的平均字數只有11個字，因此若干解釋過於簡單。好像同義字，使用者所得到的不過是粗枝大葉的資料，有時甚至被領導到錯誤的途徑。

本字典附設3,000幅圖解，頗能幫助對文字的了解，其32 幅全彩色圖片，分別配置於 p.786-p.1554，極為美觀。但與相關款目並不置放一處，減少其應有的功能。

在此一字典中，百科全書型資料（如美國憲法、獨立宣言等）約佔篇幅190頁，遠較 Random House 為少。此點並不特別重要，因為字典的主體是單「字」，在這一方面此一字典顯然在其他大型字典之後。

吉士特對此一字典只有一個字的評語 superficial （淺薄）。

77. Webster's Third New International Dictionary of the English Language . G. & C. Merriam

卷　　册	3
頁　　數	3,135
款　　目	464,000
款目字數	23 （平均）
圖　　解	3,000
尺　　寸	9¼ × 13 吋

　　Webster's Third New International Dictionary （簡稱 W₃）代表着美國的驕傲和光榮，是在美國出版的最偉大、聲譽卓著的大型字典，收集自1755年以來仍在使用的所有英文單字。換言之，W₃ 收集自 Samuel Johnson 編製舉世聞名的 Dictionary of the English Language 以來，所有的英文活「字」。

　　W₃ 的家世極爲顯赫，可以追溯至諾艾·韋伯斯特（Noah Webster）所編著的 American Dictionary of the English Language (1828年)。Noah Webster 是「美國英文」American English 字典的開山祖師，英國人把他看成美國的 Dr. Johnson。 此一偉大的學人於 1843 年逝世以後， C. & C. Merriam Company 即取得 Webster 字典的版權，並聘請 Noah Webster 的東床快婿，耶魯大學（Yale Univ.）教授 Chauncey A. Goodrich 爲主編，繼續出版各修正版次。以後重要版次包括 Webster's International Dictionary (1890)，Webster's New International Dictionary (1909)（即 W₁ ）與 Webster's New International Dictionary (Second Edition, 1934)（即 W₂ ）。W₃ 於1961年問世，每 5 年登記版權一次，表示此一大字典經常修訂，我們現在討論的爲1981年版權的 W₃ 。

　　W₃ 與 W₂ 有何不同 ？書評家指出此兩種版次的差異如下：

1. W₂ 收集自公元1500年以來的所有英文單字，（有人甚至認爲包含 Chaucer(1340－1400) 作品中所有的單字）總計約 600,000 個款目。 W₃ 排除其中250,000 個過時單字 obsolete words 。

2. W₂ 收集頗多的專有名詞，並有相當數字的傳記及地理資料。 W₃ 強調字典的「文字學功能」（linguistic function），因而排除這些與文字無關的資料（nonlexical material），在四大大型字典中，W₃ 最能保持「純」（pure）字典的特色。

3. W₃ 排除大部份的外國文字及片語，僅收容業已爲英文吸收，成爲

英文一部份的外國文字及片語，（如 tour de force）。

4. W₃取消在W₂中所採用的「簡化拼音法」（simplified spellings）。

5. W₃增加甚多的複合字（compound words）以合併一處（如 redneck）或以短畫連接（如 hand-me-down）。

6. W₃排除W₂中的反義字。

7. W₂的編製多少有些傾向於教導式（prescriptive stance）。

　　在若干文字（指不能登大雅之堂的字）之後加注「俚語」（slang）或（俗語」（colloquial）字樣，以提起使用者的注意。W₃則較爲開放，主編 Dr. Gove 認爲「教導」不是編輯應有的立場，這種採取陳述式（descriptive）的作用，若干書評家頗不以爲然，指責W₃過於遷就現實（permissiveness）。這是W₂和W₃主要不同之處，W₃是否「過於遷就」成爲評鑑此一字典的主要問題。

　　除上述外，W₃尚有下列特徵：

(1) 字源學資料極爲完整。

(2) 定義解釋極爲正確，例如存在主義（Existentialism）款目，此一字典的界說篇幅最長、最完整，也最具學術性，其他大型字典均不能達到W₃的水準。

(3) 其200,000幅圖片極爲新穎，安排於文字中的3,000 幅黑白線條圖解對文字說明極有幫助。

(4) W₃雖然一再強調字典應有字典的特色，但仍然包含部份極爲有用的百科全書型資料，例如主要星球，化學元素，度量衡等，但都以表格形式（tables）提供。至於傳記，地理資料，因爲Merriam-Webster 公司另外出版有Webster's New Geographical Dictionary, Webster's Biographical Dictionary, Webster's American Biographies 等頗有份量的參考書，這些參考書中所收集的資料不是其他大型

字典中的百科全書補篇能望其項背的。

我們在此討論爲1981年版權的W₃，W₄將於何時出版？Merriam-Webster 出版大型字典的版次間隔約爲 23年，因此W₄ 可能在 1980年代的末期問世。

由於W₂ 仍然爲若干使用者喜愛，吉士特（Kister）建議圖書館最好同時擁有W₂ 和W₃。

6,000 Words，9,000 Words 以及 12,000 words 都是W₃ 的補篇，凡已有W₃ 的圖書館決不可不購置，他們同時也是新字的單獨字典。

圖書館在分類編目排架及參考服務時都應該考慮這些小型補編字典和W₃ 的密切關係。

2. 簡編字典，大學字典 Abridged and College Dictionaries.

本書推薦的簡編及大學字典計七種，均依字順排列：

      The American College Dictionary

      The American Heritage Dictionary(New College Edition)

      Third Barnhart Dictionary of New English

      Webster's New Collegiate Dictionary

      Webster's Ninth New Collegiate Dictionary

      Webster's New World Dictionary

      The World Book Dictionary

其中 The World Book Dictionary好像鶴立雞群，如果將 2 卷的篇幅濃縮爲一册（因爲讀者使用略有不便），則簡編及大學字典將是 The World Book 獨佔的局面。

其他 5 種字典應以 Webster's Ninth New Collegiate Dictionany 爲榜

首。Webster's New Collegiate Dictionary 和 Webster's New World Dictionary 爭取亞軍，似乎相持不下。Third Barnhart Dictionary of New English 是後起之秀，The American Heritage Dictionary 也是一本不錯的字典。The American College Dictionary(A.C.D.) 如果修正，將大有可爲。

　　Abridged and College Dictionaries 的差異都很有限，本書所推薦的這些字典都各有千秋。

78. The American College Dictionary. Random House.

卷　　册	1
頁　　數	1,444
款　　目	132,000
款目字數	16（平均）
圖　　解	1,500
尺　　寸	7 × 10 吋

　　The American College Dictionary 簡稱（ACD），於1947年印行初版。
此一字典運用下列三種字典中的單字，作爲編輯基本單字表的基礎：

(1)　Century Dictionary

(2)　Cyclopedia and The New Century Dictionary

(3)　Dictionary of American English on Historical Principles

(1)、(2)現已絕版（O.P.），但不失爲兩部好字典。

(3)爲一部大部頭字典，於1938年出版，是芝加哥大學出版的產品，

由於 C 的影響，A.C.D. 具有強烈「美國主義」（Americanisms）的色彩。

　　A.C.D. 問世之時，得到一片歡呼喝彩之聲，其主要原因在於 Clarence L. Barnhart 接受邀請出任 A.C.D. 的主編。Barnhart 是一個將字典編輯工作當作終身職業的學人，早在1930年代，他就參與出版商 Scott, Foresman & Company 擔任字典編輯（lexicographer）。從此開始了他和教育心理學家 Edward L. Thorndike 長期合作，由於這兩位專家攜手，使美國字典編輯工作完全改觀。他們利用單字使用頻率研究（work frequency studies）來決定字典中應該收集那些「單字」，和這些單字應該如何處理。此一研究的正式名稱為 Lorge-Thorndike Semantic Count，乃是 450萬字抽樣（sample）的結果（指單字使用頻率，同一字可能出現百次，數十次不等）。他們更運用解釋性文句片語（made-up illustrative sentences and phrases），而不僅仰仗引用語（quotations）來加強對定義的了解，這些措施就是所謂的 Thorndike Revolution。

　　Barnhart 無中生有，將這些法寶帶到 A.C.D.，同時聘用大批專家學者（共 350人），如 The Random House Dictionary 的現任主編 Jess Stein 等，他曾經頗為自許的指出「一部簡編字典僱用比大型字典還多的人才，這是有史以來破天荒的行動」。

　　由於單字使用頻率研究發現當時（指1947年）出版的各種字典對科技文字沒有予以應有的注意，A.C.D.在這一方面的確下了不少功夫。但 A.C.D. 從來沒有經過澈底的修正，1970年版次的修訂不過是點綴而已，重要單字如 databank, time-sharing竟未收集在此一字典之內，A.C.D. 的行情有今不如昔之感，這是 Barnhart 所始料不及的。

79. The American Heritage Dictionary of English Language.

American Heritage (New College Edition) 1992, ISBN
0-395-44895-6

卷　　冊	1
頁　　數	1,550
款　　目	156,000
款目字數	14（平均）
圖　　解	4,000
尺　　寸	$7\frac{1}{2} \times 10\frac{1}{4}$ 吋

　　American Heritage Dictionary 於1969年問世，由 American Heritage Publishing Company 與 Houghton Mifflin 合作出版（co-published），二者均為美國甚有名氣的出版公司。The American Heritage Publishing Company 之重要出版品尚有 American Heritage, Americana 及 Horizon 等雜誌。此一字典的主編為 William Morris 是一位聲望卓著的字典編著專家，曾主編 Harper Dictionary of Contempory Usage 及 Dictionary of Word and Phrase Origins.（3v.），因此此一字典的權威性是毋庸置疑。

　　此一字典的出現可謂「無中生有」（compiled from scratch），不是根據其他字典編製而成，因此耗費資金極為龐大，星期六評論（Saturday Review）中的書評指稱這一部字典是「花費四百萬美元換來的字典編輯奇蹟」（a $4-million lexicographical spectacle）。

　　American Heritage Dictionary 的特徵如下：

(1)　包含傳記與地理資料約 10,000 款目。

(2)　包含 6,000 引用語，但未指出來源及時間。

(3)　在多種定義排列時，排斥 Merriam-Webster 歷史秩序的原則，更不遵循 Funk & Wagnalls 將最通用的界說排在前面的規定，而採用中間路線，將定義依重要性的秩序排列，最重要者在前。

(4)　單字及說明用的引用文獻均根據 Brown University 運用電腦所作的單字頻率研究。此一研究自多種課本中（稱為 Standard Corpus of Present-Day Edited American English）取樣 1,014,232 字，電腦分析的結果，此一百餘萬字實際由 50,406 個單字組成，其中出現較多之字如下：

the	出現	69,971	次
of	出現	36,411	次
and	出現	28,852	次
to	出現	26,149	次
a	出現	23,237	次
......			
......			
he	出現	9,543	次（居第十位）
而 she	出現	2,859	次（足見在文字中顯然有性別歧視）

(5)　在百科全書型資料中此一字典附有論文 7 篇，均為討論文字專門問題的大好文章，尤其 Henry Kucery 所著「電腦在語文分析及字典編輯中的功能」一文精彩絕倫，不可不看。

(6)　此一字典最大特色在於可讀性（Readability），William Morris 認為字典是有關文字每一方面資料的寶藏，溝通觀念的主要工具，同時也是使用者最良好的伴侶。

為了確保此一字典在使用方面設計週詳，American Heritage特成立諮詢委員會（Usage Panel），聘請名流 100 人，對文字的用途提出意見，實際上是就心遭受 W3 同樣的責難（過份遷就 permissiveness）。其實這種作法是多此一舉，吉士特（Kister）指出：「參議員 Mark Hatfield（Panel之一員）懂得字典編輯的方法嗎？」

此一字典的缺點在於字義的解釋不夠深入。

此一字典版次甚多，其最主要者就是此地所討論的 New College Edition.。

80. **Third Barnhart Dictionary of New English** H. W. Wilson, Edited by Robert K. Barnhart and Sol Steinmetz, with Clarence L. Barnhart 592pp. 1990, ISBN 0-8242-0796-3.

由於科技快速進步，文化不斷變動，新字出現有如雨後春筍。The Third Barnhart Dictionary of New English的出現因應了學者專家、一般讀者的迫切需求。

此一字典收集了10,000新字，填補了三十多年來文字檢索的真空，尤其是在First and Second Barnhart Dictionary of New English 都已經先後O.P. 之際，ARBA 的書評結論說，每一個公共圖書館和大專學術圖書館都應該優先採購。

81. **Webster's New Collegiate Dictionary.** G. & C. Merriam Co.

Webster's New Collegiate Dictionary（Eighth Edition）為美國暢銷

字典，自1973年初版以來，每年均售出一百萬册以上，是 Merriam-
Webster「大學程度字典系統」（collegiate line）中比較新穎的產品。

卷　　册	1
頁　　數	1,536
款　　目	152,000
款目字數	17（平均）
圖　　解	900
尺　　寸	7×10 吋

此一字是根據大型字典 Webster's Third New International Diction-
ary 的1961年版濃縮編製而成（W₃ 於1961年出世，此一字典於1973年
初版，本書所討論的W₃爲19版），因此本字典的款目（152,000）較 W₃
（464,000）減少甚多。

Webster's New Collegiate Dictionary（Eighth Edition）（請注意第
8版字樣）出版的目的在於取代 Webster's Seventh New Collegiate Dic-
tionary（1963）。Webster's Seventh 體積較大（8³/₄×11吋）並未絕版，
在書市中仍然可以買到（still in print），使用者不得將二書混淆。

Webster's New Collegiate 的特徵如下：

(1) 定義依照歷史次序排列（依據 Webster 系統的傳統）。

(2) 收集文字以仍在使用的單字（in active use）爲主，但也收集若干
少見（rare and obsolete words）的字，尤其是在莎士比亞（Shake-
speare），奧士汀（Austen），狄更斯（Dickens）等重要文藝作
家作品中出現的古字。

(3) 比較舊版，如 Webster's Seventh 多出22,000字。在此一字典中可
以找到若干新字，如 data bank, minibike, timesharing 等。

(4)　由於以 W₃ 為模式的影響，Eighth cdition 為一陳述式的字典（De-scriptive Dictionary），因此收集若干不雅的單字（four-letter words），在同類型的字典中（指 Semiunabridged Dictionaries)，其他字典都是教導式的（Prescriptive Dictionaries）。

(5)　收集傳記（6,000 款目），及地理資料（12,500 款目），但這些百科全書型資料都集中於附錄之中（又一 W₃ 模式），此點和其他同類型字典不同。

(6)　收集同義字 2,000 款目。

(7)　收集反義字 1,200 款目(W₃，Webster's Seventh 均不收集反義字)。

(8)　收集簡寫字和若干外國單字、片語（500 款目）（如 tour de force)。

(9)　字義解釋簡明、扼要、新穎，平均每一款目約為 17 字，雖不及 The World Book Dictionary，但和其他 Semi-unabridged Dictionaries 比較仍佔優勢。

(10)　附設 900 黑白線條圖片，對解釋略有幫助，但並非此一字典重要特點。若干圖片，如英國女皇的穿着（Queen Elizabeth I in farthingale）只是提供「不平常」（unusual）的視覺資料而已。其他同類型字典則比較注意「實用」的或「實在」的視覺資料(如動植物、樂器等）。

(11)　科學與文學的名詞是此一字典的重點。

Webster's New Collegiate Dictionary 最與眾不同之處在於提供有關文字的參考服務，其所設 The Language Research Service 義務解答文字學中的疑難問題。

在 Abridged Dictionary 之中，本書為最優良的字典。

82. Webster's New World Dictionary of the American Language. Collins + World.

卷　　　册	1
頁　　　數	1,692
款　　　目	15,800
款目字數	17 （平均）
圖　　　解	1,500
尺　　　寸	$8^{1}/_{4} \times 11^{1}/_{2}$ 吋

Webster's New World Dictionary of the American Language(Second College Edition）簡稱 Webster's New World Dictionary ，是一部極爲優良的字典。紐約時報 The New York Times 在三數年前曾選爲該報第一優先運用的字典，美聯社、合衆國際社等大通訊社隨即紛紛起而效尤。吉士特（Kister）認爲此一字典緊隨 Webster's New Collegiate Dictionary 之後，幾乎已經達到不相上下的地位。

　　認識此一字典必需先從書名着手。

1.　此一字典書名中冠以 Webstes 字樣，顯示與韋氏字典系統的關係，而在操作上的確也遵循若干 Noah Webster 所建立的良好傳統。但此一字典與出版 Webster 系列字典的基地 G. & C. Merriam Co. 完全沒有關係。

2.　以 Webster's New World Dictionary 爲書名的字典極多，在簡編字典（Abridged Dictionaries）及袖珍字典（Pocket Dictionaries）之中，至少有十種字典與此一字典的簡稱雷同。

　　區別的方法有二：

(1)　運用全名（此法太麻煩，口述時尤其不便）

(2)　運用簡稱，加上版次 Second College Edition （比較通用的方法）

3.　Webster's New World Dictionary（Second College Edition ）乃是根據現已絕版的 Webster's New World Dictionary（Encyclopedic edition）（1951）改編而成 。 初版於1953年問世 ， 此處所討論者為 1982年 Second College Edition 。

4.　此一字典的完整書名中有 American 字樣，為此一字典的重心。宗旨與特長，具有美國精神，美國土生土長的文字款目計有14,000個 ，均以小星符號標明， 並加說明自不待言 ， 例如 Jackpot 。 Webster's New World Dictionary（Second College edition）的特徵如下：

(1)　在大學字典之中 （College Dictionaries 即綜合大字典 Semiunabridged Dictionaries ）字源學（Etymologies）之完整可謂首屈一指。

(2)　遵循 Noah Webster 的傳統重視在美國產生的單字與片語，吉士特（Kister）稱為「美國第一主義」（Americanism）。美國的州、城市、河流等均追踪這些名稱的字源，例如使用者可以發現佛羅里達（Florida 美國州名）乃是由拉丁文演變而來的西班牙字，原義為「遍地開花」（Abounding in Flowers）。

(3)　多種字義依照歷史次序排列（Webster 傳統 ）。

(4)　定義解釋，正確、新穎、完整（僅次於 Webster's New Collegiate Dictionary）。

(5)　無引用語（quotations），解釋文字均由編輯同仁自行製作。

(6)　包含 800 個同義字。

(7)　提供 1,500 黑白線條圖片，相當美觀合用,其36頁彩色圖片僅有美

學價值，對提供資訊並無太大幫助。

(8)　傳記、地名等資料納入字典正文之中，但其他百科全書型資料，
　　如美國、加拿大大學一覽表，度量衡等則附於正文之後。

(9)　爲編輯字典所需資料，此一字典建立一種不斷成長的引用文獻檔。
　　主編 David Guralnik 特別重視此一措施，聲稱引用文獻檔（cita-
　　tion file）是整理文字工作的「生命之血」（life　blood）。

　　在綜合大字典（Semi-abridged Dictionaries）之中，Webster's New
Collegiate Dictionary 以科技及文藝資料聞名於世，Webster's New
World Dictionary（Second College edition）則以字源學及 Americanism
見長，二書各有千秋。

83. Webster's Ninth New Collegiate Dictionary. Merriam-Webster 9 th ed. 1989, I SBN 0-87779-308-8.

　　Webster's Ninth 是韋氏「大學程度字典系統」（Webster's Colle-
giate Line）中最新穎的一種（1986 年出版）。書評家雪萊・艾文（Shel-
ley Ewing）認爲是簡編字典（abridged dictionaries）中最優良的一
種。

　　Webster's Ninth 較之前版（Webster's New Collegiate Dictionary
（Eighth Edition）僅多出30頁（156 p.）。體積上則寬出¼吋，因此在
篇幅與外型上並無太大區別，在內容上第8版的每一款目均經重行審
訂。

　　Webster's Ninth 的唯一缺失在於文字的改變，反應有點略嫌緩慢，
例如 “online” 與 “database” 已經是文獻中承認的書寫形式，而Web-
ster's Ninth 仍然墨守成規，援用第8版的老套 “online”與“ data

base "。當然，嚴格的說，並沒有造成嚴重的傷害，對 Webster Ninth
的令名無損。

Webster's Ninth 的出現，是 Merriam-Webster 精益求精的結果，
實際上前述的 Eighth Edition 已經是最好的字典，圖書館不妨同時保
存第 8 版與第 9 版，有了第 8 版已經可以應付裕如，加上第 9 版則是
錦上添花。

84. The World Book Dictionary. Field Enterprises Educational Corp.

卷 冊	2
頁 數	2,240
款 目	225,000
款目字數	23 (平均)
圖 解	3,000
尺 寸	$8^{3}/_{4} \times 11^{1}/_{4}$ 吋

World Book Dictionary 是 Thorndike-Barnhart 系統中最大和最完整
的一種字典，主編者為 Clarence L. Barnhart 與 Robert K. Barnhart。
如前所述，在字典的編輯與製作方面，Thorndike-Barnhart系統業已取
代了Webster 系統的權威領導地位，幾乎凡與 Clarence L. Barnhart 名
字有關係的字典，都是精美絕倫的作品，專家意見認為此一字典為字
典中的冠軍、榜首和王牌。

此一字典於1963年初版，原名為 The World Book Encyclopedia
Dictionary 和World Book Encyclopedia 有極為密切的關係：

(1)　兩書出版公司相同。

(2)　書名所啓示的聯帶關係。

(3)　此一字典編製的目的在於補充和陪襯(supplement and accompany)
　　姊妹作百科全書，兩種出版品之間保持一種互相呼應的關係。

(4)　凡在World Book Encyclopedia 中出現的單字在此一字典中均有款
　　目及解釋。

(5)　避免與百科全書（指World Book）內容重複，因此此一字典不收
　　集百科全書型資料（例如傳記、地理等）。

(6)　此一字典每年增訂修正一次， World Book Year Book （即World
　　Book Encyclopedia的補篇年鑑）中的「每年新字」專欄，全部爲
　　本字典新版按年吸收，成爲字典中的新款目。

(7)　購置本字典時如同時訂購百科全書， 可得極優厚折扣優待。 至
　　1977此一字典更改書名，取消Encyclopedia 一字，聲勢更爲浩大。
　　World Book Dictionary 的成功，決非倖致。其原因有下列數端：

(1)　專家學者智慧的大結合。

　　①　成立國際編輯顧問委員會 （International Editorial Advisory
　　　　Committee）網羅字典編輯權威（如Margaret M. Brgant ）
　　　　46 人。

　　②　聘請學科專家 100人，對 70個學科（fields of knowledge ）提
　　　　出建議。

　　③　調用 Field Enterprises公司編輯及藝術家37 人協助編輯業務。

(2)　運用 Barnhart積 25年時間收集的引用文獻檔（ citation file）（約
　　卡片 3 百萬張）作爲單字選擇及運用的根據。

(3)　此一字典不收集下流及汚穢的「字」（ vulgar and obscene words,
　　four-letter words ），而將位置騰出收集有實際用途的字（ really

useful words），同時對這些收集的有用單字提供充份的解釋，每一款目平均字數為23字，為所有字典款目平均字數最高者（另一款目平均字數達到23字者為 Webster's Third New International Dictionary ）。

(4) 此一字典收字頗多（225,000款目），而為教育程度相當高的使用者提供頗有深度（depth）的資料，因此為一極優良的大學使用字典（一般標準 150,000至 170,000 款目）。而由於此一字典重視簡明解釋，提供例證（文字與圖解併用），因此又為優良的中學使用字典。吉士特（Kister）在將字典分類時，將 World Book Dictionary 在兩個不同的項目下大力推薦（Semi-unabridged Dictionaries 與 Secondary-school Dictionaries）為享有此種榮譽——身兼二者之長——的唯一字典。

(5) 為一「字」下界說（define）或解釋時運用更簡單易懂的文字，換言之，決不容許以難字來解釋比較容易的字。

(6) 利用3,000種以上的黑白線條圖解以補充文字說明，當一名詞(term)有多種涵義時，此一字典運用多種圖解以示區別。

例如 Bridge 一字則有 6 種分別表示：

公路橋樑	Highway Bridge
艦橋	Bridge of a Ship
鼻樑	Bridge of a Nose. 等

(7) 特別資料如：

① 撰寫讀書報告（Book Reports）學期研究報告 （term paper）的按步就班的指導。

② 如何加強認識文字、運用文字（Vocabulary building） 的能力（由小學三年級至大學分年級安排練習）。

③ 關於英國語文史的介紹。

④ 語文學理論的新趨勢，

等都是簡單易懂的重要資料。

此書的唯一遺憾（drawback）是分別爲兩册（A-K；L-Z），使用略嫌不便，但這不是World Book Dictionary 的錯。

3. 中學字典 School Dictionaries.

本書推薦的中學字典計五種：

其中

Macmillan Dictionary

Thorndike-Barnhart Advanced Dictionary

爲 高 中 程 度 的 字 典

American Heritage School Dictionary

Macmillan School Dictionary

Random House Dictionary（School edition）

爲 初 中 程 度 的 字 典

Macmillan Dictionary. Macmillan Publishing Co.

卷 册	1
頁 數	1,158
款 目	90,000
圖 片	1,800
尺 寸	$8\frac{1}{4} \times 10\frac{1}{4}$ 吋

Macmillan公司所出版的一套學校字典，每一種都是優良參考資料：

(1)　Macmillan Dictionary　　　　　高中程度

(2)　Macmillan School Dictionary　　初中程度

(3)　Macmillan Dictionary for Children 小學程度（Trade edition）

(4)　Macmillan Beginning Dictionary　小學程度（Text edition）

其中(3)與(4)實際上是同一部字典，其差異祇在於價格和裝訂版本。

Macmillan Dictionary 是這一系列字典中最大的一種，其90,000 款目從何而來，編者並沒有說明。在前言中，編輯部門對 Merit Students Encyclopedia（同一公司出版）的大力支持表示謝意，可能從此一百科全書中取得單字資料。

此一字典字義的解釋極為充份，並包括字源、同義字、傳記及地理資料，但沒有其他百科全書型補充資料，其1,800幅圖片，大部份為兩色的（綠色和黃、白雙間的顏色），極為精美。

85. Macmillan School Dictionary. Macmillan Publishing Co.

卷　冊	1
頁　數	1,064
款　目	65,000
圖　片	1,500
尺　寸	$8\frac{1}{4} \times 10\frac{1}{4}$ 吋

Macmillan School Dictionary是Macmillan Dictionary 的簡編本（abridged version），此兩部的圖片完全相同。

此一字典對於字義的解釋，是以學生程度（grade level）為準則，

換言之，越容易的字則以越簡單的文字說明。其單字的選擇是經過有系統檢查課本，中學生喜愛的讀物，報紙雜誌甚至學生日常交談用語而來。

字源及同義學則不在此一字典收集範圍之內，款目包含傳記與地理資料。

此一字典最主要的特徵為提供若干「語文研究論文」（language study essays），討論美式英文、字源學、字母等主題。

86. **Random House Dictionary** (School Edition) Random House.

卷 册	1
頁 數	950
款 目	45,000
圖 片	1,200
尺 寸	$7\frac{1}{4} \times 9\frac{3}{4}$ 吋

此一字典的全名為 The Random House Dictionary of the English Language : School Edition, 使用者必需記得書名後所附 School Edition. 字樣，否則便與大型字典 Random House Dictionary 混淆不清了。

此一字典文字的處理根據大型字典 Random House Dictionary 及 The Random House College Dictionary 的原則，在單字選擇上則以單字出現頻率為取捨的標準，在款目內容上包含傳記、地理、縮寫字等資料，在字典後部附有16頁彩色地圖。

此一字典最傑出的特徵為41頁的「學生使用字典指南」（Student

Guide to the Dictionary)，對於師生均有極大參考價值。

在中學較爲良好字典之中，Random House Dictionary (School Edition)（適用年齡，小學六年級至高中一年級）佔優勢地位，價值竟與 American Heritage School Dictionary 不相上下。

87. Thorndike-Barnhart Advanced Dictionary. Doubleday & Co. (Trade Edition); Scott, Foresman & Co. (Text Edition)

卷 冊		1
頁 數		1,186
款 目		95,000
圖 解		1,300
尺 寸		$8 \times 9\frac{1}{2}$ 吋

此一字典的主編爲鼎鼎大名的 Clarence L Barnhart.，自 1941 年初版以來，曾兩次更改書名：

Thorndike-Century Senior Dictionary (1941-1951)

Thorndike-Barnhart High School Dictionary (1952-1972)

除高中學生可能遭遇的單字外，尚包括傳記、地理、科技名詞(以經常可以用到者爲限)、片語、簡寫字及習慣用語，更提供字源資料。爲便利使用者起見若干編輯用簡字均將全文拼出，如 L（"Latin"）及 OE（"Old English"）等。

此一字典新穎、正確，吉士特（Kister）評語極高，稱之爲美國高中字典第一優先選擇。

88. American Heritage School Dictionary Houghton Mifflin Co.

卷　　册	1
頁　　數	992
款　　目	55,000
圖　　片	1,500
尺　　寸	$8\frac{1}{2} \times 9\frac{1}{2}$ 吋

The American Heritage School Dictionary 如同其母篇（parent）American Heritage Dictionary of the English Language，是一部極爲美觀的字典。

此一字典利用電腦分析美國小學三年級至初中三年級的一千册讀本，在五百萬單字中取得 87,000 不同的字（different words），這些字經過整理成爲35,000 個主要款目和50,000 個不同的形式（forms）。

在每頁中間留其兩吋以黃色印製的空欄，用爲印製圖片及若干零星資料的空間，讓使用者一目了然。

在字典後部附設爲教師準備的使用字典指南。

The American Heritage School Dictionary. 是一部優良的字典。

4. 兒童及小學字典 Children and Elementary School Dictionaries

本書推薦的兒童及小學字典共三部：

Macmillan Dictionary for Children

Picture Dictionary for Children

Scott, Foresman Beginning Dictionary

均為優良的字典，但以 Barnhart 所編的 Scott, Foresman Beginning Dictionary 佔優勢。

89. **Macmillan Dictionary for Children** Macmillan Publishing Co.

卷	册	1
頁	數	724
款	目	30,000
圖	片	1,200
尺	寸	$8\frac{1}{4} \times 10\frac{1}{4}$ 吋

Macmillan Dictionary for Children 和 Macmillan Beginning Dictionary 在實質上並沒有太大的不同（此一字典為 Trade Edition, 另一字典為 Text Edition ）。

此一字典收集單字以小學三年級至初中二年級學生由聽、寫、看中可能遭遇的單字為主，印製時有意避免將字分成音節(syllabication)及標點符號（diacritical marks ）。在主要款目（main entry）中，出現讓小朋友讀者在字典中看到的單字和在報紙雜誌中出現的字完全一樣。

除 Barnhart 所編的 Scott, Foresman Beginning Dictionary 為當然榜首之外，Macmillan Dictionary for Children 為第二部最優良的小學字典。

90. Picture Dictionary for Children. Grosset & Dunlap.

卷 册		1
頁 數		384
款 目		5,000
圖 片		1,450

The Picture Dictionary for Children 於1938 年初版，1948及1977
年再度修正。

其使用對象爲幼稚園至小學三年級之兒童。

此一字典收集單字都是必要的，文字處理方式僅限於簡單定義、
拼音及說明文字，同義字、字源都不在收集範圍之內。

字典中的圖片都是彩色而且安排在有關單字附近。

此一字典對於學習較慢、天資較差的兒童最爲有用。

其他以圖片爲主的字典（合於兒童程度的）爲 The Weekly Reader
Beginning Dictionary（又名 The Ginn Beginning Dictionary）及 The
Charlie Brown Dictionary 都頗受兒童歡迎，也是極有水準的兒童字典，
但與 The Picture Dictionary for Children 比較，仍然略有遜色。

91. Scott, Foresman Beginning Dictionary. Doubleday & Co.
(Trade Edition)；Scott, Foresman & Co. (Text Edition)

The Scott, Foresman Beginning Dictionary 的主編爲 Clarence
L. Barnhart。

此一字典過去的名稱爲：

卷	册	1
頁	數	384
款	目	5,000
圖	片	1,450

Thorndike-Century Beginning Dictionary（1945-1951）.

Thorndike-Barnhart Beginning Dictionary（1952-1974）.

此一字典單字的選擇乃是根據單字出現頻率計算而來，同時利用
「引用文獻檔」（citation file）中儲存的一百萬例證（examples）。有
效的利用圖片以及改良的「格局設計」（format design）為此一字典
最顯著的特徵，尤其可貴者是編者能以圖片來說明抽象的概念（abs-
tract concepts）如 inedible（不可食的）、indiscreet（不可分的）
等字。編者指出：「表達情感，意見與行動的字和形容事物的字同樣
的需要圖解說明。」在這一方面工作而論，Barnhart 和他的編輯部同
仁當然是勝任愉快的。

在小學及兒童字典中 Scott, Foresman Beginning Dictionary，毫無
疑問的是最優良的（適用年齡：小學三年級至初中二年級）。

5. 特種用途字典 Specialized Dictionaries

本書推薦特種用途的字典計 6 種：

The Barnhart Dictionary of Etymology.

The Concise Oxford Dictionary of Proverbs.

Dictionary of Foreign Phrases and Abbreviations.

Dictionary of Word and Phrase Origins.

I Hear America Talking.

The Oxford Dictionary of Modern Slang.

Oxford American Dictionary.

Oxford English Dictionary.

Random House Word Menu.

Webster's New World Misspeller's Dictionary.

各有其特殊的用途。

92. The Barnhart Dictionary of Etymology. H. W. Wilson Edited by Robert K. Barnhart 1,284 pp. 1988, ISBN 0-8242-0745-9.

The Barnhart Dictionary of Etymology 追踪 30,000 美國英文(American English)的進化史。這本字典可貴之處在於避免技術性名詞以及省寫字 (Avoiding abbreviations and technical terminology)BDE 運用大家都能看得懂的文字說明美式英文的成長過程，在款目之中BDE以歷史和文字學的事實解釋：

何時這個字初次出現。 (When)

何地這個字初次出現。 (Where)

如何變化。 (How)

資料的來源是甚麼？ (What)

在現代字典編製的環境裏，凡有 Barnhart 參與時，字典的素質無不精良。Robert K. Barnhart 也是舉世聞名的 World Book Dictionary 主編，身價不同凡響，BDE曾獲 1988 年傑出著作獎——Association of American Publishers—Professional and Scholarly Publishing Awards.

93. **The Concise Oxford Dictionary of Proverbs,** 2nd. ed.
Oxford, 1992, 316 p. ISBN 0-19-866177-0.

　　這本字典中所收集的是20世紀英國使用的成語，但是若干美國所
用的成語也包括在內。

　　款目依關鍵字字順排列，每一成語來源都指出引用文獻（citation），
附有成語圖書書目和參考書目，論題式索引（thematic index）增加使
用的便利。

　　書評家 E. Carroll 說這部成語字典可以瀏覽（browse）。

94. **Dictionary of Foreign Phrases and Abbreviations.** H. W.
Wilson.

　　此一字典於1965年發行初版，包括4,000個為英文吸收的外國片
語、格言及縮寫字。1972發行的第二版將款目增加至4,750。

　　此處所討論者為1983年發行的第三版，款目增加至5,250，外國語
文亦由11種增加至15種（俄文為新增加語文之一種）。

　　此一字典的外國資料以拉丁文字為最多，其次為法文，款目依字
順排列，並附依文字組合的片語索引。

　　第三版的 Dictionary of Foreign Phrases and Abbreviations 在於取
消過去兩版所有的討論這些外國文字 definite and indefinite articles
的文字。

95. **Dictionary of Word and Phrase Origins.** Harper & Row.

此一字典出版的原意在於作爲 American Heritage Dictionary of the English Language 的補篇，但此一字典的功能遠超出其原來目標之外。

Dictionary of Word and Phrase Origins 對於每日常用的文字提供了無數的，而且是聞所未聞的小典故，使此一字典成了極不容易查詢資料的寶庫。

其款目依字順排列，包括由古至今，甚至青少年俚語的資料，款目長短不一，以編者能收集到的資料多少，以及文字通用的程度而定。

定義的選擇常以其趣味性決定取捨，例如「狂妄偏激的人」(fanatic)的解釋採用邱吉爾(Churchill)所下的定義:「一個固執，不肯改變談話題目的人」" one who can't change his mind and won't change the subject "。

編者爲 William Morris 與 Mary Morris。

96. I Hear America Talking. Van Nostrand Reinhold.

卷　冊	1
頁　數	505
款　目	10,000
圖　片	500
尺　寸	$8\frac{1}{4} \times 11\frac{1}{4}$ 吋

此一字典的全名爲 I Hear America Talking: An Illustrated Treasury of American Words and Phrases，是一部討論美國文字源流的絕妙好書。

編者 Stuart Berg Flexner 旣爲字典編輯專家，同時是語言文字等權威，他將極有趣味和可讀性的字源學資料組成 157 個主題。例如：

"Where's the Bathroom? "主題之下討論 toilet paper，bathtub 及 wash rag 等相關字樣。

此一字典中的 500 幅圖解極爲美觀，更對文字內容具有加強說明的功能，I Hear America Talking 不僅是一册討論文字歷史的字典，更是講述美國社會與文化發展的良好參考書。

無論是爲了研究或是瀏覽，這部字典都是傑出的。

97. The Oxford Dictionary of Modern Slang, Oxford, 1992, 299p ISBN 0-19-866181-9.

ODMS 是根據 Oxfort English Dictionary（OED）改編而成。

這本俚語字典收集了 5,000 在當代英文中常用的俚語，在款目中以指示符號讓使用者知道這些俚語名詞是甚麼時候開始使用和使用這些俚語是那些族群。

名詞收集的重點是寫作中所用的而不是口說的俚語，因此解說中常常加入引用語（quotations）以增加了解。

本書印製裝訂都極爲理想。

98. Oxford American Dictionary. Oxford University Press.

此一字典是依照 Sir James Murray 編製 Oxford English Dictionary 的傳統精神編製而成，由於 O.E.D. 的過份英國化，其補篇雖然力求彌補這方面的缺失，但不一定能使美國讀者滿意。Oxford University

Press 乃於1980年出版 Oxford American Dictionary　，計一卷 816p.。

　　Oxford American Dictionary 的編輯部門和字典專家都是著名的美國人士，如編製 I Hear America Talking 和 the Dictionary of American Slang 的 Stuart Berg Flexner, Funk & Wagnalls 和 Roget's International Thesaurus 的前任主編 Gorton Carruth 等，他們的參與，幾乎確保了此一字典的成功。

　　此一字典編製的目的在於提供正確美式英文的運用標準，其編製原則是教導式的（prescriptive）。在拼字方面，使用者將會發現"theater"，"check"與"color"（美國拼法）而找不到"theatre""cheque"與"colour"（英國拼法）。在用字方面使用者會發現，當他情緒有懊惱的時候，正確的用詞是"I feel bad"而不是"I feel badly"；"different from"是永遠正確的，"different than"有時正確，有時不一定正確；運用"contact"作為動詞，則不如用"write"，"call"，或"visit"；"You all"是美國南部用詞而且是不太正式的。

　　這是一部良好的歷史性字典，研究美國英文不可少的參考工具書，圖書館參考部應該購置和O.E.D.排架在一處。

99. **Oxford English Dictionary.** Oxford University Press. 2nd. ed. 1989.

卷　冊	13（另有補篇 4）
頁　數	16,570（補篇在外）
款　目	414,825（補篇在外）
尺　寸	$9\frac{1}{4} \times 12$ 吋

Oxford English Dictionary 簡稱爲 O.E.D.(圖書館中都運用簡名)。

O.E.D. 的歷史可以追溯到1878年，那時的書名是 A New English Dictionary on Historical Principles ，主編者是 James Murray於1928年完成，共10卷。1933年重行整編並更改名稱，這就是現在全名的由來。

此一字典的全名爲 Oxford English Dictionary, Being a Corrected Reissue with an Introduction, Supplement and Bibliography, of A New English Dictionary on Historical Principles 。

O.E.D. 篇幅龐大，其414,825 個款目，編爲 500,000 個單獨的定義，其引用語在2,000,000句以上，編輯的目的在於收集自公元1150年以來的英文字，更以當時的引用文獻（dated citations）以說明文字的進化。

O.E.D. 主要的，爲一歷史性字典，對於字源學，文字研究極有功用，例如 set 一字即佔篇幅20頁，而分組成150個單元，因此不可能用爲一般性字典。

由於此一字典富有濃厚英國氣息，因此美國書評家認爲缺乏美國土生土長的文字而沒有予以應有的重視，此書乃出版四冊補篇：

第一補篇　A － G　　1972年完成
第二補篇　H － N　　1976年完成
第三補篇　O － ScZ　1982年完成
第四補篇　SE － Z　　1986年完成

Oxford University Press於 1990 年曾計劃將全套與四冊補篇合併成爲16卷的新版。

O.E.D. 已有 Computer Disk ，其簡篇 （Compact ed.）2 v. 4,116 p. 但需用放大鏡查詢，使用不便。

100. **Random House Word Menu.** Random House 1992, 977 p. ISBN 0-679-40030-3.

這本書在實質上是一種索引典 thesaurus，運用文字分類的原則，本書編組爲 7 大部門：

自然

科學技術

家務

社團

藝術修閒

文字

健康、生活

其下爲25個章回，每一章回附設800個次級範疇（subcategories）款目總數在75,000以上。

目次表和索引都是極爲有用的。

101. **Webster's New World Misspeller's Dictionary.** Simon & Schuster.

這部1983年出版的袖珍型字典（僅 281 p.）是一部極爲特出，而且精彩的參考工具書。

其編者爲 Webster' New World Dictionary 編輯部門的同仁，其編製的目的在於因應讀者的問題「如果我不會拼，怎樣查字典？」（How can I look it up if I can't spell it ?）。

此一字典列舉15,000通常發生錯誤的拼字，同時提供正確的拼法，

讀者會發現 “affect” 與 “effect” 同音異義字（homonyms） 排在一起，更指出 “its” 和 “its” 有甚麼不同。

　　這是一部了不起的小字典，在最短時間之內將那些對拼字沒有把握的讀者從 nife 帶到 knife 。

第六章　期刊索引與摘要
Periodical Indexes and Abstracts

一、期刊文學的重要

近代學術研究，可以離開書本，而不能離開期刊學報，有下列幾個理由：

1. 期刊學報資料新穎。

　　例如第一位華裔太空人王贛駿博士在太空梭中三號實驗室內所作的傑出研究，可以在1985年4月29日至5月7日的報紙和以後一週內所出版的雜誌中取得詳盡資料。其他學術性論文通常在一至三個月中，而書籍寫作及印刷，通常需時三個月至半年，等到圖書館採購、編目、排架，到了讀者手中則已成為歷史。

2. 若干原始論文，根本不可能見之於書本之中，期刊學報為發表此項論文最合理的處所。

3. 期刊學報所發表之論文，是完整的，刊載於書籍之中，往往改頭換面，難窺全貌。

4. 期刊學報所發表的論文，往往是深入的，而書籍討論範圍較廣，因此往往流於膚淺。

5. 期刊學報所發表的論文，多採用原始資料（ primary sources ），因此較為正確；書籍多半引用間接資料（ secondary sources ），難免

錯誤。

6. 如果所研究的題目，需要時刻注意新的趨勢發展及發明者，更應
   利用期刊學報資料，若干研究結果已成定案者，不乏因新的發現
   而全盤推翻。

   例如，死海羊皮卷軸（Dead Sea Scrolls）的發現，使聖經之研
   究進入一新的境界。

   又例如，地中海文化之研究，本已成定案，但因1954年完成
   若干古代文稿的翻譯，而不得不重行整理。

7. 索引和文摘工作的完整和進步，提高期刊學報使用價值。

二、期刊的歷史

關於期刊的歷史，蓋倍爾（J. Harris Gable）在其所著的期刊管理
手冊（Manual of Serials Work）中，有頗為詳盡的討論。據稱，遠在1663
年，法國歷史學者Mezeray即建議刊行一種週報，以傳播當時學術界
動態，此一理想於兩年後由Denis de Sallo所實現。西方世界第一部期
刊Journal des scavans，乃於1665年1月5日問世，稍後此一刊物改名
為Journal de savants，主要內容為圖書評論、若干科學發明的報導、
以及學人死亡訃告，後來因為所載文字涉及教會，一度曾被查禁停刊。

薛爾斯（Louis Shores）以為世界最古老的科學性期刊是英國皇家
學會於1665年開始出版的哲學記事錄（The Philosophical Transactions
of the Royal Society of London），此一出版物刊行的目的，不過作為
當時知識份子交換意見，保持接觸的園地而已，僅有少數文章涉及科
學的領域。那時所謂的自然哲學家（natural philosopher）就是今日的
科學家。此一刊物現在仍然繼續出版，但內容重點卻有顯著的轉變，

成爲一份名符其實的科學性學報。薛爾斯和蓋倍爾兩人，都是圖書館界的知名之士，他們的觀點至少有一點相同，那就是1665年是西文期刊的誕生年。

　　十八世紀的期刊，內容頗爲雜亂，有時兼任了報紙的任務，與今日所謂的期刊在內容上頗有出入。當時英國的期刊，還登載商品市價和船隻行駛消息，1731年出版的紳士雜誌（The Gentleman Magazine），是最早使用「雜誌」這一名詞的。估計在1800年前在倫敦出版的期刊，約合六十種。

　　一百年後，也即是二十世紀的開始，全世界僅科學性期刊已達一萬種，文摘和索引，也奠定了他們應有的地位。高次洽克（Charles Gottschalk）在1963年所作的估計，全世界的科學性期刊學報，約爲三萬五千種，非科學性的期刊學報，至少三倍於此數。因此期刊學報的調查，目錄性資料的追尋，成了圖書館參考工作中甚爲重要的一個部門。

三、期刊目錄 Lists of Periodicals

　　期刊目錄的種類，形形色色，頗爲複雜。一種極爲簡單的手册，僅僅列入最基本的資料，期刊名稱及出版地點，有的較爲詳盡，更加入出版時間、銷售份數、廣告辦法等等。也有專爲投稿者編製的期刊目錄，指出若干刊物徵稿和接受外稿的規則和辦法，比較普通的是若干大規模圖書館將所藏期刊編製成爲一目了然的目錄。

　　就參考工作而言，期刊目錄有三個用途：

1.　供應關於某一期刊的消息。

2.　供給某一學科範圍內若干期刊的名稱和有關資料。

3. 使研究者知道從那一所圖書館可以找到他所需要的期刊。

102. The Gale Directory of Publications and Broadcast Media
Gale 1993, 3v. ISBN 0-8103-7528-1.

Gale Directory of Publications and Broadcast Media 簡稱GDPBM，
這套極為傑出的參考工具書，曾經多次更改書名如下：

N. W. Ayer & Son's Directory of Newspapers and Periodicals.

簡稱為 Ayer.

Ayer Directory of Publications.

IMS/Ayer Directory of Publications.

Gale Directory of Publications.

Gale Directory of Publications and Broadcast Media.

因為創始年是1869年，因此現版為125版。

有經驗的圖書館專業館員都應該記得，在不久的過去，在連續出
版品的目錄性控制一向是 Ayer 和 Ulrich 平分天下，相輔相成的局面，
前者的重點在於報紙，後者的注意力放在期刊學報，現在的情勢大有
轉變，Gale的雄心壯志令人側目相看。

GDPBM 收集36,600報紙、期刊、學報，以及電臺、電視、電報等
廣播媒體的資料，範圍限於美國及加拿大。

此一指南在組織上區分為三部份：

v.1. Alabama-New Mexico

v.2. New York-Wyoming · Canada

在 2539 p. 資料中加拿大資料為 $^1/_{10}$，計 250 p.，美國資料是依州
別次序，每州之下城鎮更依字母順序排列，每一城市下則列舉在該城

市內所發行的所有報紙期刊以及傳播媒體。關於報紙期刊的資料，包括創刊年月、編輯發行者、出版時間、政治立場、發行份數。有強烈地方色彩的教堂新聞報紙，中小學出版品，每年發行不到四次的出版品則不在收容之內。

v.3.　　Indexes, Tables, and Maps.

此一指南的索引依照單字字母順序（word by word）排列。

統計數字都是不易取得的，GDPBM提供這方面的資料與 Statistical Abstract of the United States地區安排(Geographic arrangement)是這部指南的特徵，尤其可貴者在於其附設的地圖，都是特製的(custom-made)詳細指出出版品及傳播媒體所在地點，及每一城市的經濟資料（如人口、出產、農業等），因此會用參考資料者常以此補年鑑及百科全書之不足。

其出版品款目格式如下：

SAMPLE PUBLICATION LISTING

1 ⚏ 222 **2** American Computer Review
3 Jane Doe Publishing Company, Inc.
4 199 E. Maple St.
PO Box 129
Salem, NY 10528-0129 　　　　　**5** Phone: (518)555-9277
　　　　　　　　　　　　　　　　　6 Fax: (518)555-9288
7 Magazine for users of Super Software Plus products. **8** Subtitle: The Programmer's Friend.
9 Founded: June 1979. **10** Frequency: Monthly (combined issue July/Aug.). **11** Printing Method: Offset. **12** Trim Size: 8½ x 11. **13** Cols./Page: 3. **14** Col. Width: 2 in. Col. Depth: 10 in.
15 Key Personnel: Susan Smith, Editor; James F. Newman, Publisher; Steve Jones, Advertising Mgr. **16** ISSN: 5151-6226. **17** Subscription: $25; $30 Canada. $2.50 single issue.
18 Ad Rates: BW: $850 　　　　　　　　　　　　　　**19** Circulation: 25,000
　　　　　　　4C: $1,350
20 Formerly: Computer Software Review (1990). Additional Contact Information: Toll-free 800-282-9456.

爲了及時提供最新資訊，Gale公司在GDPBM兩個版次之間（ Pub-

lished midway between editions）另外免費贈送訂戶一冊 Update to the
Gale Directory of Publications and Broadcast Media，相當於 "補篇"
Supplement 的出版品，1992年的 Update 增加2,450 新的款目，以及
2,470項修正的款目，本身就是極有份量的參考工具書。（除正文外
附有主要名稱索引（Master Name Index）及關鍵字索引（Keyword In-
dex）均依單字字順排列（word-by-word））。

103. Gale International Directory of Publications.

Gale International Directory of Publications 簡稱 GIDP，是 Gale
Directory of Publications and Broadcast Media 簡稱GDPBM 的姊妹篇，
於 1989-1990 發行第一版。

GIDP 收集 132 個國家（美國與加拿大不在內，那是 GDPBM 的範
圍）4,846 種出版品（其中 2,098 種報紙及 2,748 種期刊）的資料。

Gale International Directory of Publications 的結構依照地區安排
（arranged geographically），其內容組織分為三個層次：

1. 國別 By countries

    (1)　人口

    (2)　面積

    (3)　主要語言

    (4)　貨幣

    (5)　主管單位

例如： BELGIUM 比利時

Population: 9,867,751 (1986)

Area: 30,519 sq. km.

Major languages: Flemish and French

Currency: US$ 1 = 38.46 francs（BFr）

Major Audit Bureaus: Centre d'Information sur les Medias

（CIM）, Avenue Louise 499, Bte 4, B-1050 Brussels.

2. 都市 By cities or towns within the country groupings.

3. 出版品（依字順排列）By publication title, listed alphabetically within city groupings.

GIDP 從問卷及文獻中取得資料，爲了方便查詢，此一指南設置有報紙索引、期刊索引、字順索引及關鍵字索引。

104. Ulrich's International Periodical Directory. 1992-1993, 3v. R. R. BOWKER.

此一重要的期刊指南在第 10 th 版前均稱爲 Ulrich's Periodicals Directory,，自 11 th 版時 (1965) 始改今名（增加 International 一字）。

Ulrich's International Periodicals Directory 簡稱 Ulrich's，自 200 個國家及地區收集120,000 種定期和不定期出版期刊學報的資料。這些期刊學報並不限於美國出版品而涉及全球。

其特徵如下：

● 在 550 個主題之下依字順排列。

● 第 2 卷之中登載期刊書名索引，包括 4,100種停止出版的期刊學報。

● 在主題部份之下提供各學科索引與摘要服務單位。

● 提供世界各處 65,000出版商的地址。

● 在 Bowker's International Serials Database 之中可以找到所有

期刊學報（包括停刊者在內）的 ISSN 號碼。

- 提供在 CD ROM 中 510 種期刊學報的名單，以及 137 家 CD ROM 製造公司的名單。

- 對 40,500 種主要期刊學報提供簡單扼要的介紹。

- 提供杜威分類號碼，及國會圖書館號碼。

- 提供 54,000 傳真號碼（Fax）及 19,000 電傳資訊號碼（Telex）.

- 提供 2,900 種線上檢索的期刊學報。

- 提供 13,000 種科技期刊學報的期刊代碼（CODEN）。

如前述，其索引分為兩部份：

(1) 主題索引。每一款目包含完整的目錄性資料，並附訂購資料。

(2) 期刊書名索引。利用「參見」（See）指導使用者至主題索引。

所謂完整的目錄性資料指出版國家或地區、出版次數、價格及國際標準叢刊號碼。

為了加強服務同時擴大功能，公司提供訂戶三項免費服務。

1. "Ulrich's Update" 每年出版三次，等於最新版 Ulrich 的補篇，提供最新訊息。

2. "Ulrich's News," 是 1992 年以後才問世的新通訊，為一季刊，其發行目的是提供期刊館藏發展及出版趨勢的資料。

3. "Ulrich's Hotline" 是熱線參考服務。

此一出版品是檢索個別期刊，尤其是 individual titles found online 最有用的參考工具書。

105. **Magazines for Libraries**. Ed. by Bill Katz and Linda Sternberg Katz. R. R. Bowker ISBN 0-8352-3166-6 ISSN 0000-0914 LC No. 86-640971.

　　在參考資料中，此一出版品爲對期刊學報最完整、最深入的敍述性解題（descriptive　annotations），其主編爲圖書館參考服務權威凱茲（Bill Katz）夫婦。

　　圖書館學報（Library Journal）對本書評論極佳，認爲是「查詢正在發行的期刊學報最優良的參考資料」。

　　1992年出版的Magazines for Libraries（第7版），在70,000種有可能入選的期刊學報中（possibilites）精選6,665種，依期刊名稱編組在200多個主題之下分別介紹，其選擇範圍爲：

1.　對一般讀者有興趣的普通期刊。
2.　由英、美、加拿大著名學術機關、會社出版的英文研究學報。
3.　學術、專門圖書館收藏的高品質的商業性刊物。

　　其淘汰的期刊學報則爲：

1.　不再繼續出版的期刊、學報。
2.　期刊內容變動，而不適合圖書館收藏者。
3.　爲更有價值的期刊、學報取代。

　　此一指南用途甚廣，適合各類型圖書館使用（包括公共、專門、大專院校及中小學圖書館）。

　　每一款目的內容包括：

> Title. Date Founded. *Frequency. *Price.
> Editor. Publisher and Address. Illustrations,
> Index, Advertising. Circulation. *Sample.
> *Date Volume Ends. *Refereed. *Microform.
> *Reprint. *Online. *CD-ROM.
> *Indexed. *Book Reviews. *Audience.
> Annotation.

　　這部指南，無比重要，使用者應該詳讀編輯部門提出的12大功能，筆者認爲其主要特徵在於：

- 重視價值。

　　Katz 認爲應該以優點（merits）來評鑑期刊、學報，而是否如期出版成爲主要考慮。

- 對於圖書館館藏發展（collection development）

　　可用爲期刊學報部份必要的參考資料。

- 讀者可以在特殊主題之下找到需用的期刊學報。

- 經過索引處理的期刊學報，無論是印製，或以線上檢索，唯讀性光碟形式出現，都可以在這一指南中找到。

- 附有獨立的書名索引及主題索引。

106. **The National Directory of Magazines 1990.** New York, Oxbridge Communications, ISBN 0-911460-24-3 ISSN 0895-4321.

　　此一指南在190種主題之下，依字順排列，收集21,000 種美國與加拿大的期刊學報的資料。

　　款目內容包涵期刊名稱、地址、編輯人員、出版頻率、發行量、價格及讀者對象。

　　National Directory of Magazines 收集有用的資訊，可以補充 The Serials Directory, Ulrich's International Periodicals Directory 和 Gale Directory of Publications ，但是不能取代這些重要的期刊學報指南。

107. **Standard Periodical Directory 1992**, Oxbridge Communi-
nications, Inc..

此一指南為一雙年刊（biennial），收集 75,000 種在美國和加拿大
出版的期刊學報。

所謂 "periodical" 在本書中指至少每兩年出版一次的出版品，其
種類極為複雜，包括：

消費者雜誌（consumer magazines）

商業雜誌

政府出版品

科技學會議事錄及論文集

學會出版品

年鑑　等項。

在編制上，此一指南編組為 7 大部份：

1.　目次表。

　　　主題分類表依字母順序排列，主題共 251 個。

2.　序言。

3.　使用指南。

4.　主題參見索引。

　　　為一關鍵字索引（A key word index）。

5.　期刊目錄。

　　　為此一指南主要部份，依分類書名排列。

6.　線上檢索索引（Online Index 為 1992 版新增加部份）

7.　書名索引。

在使用此一指南時應該分為三個步驟：

- 檢查目次表，找出與自己興趣配合的主題。

- 再查期刊目錄，期刊即在主題之下依字順排列。

- 如果在目次表中找不到與自己興趣有關的主題，則查主題參見索引，找出相近的主題。

當檢索已知名稱的期刊，則直接查閱期刊目錄。

在主題分類表下，期刊依名稱中首先出現有 特 徵 意義的字排列
(alphabetically by the first significant word in the title)。

108. The Serials Directory: An International Reference Book. 3 v. 1993, EBSCO Publishing.

The Serials Directory每年年初出版，此處討論者爲第 7 版(1993)，這部期刊學報的指南在這類型參考工具書中是比較新穎的一種，有鑒於期刊學報的出版趨勢走向專精，對於可以用線上檢索 (online) 或唯讀性光碟 (CD ROM) 的期刊學報的資訊需求大量增加，EBSCO 公司推出這部重要的指南就是要讓使用者儘速的取得新出版的期刊學報的資料。

此一指南資料的來源有三：（此點和 Index and Abstract Directory 相同)

1. 來自公司資料庫 EBSCO Subscription Service database 儲存的資料，由於 EBSCO 接觸面是世界性而且是密切頻繁 的，資料每天都在修正。

2. 來自美國期刊聯合線上轉換計劃 (Cooperative Online Serials 簡稱 CONSER) 的資料，此一計劃由英國國會圖書館主持 ，EBSCO 公司是計劃中的成員之一。

3. 來自問卷的資料，問卷的對象爲全世界各處的出版公司，問
   卷內容極爲詳盡。

The Serials Directory 第7版收集 145,000 種國際出版的期刊學報，
每一種出版品都提供 44 項資料（44 elements of information for each
title ），其編組分爲 3 v. 。

```
Volume 1
    Serials Listings (A–I) . . .
Volume 2
    Serials Listings (J–Z) . . . .
Volume 3
    Alphabetical Title Index . .
    ISSN Index . . . . . . . . . . .
    Peer Reviewed Index . . . .
    Impact Factor Index. . . . . . .
    Serials on CD-ROM Index. . .
    Serials Online Index . . . . . . .
    Book Review Index . . . . . . . .
    Advertising Accepted Index . . . . .
    Controlled Circulation Index . . . . .
    Copyright Clearance Center Index .
    New Title Index . . . . . . . . . . . . . .
```

編輯部門宣佈自第 8 版開始，繼續發行以及改變刊名的期刊學報，
已在第 7 版中登載者將不再刊出以留出空間收容更多新的期刊學報，
但是在 CD ROM 中仍然保留。

109. Children's Magazine Guide R. R. Bowker.

此一指南將 42 種最受兒童喜愛的期刊雜誌編製成爲主題索引，每

年出版 9 次，有每年彙積本。

　　每一款目內容包括篇名、著者、雜誌名稱、期別及頁數，其編製目的在於讓 8－12 歲兒童有機會接觸有關科學、運動，當前重大事項，以及通俗文化的文獻。

　　其特徵爲：

- 如何運用兒童期刊雜誌的具體建議。
- 設有趣味問答 a CMG Quiz Whiz，鼓勵兒童讀者自己找尋答案。
- 每期都有備供圖書館員和教師使用的索引 Index of Professional Magazines for Teachers and Librarians.

　　Booklist 的書評說 " Children's Magazine Guide" 是中小學圖書館必需優先採購的參考資料。

110. Magazines for Young People, R. R. Bowker.

　　此一指南是 A Children's Magazine Guide 的姊妹篇（companion Volume），Magazines for Young People 以充沛的學術知識，切實的評鑑74種學科中的1,100種期刊雜誌，爲館藏建設的圖書館員提供了核心的期刊目錄。

　　School Library Journal 是書評指出「選擇合乎兒童和青少年需求的期刊雜誌並不是一件輕鬆的工作，對圖書館而言，這本指南是非買不可的」。

　　這本指南每三年修正一次，目前在書市出現的是第 2 版（1991）。

111. Newsletters in Print. Cale, ISBN 0-8103-2584-3.

原來名稱爲 Newsletters Directory 及 National Directory of Newsletters and Reporting Services ，此處討論者爲 1988 年的第 4 版，款目編組在七個廣泛範圍：

工商業

家庭

資訊

農業及生物科學

社區及世界事務

科學技術

文、法學科

之下的 32 個主題。

其附錄爲可以由線上檢索取得的通訊（ newsletter ）， newsletters in print 的重要性正在不斷加強。

關於 serials 的資訊供應和目錄性控制（ bibliographic control ） ，Gale 作了非凡的貢獻，其這方面的出版品 Gale Directory of Publications 及其兩版次中的 Update 都是圖書館參考，期刊部門必需購置的參考工具書，但是 newsletters 的最好的 source 仍然是 newsletters in print 。

112. The Index and Abstract Directory: An International Guide to Services and Serials Coverage 2nd. ed. 1991-1992, EBSCO Publishing.

The Index and Abstract Directory 於 1989 年問世，爲一雙年刊，此處介紹者爲第 2 版， 1991-1992。

此一指南出版的目的在於提供兩項資訊：

- EBSCO公司資料庫中收集的連續出版品（serials），所謂Se-
  rials 在此處作廣義解釋包括期刊、學報、報紙以及套書中的
  單行本（monographic series），唯一條件是這些連續出版品必
  需經由一種或一種以上索引或摘要處理。

- 散佈世界各處的索引，摘要服務業的資訊，這些服務業都是
  我們可以運用的，每一索引，摘要服務業之下列舉其處理的
  索引或摘要。

其資料來源有三，（此點和 The Serials Directory: 相同）

1. 來自 EBSCO 公司內部資料庫的資料。

2. 來自美國期刊聯合線上轉換計劃 the CONSER（Cooperative
   ONline SERials）Program的資料。

3. 由問卷取得。

在編組上，此一指南分為兩大部份：

第一組： 35,000種 Serial titles，依學科組織，在學科之下，依書
名字母順序列舉，例如：

Business

```
ABI/Inform . . . . . . . . . . . . . . 1368
Abstracts in BioCommerce  . . . 1380
Accountants Index . . . . . . . . 1387
Accountants' Index.
   Supplement  . . . . . . . . . . . 1389
Accounting Articles . . . . . . . 1391
Accounting + Data Processing
   Abstracts  . . . . . . . . . . . . . 1390
American Bankers Association
   Banking Literature Index  . . . 1413
Anbar Management Services
   Abstracts  . . . . . . . . . . . . . 1421
```

第二組：依字母順序，列舉 700 所索引及摘要服務事業 the name
of the index/abstract service 的名稱，每一服務單位之下則包括所處

理的連續出版品（serials），例如：

```
BMT Abstracts. Vol. 41, No. 1 (Jan. 1986)-.
0268-9650. Periodical. UK. English. mo. £150.00,
£80.00 (each additional copy). BMT CORTEC Limited,
Wallsend Research Station, Wallsend Tyne and Wear
NE28 6UY England. Tel 091 262 5242, telex 53476,
FAX 091 263 8754. Ind/Abst World Surf. Coat. Abstr.,
API Abstr. Oil. Chem., API Abstr. Health Environ.,
Transp. Storage, Pet. Refin. Petrochem., Pet. Subs.
LC VM1. DD 623.8/1. Index available. bk rev. adv acc.
Circ 500. Available online. Abstracts approximately
3,000 articles from periodicals and conference
proceedings that cover all aspects of ship and
offshore technology and operation. Formerly called
Journal of Abstracts of the British Ship Research
Association, 0141-903X.

  • ABB Review
  • Advances in Engineering Software
  • Aeronautical Journal, The
  • AIAA Journal
  • Anti-Corrosion Methods and Materials
  • Applied Acoustics
```

此外，尚提供重要索引三種（連前述共有五大索引）：

Serial Title Listings
　　(Pages 3-1363)

Index and Abstract Service　（即上述第二組）
Title Listings
　　(Pages 1367-2294)

Alphabetical Title Index
　　(Pages 2297-2540)

Index/Abstract Services　　　（即上述第一組）
by Subject Classification
　　(Pages 2543-2549)

ISSN Index
　　(Pages 2553-2772)　　　　（依號碼次序排列）

```
0039-5803 See Supermarket News. . . . . . . . . . . .
0039-5811 See Supermarket Business. . . . . . . . . .
0039-5854 See Supervision (Burlington). . . . . . . . :
0039-5870 See Nursing Management. . . . . . . . . . .
0039-5919 See Supervisory Management. . . . . . . . .
```

四、期刊索引 Periodical Indexes

就從事研究工作而言，期刊索引實遠較期刊目錄重要，因為期刊索引直接涉及期刊文學的內容。期刊索引的發展，不過數十年的歷史，在十九世紀末葉，才有少數普通性刊物，經過索引處理。在1900年後，一般性索引，竭力推廣其索引範圍，各種專門索引，又如雨後春筍，大量產生，治學便利，可說向前大大邁進了一步。今日幾乎稍有學術價值的學術論文，或稍具重要性的期刊，都經過某種索引處理。如果需要知道某一期刊是否經過索引？加入那一種索引？之類的資料，可查詢 Ulrich's Periodicals Directory。

1900年可以算做期刊索引發展的里程碑。在1900年以前者，可稱為蒲爾索引系統（Poole Indexes）；在1900年以後者，可稱為威爾遜索引系統（Wilson Indexes）。

我們在此處所討論者，主要為普通期刊索引。

使用普通期刊索引，必須瞭解目前尚無任何索引，企圖將所有期刊資料，收容於一種索引之內。在本類索引之中，頗多收集資料範圍極為廣泛之例，但大體上期刊的取捨，以學術價值為先決條件，學科範圍則甚少考慮。

普通索引自蒲爾索引創風氣之先，提倡合作編製索引，此種傳統在威爾遜期刊系統中仍然保存，如 Readers Guide to Periodical Literature 所收集期刊，均受各圖書館意見影響。

使用索引時應注意事項：

1. 應儘可能使用彙積本（Cumulated Index），以節省時間。

索引出版者爲便利研究工作者檢查便利起見，均有發行彙積本辦法。

(1)　每年彙積一次者，例如：Book Review Digest.

(2)　除每年彙積本（Annual Cumulation）外，更有若干年彙積本者，例如：Cumulative Book Index, Readers Guide to Periodical Literature 等。

(3)　更有除刊行每年彙積本外，另加數十年之彙積一次發行者，例如：

Cumulative Magazine Subject Index 1907-1949.

Cumulative Dramatic Index 1909-1949.

前者爲43年索引之彙積本，後者爲41年索引之彙積本，使用此一索引彙積本，至少可省卻檢查其他42冊或40冊索引之麻煩與時間矣。

2.　利用索引找尋資料時，儘先檢最新年代索引，然後依年代次序倒推，以取得最新穎資料。

例如：檢查索引時爲1966年6月某日。可先查1966年5月份索引，4月而至1月，再查1965彙積本，1964彙積本等，依時間次序倒推，則不致有所遺漏。

3.　使用索引，應首先注意封面上及書脊上索引名稱及索引年限，再行翻閱，因爲若干索引裝璜近似，而參考室中各種索引（學科分類相同者）均集中排列，極易混淆。

例如：Readers Guide to Periodical Literature.

Abridged Readers Guide to Periodical Literature.

Nineteenth Century Readers Guide to Periodicals.

三種索引均爲一家公司出版，裝璜體積均極相似。稍不留心，即取用錯誤，自無法找到所需資料。

4. 通常認爲專科索引僅收集該學科專門材料，一般性索引則僅限於收集普通而不高深之資料，實爲一種錯誤觀念。專門性與一般性索引相輔相成，找尋資料不可稍存偏廢之意。

   例如： Art Index內亦收容與藝術有關之普通淺近文章。

   Readers Guide to Perical Literature 雖爲普通索引，但仍不乏若干甚爲專門有關藝術之論文。

5. 檢查索引不以一種爲對象，因爲每一索引均有其索引範圍和限制。

   例如：一般使用者以爲 Readers Guide to Periodical Literature 是索引的獨一無二最高權威，自易產生一種錯覺。找到資料者以爲資料僅此而已，找不到者以爲找尋業已絕望。正確態度應該是找到資料不以爲滿足，找不到資料也可另試其他索引。

6. 應注意各種索引時期的銜接，及若干索引停刊及是否由其他索引接替等項關係。

   例如：蒲爾索引系統（ Poole Indexes)各索引時間的配合 ， International Index to Periodicals 之改名爲 Social Sciences and Humanities Index 等 。

7. 研究工作者最感苦惱者，爲有期刊雜誌而不知利用索引，或有索引而無期刊雜誌，可利用 Ulrich's Periodical Directory，以取得某一雜誌期刊是否經過及在某一索引中索引的知識，更利用期刊目錄以發現藏有某一期刊雜誌之最近圖書館所在地。

8. 大多數索引採用「文字控制」的原則（ Controlled Vocabularies)以決定標題，所有的標題都是早已決定的（ Predetermined)索引，編製者將論文內容和標題總目配合，選出最合適的標題。

9. 在線上檢索機讀資料庫 Online, Machine Readable Databases 中則採用「文字無控制」（ Uncontrolled Vocabulary)的原則，使用者運用

書名、摘要甚至論文內容檢索，此種方法較有彈性，但對印製的
索引（Printed Indexes）並不適用。

10. 索引有極為強烈的個性（Individuality），沒有兩部書的索引是相同
    的，書後索引和期刊索引也不一樣。

11. 索引也有索引。

　　例如：Ireland; Norma O. An Index to Indexes. Boston, Faxon.

　　　　　A. L. L. Local Indexes in American Libraries. Boston,

　　　　　Faxon.

尤其後者，將美國各地方圖書館未出版之八千種專科索引，合編
成為索引之索引，增加學人便利甚多。

五、期刊索引的兩大系統

1. 蒲爾索引系統（Poole Indexes）

此一索引系統的創始者，是威廉弗德烈蒲爾氏（William Frederick
Poole）。當蒲爾氏在美國耶魯大學（Yale University）攻讀時，發現圖
書館藏各種過期期刊，幾乎無人問津，因為該校師生無從知悉期刊論
文內容。蒲爾氏決定編製一種簡單索引草稿（crude index in manuscript
form），初意無非一種嘗試而已，所搜集期刊僅限於當時最重要數種，
但此一索引草稿問世之後，極受師生歡迎，因將該草稿付印，而命名
為（Index to subjects treated in the revews and other periodicals. New
York, 1848, 154 p.）。初版五百份，全部於極短時間內為各圖書館搶購
一空，第二版將資料拓展至1852年，並改名為期刊索引（Index to Pe-
riodical Literature）。蒲爾氏以墾荒者的工作，啟發圖書館界對索引

工作的認識，各圖書館並紛紛自編索引，以應讀者需要。1876年美國圖書館協會第一次年會於美國費城舉行時，即通過議案，以合作編製索引，爲美國圖書館工作首急之務，並由大會委託蒲爾氏主持推動。

蒲爾氏索引系統索引範圍自1802年起始計算至 Annual Library Index 的末期爲止（1910年），共約一百零九年，此一系統的索引爲：

(1) 蒲爾索引（Poole Index 1802-1891）

包含1802年至1891年間，共計九十年的若干主要期刊索引，當此索引完成時，圖書館界紛紛要求繼續刊行，因此有下列二次五年補篇的刊行。

(2) 蒲爾索引第一補篇（First 5 Year Supplement 1882-1886）。

(3) 蒲爾索引第二補篇（Second 5 Year Supplement 1887-1891）。

以上二篇補篇，均爲每五年刊行一次，圖書館界人士認爲等待時間過長，要求改爲按年出版。

(4) 逐年文藝索引（Annual Literary Index 1892-1904）

此一索引共刊行十三年，每年一期，前十年分別合訂爲兩個五年補篇，可稱蒲爾索引第三補篇（Third 5 Year Supplement 1892-1896）與蒲爾索引第四補篇（Fourth 5 Year Supplement 1897-1905），下餘三年，則與繼起之逐年圖書館索引起始二年，合刊爲蒲爾索引第五補篇（Fifth 5 Year Supplement 1902-1906）。

(5) 逐年圖書館索引（Annual Library Index 1905-1910）自1905年起始，逐年文藝索引更名爲逐年圖書館索引，如前所述此一索引的前二年年刊即 1905、1906 二年刊與前一索引的末三年合刊爲蒲爾索引第五補篇，1907至1910則仍爲單行本。

113. **Poole's Index to Periodical Literature.** Rev. ed. Boston: Houghton Mifflion Co., 1891, 2v. Supplements: 1887-1908 5v.

　　蒲爾索引有兩大特徵：它不僅是歷史上第一部期刊索引，而且是研究十九世紀期刊文學最重要的一部索引，它創立了圖書館界參予編製索引的先例。

　　蒲爾索引所收集期刊，總計四百七十種，約合五十九萬篇期刊論文，均為英美文學產品。此一索引起迄年限為1802至1881年，另加五次五年補篇，使資料範圍拓展至1906年。蒲爾氏所以決定1802年為索引起始年，大體因為所有重要英美期刊問世均在1802年以後，而頗具學術地位的 Edinburgh Review 及 Christian Observer, ，亦於該年創刊之故。

　　蒲爾索引兩大特徵，同時也為其兩項致命傷。近代中小型圖書館，甚至若干缺乏悠久歷史的大圖書館，蒲爾索引業已絕跡。因為具有收藏十九世紀期刊規模的圖書館，究不多見。另外此一索引，是在各自為政的情況下，由參加編製索引各圖書館，單獨將各該館收藏期刊，編製成為索引，送交蒲爾彙編而成，因此標準各異，項目繁簡、取捨，更不一致，使用至為不便。

　　此一索引主要為標題索引（Subject index），著者款目（Author entries）未被列入，早期英國期刊索引，有欠完整，以及參見款目的缺乏，皆為蒲爾索引缺點。

　　蒲爾索引每一條款（entry）內容如下：

(1) 論文題目：依題目中重要字樣或特別醒目字樣 （important word or Catchword），排入序列。

(2)　著者名：列入括弧。

(3)　期刊名稱：用省寫字樣。

(4)　卷期及論文開始頁數（但不列入論文終止頁數）。

　　例如：

　　　　Glaciers

　　　　— Active, in United States（C,King）

　　　　Atlan. 27:371

　　　　— Ancient, in Auvergne,（W,S Symands）

　　　　Nature 14:179

　　此一索引的五年補篇中包括 Annual Literary Index, Annual Library Index,

　　蒲爾索引早已絕版，爲滿足使用者的需要，Peter Smith Publisher 於1963年出版翻印本（Reprint），共 7 卷。

114.　Annual Literary Index. New York: Publishers Weekly, 1893-1905 13 v.

　　此一索引搜羅 1892-1904年間的期刊資料。

　　編組方面，每一卷期內容，可以劃分爲六部門：

(1)　期刊標題索引。

(2)　討論當年出版圖書及散文的章回。

(3)　著者索引。

(4)　分類書目（Classified Bibliographies）。

(5)　當年死亡重要人物名單。

(6)　當年重要大事年表。

此一出版品，內容方面，遠較其前身蒲爾索引充實。其索引部份，隨後編爲蒲爾補篇——前五年改編爲蒲爾索引第三補篇，次五年改編爲第四補篇，最後三年則與 Annual Library Index 的前兩年索引合編蒲爾索引第五補篇。

此一索引主要功用有二：

1. 對於研究此一時期資料的供應。

2. 大事年表與此一時期報紙新聞密切配合，因此有助於歷史研究。

115. **Annual Library Index.** New York: Publishers Weekly, 1906-1911, 6 v.

此一出版物雖爲 Annual Literary Index 的繼承者，但在形式上卻有顯著的不同：第一、標題索引與著者索引合併排列。第二、最後三卷列有美國與加拿大公共圖書館清册。第三、末卷並詳列美國主要圖書收藏者名單。

此一索引搜集 1905-1910 年間的期刊資料，前二卷 Annual Literary Index 與末三卷合併爲蒲爾索引第五次五年補篇，已見前述。

2. 威爾遜索引系統（Wilson Indexes）

如果蒲爾氏是索引的創始者，則赫爾賽威爾遜氏（Halsey W. Wilson）更可稱爲近代索引制度的完成者。威爾遜氏早歲就讀於明里蘇達大學（University of Minnesota），即以經營書店爲副業，此一書店即爲與圖書館事業息息相關的 H. W. Wilson Co.。爲便利其書店營業，威爾遜氏編製書本，以後拓編爲：美國總書目（United States Catalog），圖書彙集引得（Cumulated Book Index）簡稱 C.B.I.。威爾遜氏所編之

索引，最初僅索引十五種暢銷刊物，此爲今日舉世聞名之期刊讀者指南（Readers Guide to Periodical Literature）之前身。

威爾遜索引系統對於索引工作的貢獻，有以下四點：

(1) 建立盡善盡美的索引編制制度。

(2) 儘量接受使用者及訂購者的建議，編製索引時，並經常要求圖書館界對於期刊取捨，表示意見。期刊讀者指南簡編（Abridged Readers Guide to Periodical Literature），即依照學校圖書館館員的意見編製。

(3) 創立「依使用程度付款」辦法（Service Basis of Charge），各訂戶付款數目不一。所謂「使用程度」，乃各圖書館報導將該館經費及所訂雜誌中，有多少種係經過所訂索引處理者，威爾遜公司依各館報告而決定應繳訂費數目。

(4) 自1984年秋季起，威爾遜索引系統採用線上檢索服務（Online Access to Wilson Indexes）讀者可直接與該公司 Marketing Services Departmant 洽詢。

威爾遜索引系統重要索引目錄 *

索引名稱	創刊年月－停刊年月
Abridged Readers Guide to Periodical Literature	1935-
Agricultural Index	1916-1965

（現已更名爲 Biological and Agricultural Index）。

---

* 此處列舉者僅爲主要索引，有繼續出版之意圖，其中停止出版者，亦爲其他索引取代，或由於細胞分裂。

Applied Science and Technology Index   1958-

 （原名爲 Industrial Arts Index.）

Art Index   1929-

Bibliographic Index   1937-

Biography Index   1946-

Biological and Agricultural Index   1965-

 （由 Agricultural Index 改爲今名）

Book Review Digest   1905-

Business Periodical Index   1957-

 （原名爲 Industrial Arts Index）

Current Book Review Citations   1976-

Cumulated Book Index   1898-

Education Index   1929-

Essey and General Literature Index   1900-

General Science Index   1978-

Humanities Index   1974-

Index to Legal Periodicals   1908-

Industrial Arts Index   1913-1957

 （自1957年停刊並分解成爲二種索引

  Applied Science and Technology Index 及

  Business Periodical Index ）

International Index to Periodicals   1907-1965

 （更名爲 Social Sciences and Humanities Index ）

Library Literature   1934-

Nineteenth Century Readers Guide to Periodical Literature 1944-

Readers Guide to Periodical Literature   1900-

Social Sciences Index   1974-

Social Sciences and Humanities Index   1965-1974

  （原名 International Index to Periodicals ）

  （已分爲 Social Sciences Index 與 Humanities Index

Vertical File Index ）   1935-

116. Applied Science & Technology Index. ISSN 0003-6986 LC 14-5408.

     Applied Science & Technology Index 的前身爲 Industrial Arts Index (1913-1957)。

     Industrial Arts Index 爲一依字順排列的主題索引，其收集期刊在二百種以上，大部份爲英美出版的工商期刊，此一索引有彙積年刊，1919-1931年期間並出版有雙年彙刊本。

     1957 年本刊改組，一分爲二，分別爲 Business Periodicals Index (1958-) 及 Applied Science & Technology Index (1958-)。圖書館參考服務工作人員必需注意這些索引彼此之間的關係，在參考書指南中，如 Katz 的 Introductin to Reference Work, Cheney 的 Fundamental Reference Sources，甚至 H.W. Wilson Co. 自己的出版品目錄中都已經看不到 Industrial Arts Index 的名稱和資料（Shores 的 Basic Reference Sources 爲唯一例外），但若干稍有規模及歷史的圖書館都收藏有 Industrial Arts Index.

1. 書本索引 In print

     Applied Science & Technology Index 爲一月刊，每年出刊11次

（七月份不出刊），有每季彙積本（三月、六月、九月及十二月出刊），及每年彙積本。

此一索引收集391種重要科學技術及商業期刊學報中的資料，其學科範圍包括：

✦ Aeronautics & Space Science ✦ Artificial Intelligence and Machine Learning ✦ Chemistry ✦ Computer Technology ✦ Construction ✦ Engineering: Civil, Electrical, Mechanical ✦ Engineering Materials ✦ Environmental Engineering and Waste Management ✦ Food ✦ Geology ✦ Marine Technology & Oceanography ✦ Mathematics ✦ Metallurgy ✦ Meteorology ✦ Mineralogy ✦ Neural Networks and Optical Computing ✦ Petroleum & Gas ✦ Physics ✦ Plastics ✦ Robotics ✦ Solid State Technology ✦ Telecommunications ✦ Textiles ✦ Transportation.

其特徵為：

● 主題索引。

● 充份利用參見。

● 完整的目錄性資料。

● 提供主要會議與展覽消息。

● 新書書評，及產品介紹分別設有單獨的索引。

關於科技的索引頗多，在查詢時應先使用 General Science Index，再使用 Applied Science & Technology Index ，因為前者較為淺易。 Biological & Agricultural Index 的內容程度更為深奧。如果為一科技史的研究，則可查詢 Industrial Arts Index ，此一索引出售價格如下：

Permanent Retrospective Volumes：永久性彙積本

1992　1991　1990　1989　1988　1987　1986

每册售價依 Service Basis 而定。

1985　1981　1977　1973　1969　1965　1961

1984　1980　1976　1972　1968　1964　1960

1983　1979　1975　1971　1967　1963　1959

1982　1978　1974　1970　1966　1962　1958

每册售價：美國及加拿大 215美元

其他國家及地區 225美元

2.　電子形式索引 Electronic Format

目前提供 1983年 10 月以後的資料：

● 　On WILSONDISC：

每月修訂及彙積

每年訂購價格爲 1495美元

● 　On WILSONTAPE：

● 　On WILSONLINE：

● 　On WILSEARCH：

117. Art Index, ISSN 0004-3222 LC 31-7513.

　　Art Index 編製的目的是讓藝術家、設計家、建築師、收藏家、博物館及畫廊管理員和從事研究工作者能夠順利的取得有關藝術世界的資訊。

1.　書本索引 In Print

　　Art Index 為一季刊，每年一月、四月、七月及十月出版，有一年彙積本。

　　此一索引收集 213 種期刊學報及博物院院刊的資料（部份為美國以外的資料），其學科範圍包括：

> ✦ Advertising Art ✦ Antiques ✦ Archaeology
> ✦ Architecture & Architectural History ✦ Art
> History ✦ City Planning ✦ Computers in
> Archaeology, Architecture, & Art ✦ Crafts
> ✦ Folk Art ✦ Glassware ✦ Graphic Arts ✦
> Interior & Industrial Design ✦ Jewelry ✦
> Landscape Architecture ✦ Motion Pictures
> ✦ Museology ✦ Painting ✦ Photography ✦
> Pottery ✦ Sculpture ✦ Television ✦ Textiles
> ✦ Video ✦ Woodwork.

其特徵為：

● 一般性文字依照著者及主題編製。

● 書評安排於索引之後，依接受評論之作者排列。

● 展覽依提供之博物院或藝術畫廊排列。

● 圖解（illustrations）依出現之文字排列，不單獨成為索引數目。

● 複製品如非文字說明之一部份，則依原來藝術家之姓名排列。

此一索引出售價格如下：

Permanent Retrospective Volumes:　永久性彙積本

Nov. 1991–Oct. 1992	Nov. 1987–Oct. 1988
Nov. 1990–Oct. 1991	Nov. 1986–Oct. 1987
Nov. 1989–Oct. 1990	Nov. 1985–Oct. 1986
Nov. 1988–Oct. 1989	

每冊售價依 Service Basis 而定。

Nov. 1984–Oct. 1985	Nov. 1971–Oct.1972
Nov. 1983–Oct.1984	Nov. 1970–Oct.1971
Nov. 1982–Oct.1983	Nov. 1969–Oct.1970
Nov. 1981–Oct.1982	Nov. 1968–Oct.1969
Nov. 1980–Oct.1981	Nov. 1967–Oct.1968
Nov. 1979–Oct.1980	Nov. 1965–Oct.1967
Nov. 1978–Oct.1979	Nov. 1963–Oct.1965
Nov. 1977–Oct.1978	Nov. 1961–Oct.1963

Nov. 1976–Oct.1977	Nov. 1959–Oct.1961
Nov. 1975–Oct.1976	Nov. 1957–Oct.1959
Nov. 1974–Oct.1975	Nov. 1955–Oct.1957
Nov. 1973–Oct.1974	Nov. 1953–Oct.1955
Nov. 1972–Oct.1973	

每冊售價：美國及加拿大　　美金 225 元

　　　　　其他國家及地區　　美金 240 元。

Nov.1950–Oct. 1953	Oct. 1941–Sep. 1944
Oct. 1947–Oct. 1950	Oct. 1938–Sep. 1941
Oct. 1944–Sep. 1947	Oct. 1935–Sep. 1938

每冊售價：美國及加拿大　　美金 190 元

　　　　　其他國家及地區　　美金 220 元。

2. 電子形式索引(Electronic Format)

　　　　目前提供1984年 9 月以後的資料：

　　　　On WILSONDISC：

　　　　　　每季修訂及彙積

　　　　　　每年訂購費為 1995 美元

　　　　On WILSONTAPE：

　　　　On WILSONLINE：

　　　　On WILSEARCH：

118. Bibliographic Index. ISSN 0006-1255 LC 46-41034.

　　Bibliographic Index 為一書目的目錄（A Bibliography of Bibliogra-phies ）。

　　其目錄來源有三：

(1)　單獨以書本或小册子形式出版之目錄，如 American Book Publish-ing Record Cumulative 1950-1977: An American National Bibliography。

(2) 在書本或小冊子之中附設的目錄，如 Practical Administration of Public Libraries 之後的 "For Further Reading" 書目。

(3) 在 2,800 種期刊學報之中可能附設的書目。

此一索引為主題索引，其範圍幾乎延伸至知識每一範疇。

1. 書本索引 In Print

此一索引每年四月及八月出版，每年十二月出版彙積本（增加四個月的資料）。

其特徵為：

● 主題索引。

● 圖書館採購單位主要參考工具。

● 協助教師指導學生從事研究工作。

● 提供目錄學者在其專長學科中的出版訊息。

由於資訊爆破，此一索引祇從 2,800 種期刊學報中取得資料顯然不足，Bibliographic Index 只是從事研究工作者起步的地方。專科索引和 Subject Guide to Books in Print 最好能配合使用。

此一索引的出售價格如下：

Permanent Retrospective Volumes: 永久性彙積本

| 1992 | 1991 | 1990 | 1989 | 1988 | 1987 | 1986 |

每冊售價依圖書館購書經費（Book Budget）而定。

1985	1982	1979	1976	1973	1970
1984	1981	1978	1975	1972	1969
1983	1980	1977	1974	1971

每冊售價：美國及加拿大　　180 美元

其他國家及地區　　195 美元。

| 1966–1968 | 1963–1965 | 1960–1962 | 1956–1959 |

　　　　每册售價：美國及加拿大　　　230 美元

　　　　　　　　其他國家及地區　　　250 美元。

　　　　　　1951-1955　　1947-1950　　1943-1946　　1937-1942

　　　　每册售價：美國及加拿大　　　140 美元

　　　　　　　　其他國家及地區　　　150 美元。

2. 電子形式索引 Electronic Format

　　　　目前提供 1984 年 11 月以後的資料：

　　　　On WILSONLINE：

　　　　On WILSEARCH：

　　（無 CD-ROM 或 Tape 形式）

119. Biography Index. ISSN 0006- LC 47-6532.

　　Biography Index 是檢索傳記資料，尤其是深藏在期刊學報中的傳記率先使用的索引。

1. 書目索引 In Print

　　　　Biography index 為一季刊，每年二月、五月、八月及十一月出版，及每年彙積本，連續訂購兩年可以免費獲得兩册彙積本。

　　　　此一索引分為兩大部份：

(1) 依著者姓名排列之索引，每一數目包括完整的目錄性資料，並有充分的參見及互見。

(2) 依專業及職業（Profession or Occupation）排列的索引。

　　　　其資料來源為傳記書籍，（包括個別及集體傳記 1,800 種）及 2,700 種期刊學報中的資料，紐約時報中傳記文字及訃文也在收集之列，惟此點並不重要，因為 New York Times 有自行印製

的索引。

　　此一索引的功能不僅在於查詢某人的傳記資料，同時也可以作爲某一行業找尋人才之用。

　　其特徵爲：

- 傳記書籍包括自傳、回憶錄、日記、信件、目錄及訪問資料。
- 一般書籍包含有重要傳記資訊者。
- 傳記性小說、戲劇、詩歌、畫册亦包括在內。

　　此一索引出售價格爲：

每年訂費：美國及加拿大　　　120 美元

　　　　　其他國家及地區　　130 美元。

Permanent Retrospective Volumes: 永久性彙積本

Sep. 1990–Aug. 1992	Sep. 1967–Aug. 1970
Sep. 1988–Aug. 1990	Sep. 1964–Aug. 1967
Sep. 1986–Aug. 1988	Sep. 1961–Aug. 1964
Sep. 1984–Aug. 1986	Sep. 1958–Aug. 1961
Sep. 1982–Aug. 1984	Sep. 1955–Aug. 1958
Sep. 1979–Aug. 1982	Sep. 1952–Aug. 1955
Sep. 1976–Aug. 1979	Aug. 1949–Aug. 1952
Sep. 1973–Aug. 1976	Jan. 1946–July 1949
Sep. 1970–Aug. 1973	

每册售價：美國及加拿大　　　180 美元

　　　　　其他國家及地區　　210 美元。

2. 電子形式索引（Electronic Format）

　　目前提供 1984 年 7 月以後的資料：

On WILSONDISC

每季修訂及彙積

每年訂購價格爲　　1,095 美元。

　　On WILSONTAPE:

　　On WILSONLINE:

On WILSEARCH:

120. Biological & Agricultural Index. ISSN 0006-3177 LC 17-8906.

Biological & Agricultural Index 的前身爲 Agricultural Index（1916-1964）。

在科技索引中，依程度區分，使用者應先查用 General Science Index，其次爲 Applied Science & Technology Index，最後爲 Biological & Agricultural Index（假定學科範圍相同情形之下，對於一般讀者，館員宜作以上建議）。

1. 書中索引（In Print）

此一索引爲月刊，除八月外，每年共刊出月刊十一次。此外於一月、四月、七月及十月推出季刊彙積本，及每年彙積本。

Biological & Agricultural Index 收集 225 種重要的生物科學及農業科學中的資料，其範圍包括：

✦ Agriculture ✦ Agricultural Chemicals ✦
Animal Husbandry ✦ Biochemistry ✦ Biology ✦
Biotechnology ✦ Botany ✦ Cytology ✦ Ecology
✦ Entomology ✦ Environmental Science ✦
Fishery Sciences ✦ Food Science ✦ Forestry
✦ Genetics ✦ Horticulture ✦ Limnology ✦
Microbiology ✦ Nutrition ✦ Physiology ✦ Plant
Pathology ✦ Soil Science ✦ Veterinary
Medicine ✦ Zoology.

其特徵爲：

- 主題索引。

- 名詞採用通俗語言（Common Language）。

- 充份利用參見。
- 完整的目錄性資料。
- 新書評論有單獨索引。
- 必要時提出書名款目。

此一索引出售價格如下：

Permanent Retrospective Volumes: 永久性彙積本

Aug. 1991–July 1992	Aug. 1987–July 1988
Aug. 1990–July 1991	Aug. 1986–July 1987
Aug. 1989–July 1990	Aug. 1985–July 1986
Aug. 1988–July 1989	

每册售價依 Service Basis 而定。

Aug. 1984–July 1985	Aug. 1973–July 1974
Aug. 1983–July 1984	Aug. 1972–July 1973
Aug. 1982–July 1983	Aug. 1971–July 1972
Aug. 1981–July 1982	Aug. 1970–July 1971
Aug. 1980–July 1981	Aug. 1969–July 1970
Aug. 1979–July 1980	Aug. 1968–July 1969
Aug. 1978–July 1979	Sep. 1967–July 1968
Aug. 1977–July 1978	Sep. 1966–Aug. 1967
Aug. 1976–July 1977	Sep. 1965–Aug. 1966
Aug. 1975–July 1976	Sep. 1964–Aug. 1965
Aug. 1974–July 1975	

每册售價：美國及加拿大　　225 美元

其他國家及地區　240 美元。

2　電子形式索引（Electronic Format）

目前提供1983年 7 月以後的資料：

On WILSONDISC:

每月修訂及彙積

每年訂購價格為　1,495 美元

On WILSONTAPE:

On WILSONLINE:

On WILSEARCH:

121. Book Review Digest. ISSN 0006-7326 LC 6-24490.

Book Review Digest 是 H.W. Wilson 公司的出版品，在本書中簡稱 BRD。

Book Review Index: 1965- 簡稱BRI，是 Gale Research Company 的出版品，讀者不可將此二種出版品混淆 (BRD 中有摘錄 excerpt，BRI 則不能，這是最大區別)。

BRD 爲一月刊，每年出版十次 (二月及七月停止出刊)。每年五月、八月及十月出版季刊彙積本，每年更有該年之彙精本。

BRD 收集 6,400 種圖書的書評，其學科範圍包括人文、社會科學及普通科學 (General Science Area)，並收集重要文藝，小說的書評。非小說 (non-fiction)需有書評三種以上，小說則需書評四種以上始有資格被 BRD 收集。而 BRD 所指的書評限於 BRD 採用資料的95種這種寧缺毋濫的用意，實行多年，本來無可厚非，現在的環境已經和過去不同了。自1990年起 BRD 逐漸放寬條件，兒童青少年的小說祇要求三種書評，而經由 Reference Books Bulletin. 評論的參考書籍，別的書評即可過關，這種轉變是合理而明智的。

BRD 不僅爲一書評的索引，其中附有書評的精華片段摘錄 (excerpts) 至少二、三段，及簡短解題說明。使用者不必索取書評即可大體知道此一册圖書的大要，在出版品充斥的今日，對圖書館員可省除不少閱讀時間。換言之，可以用短暫時間了解多本新書，因此筆者認爲 Book Review Digest 有無比的重要。

此一索引主要爲一著者及主題索引，主題利用 Sear's List of Subject Headings (僅限於非小說 non-fiction titles, 及成人小說 adult fiction)，在必要時也提供部份書名索引。

　　此一出版品本身即爲索引（著者），但爲便利讀者使用，在後部另行附設主題及書名索引及期刊學報的目錄，（指 BRD 採用的95種期刊學報的書目及其簡稱符號），在索引款目中僅註明刊出書評期刊學報的簡稱符號（abbreviation），據此讀者可以知道此一書評刊載於那一種期刊學報之中，便於索取原文閱讀。

　　爲便利讀者找尋書評資料，並出版：

　　　　The Book Review Digest. Author/Title Index 1905-1974　及

　　　　Book Review Digest Author/Title Index 1975-1984.

使檢索者得到很多便利。

　　此一索引出售價格如下：

Permanent Retrospective Volumes:　　　　　　永久性彙積本

1992	1991	1990	1989	1988	1987	1986

　　每冊售價依 Service Basis 而定。

1985	1982	1979	1976	1973	1970	1967	1964	1961
1984	1981	1978	1975	1972	1969	1966	1963	1960
1983	1980	1977	1974	1971	1968	1965	1962	

　　每冊售價：美國及加拿大　　　150 美元

　　　　　　　其他國家及地區　　170 美元。

1959	1955	1951	1947	1943	1939	1935	1931	1927
1958	1954	1950	1946	1942	1938	1934	1930	1926
1957	1953	1949	1945	1941	1937	1933	1929	1925
1956	1952	1948	1944	1940	1936	1932	1928	

　　每冊售價：美國及加拿大　　　135 美元

　　　　　　　其他國家及地區　　145 美元。

1924	1921	1918	1915	1912	1909	1906
1923	1920	1917	1914	1911	1908	1905
1922	1919	1916	1913	1910	1907	

　　每冊售價：美國及加拿大　　　110 美元

　　　　　　　其他國家及地區　　115 美元。

2. 電子形式索引（Electronic Format）

目前提供 1983 年 1 月以後的資料：

On WILSONDISC：

每季修訂及彙積

每年訂購費 1,095 美元

On WILSONTAPE：

On WILSONLINE：

On WILSEARCH：

122. Business Periodicals Index. ISSN 0007-6961 LC 58-12645.

Business Periodicals Index 的前身為 Industrial Arts Index（1913-1957），請參見 Applied Science & Technology Index 中文說明。圖書館參考服務工作人員必需將這三種索引的關係銘記在心。

1. 書本索引（In Print）

Business Periodicals Index 為一月刊，除八月外每年出版十一次，一月、四月、七月及十月出版季刊彙積本，每年另有該年彙積本。

此一索引收集 345 種主要商業期刊、學報的資料，其學科範圍包括：

　　　　　✦ Accounting ✦ Acquisitions & Mergers ✦
　　　　　Advertising ✦ Banking ✦ Building & Construc-
　　　　　tion ✦ Communications ✦ Computers ✦
　　　　　Economics ✦ Electronics ✦ Engineering ✦
　　　　　Finance & Investments ✦ Government
　　　　　Regulations ✦ Industrial Relations ✦ Insurance

✦ International Business ✦ Management ✦
Marketing ✦ Occupational Health & Safety ✦
Oil & Gas ✦ Personnel ✦ Publishing ✦ Real
Estate ✦ Small Business ✦ Taxation.

其特徵爲：

- 將主題、商業聞人、傳記資料、公司名稱混合依字順排列。

- 運用專門商業主題。

- 完整的目錄性資料。

- 書評設有單獨索引。

- 必要時以書名作爲款目。

此一索引出售價格如下：

Permanent Retrospective Volumes:　　永久性彙積本

Aug. 1991–July 1992	Aug. 1987–July 1988
Aug. 1990–July 1991	Aug. 1986–July 1987
Aug. 1989–July 1990	Aug. 1985–July 1986
Aug. 1988–July 1989	

每册售價依 Service Basis 而定。

Aug. 1984–July 1985	July 1970–July 1971
Aug. 1983–July 1984	July 1969–June 1970
Aug. 1982–July 1983	July 1968–June 1969
Aug. 1981–July 1982	July 1967–June 1968
Aug. 1980–July 1981	July 1966–June 1967
Aug. 1979–July 1980	July 1965–June 1966
Aug. 1978–July 1979	July 1964–June 1965
Aug. 1977–July 1978	July 1963–June 1964
Aug. 1976–July 1977	July 1962–June 1963
Aug. 1975–July 1976	July 1961–June 1962
Aug. 1974–July 1975	July 1960–June 1961
Aug. 1973–July 1974	July 1959–June 1960
Aug. 1972–July 1973	Jan 1958–June 1959
Aug. 1971–July 1972	

每册售價：美國及加拿大　　190 美元

其他國家及地區　220 美元。

2. 電子形式索引（Electronic Format）

目前提供1982年 7 月以後的資料：

On WILSONDISC:

每月修訂及彙積

每年訂購價格為　1,495 美元

On WILSONTAPE:

On WILSONLINE:

On WILSEARCH:

123. Cumulative Book Index. ISSN 0011-300X LC 28-26655.

Cumulative Book Index 簡稱 CBI 。

H.W. Wilson Co. 為了推銷 CBI，在特製的宣傳小冊子中用大號字顯明的指出：

由圖書館員編製　Compiled by Librarians.

專供圖書館運用　Designed for Library use.

H.W. Wilson Co. 的語氣雖然充滿了自信和成就感，但是却屬實情。

1.　書目索引（In Print）

CBI 每年收集 50,000 至 60,000 册圖書館的目錄資料。H. W. Wilson 公司聲稱祇要是以英文書寫的書籍，無論在世界上任何一角落出版，都為 CBI 搜羅殆盡而為獨一無二的以著者、書名、主題編製的國際性目錄。

Cumulative Book Index ，每月出版一次，八月份停刊，每年三月、六月、九月及十二月出版季刊彙積本，每年另有全年彙積本。

其特徵如下：

• 編輯人員全部為獲有圖書館碩士學位並經過特別訓練的專業

圖書館員。

● 編製方法根據AACR. 2 編目規則及美國國會圖書館 標題總目。

● 遵照 Library of Congress filing rules，依字順排列所有款目。

● 著者款目下目錄性資料完整包括完整書名、頁數、價格、叢書註（ series note ），國際標準圖書號（ ISBN ）等，對於圖書採購及編目甚爲有用。

● 由於大量運用主題，在不知道著者姓名及書名不完整情形下也可能找到此書。

● 由於 CBI 的功能，大多數出版公司將出版品先行寄贈 H. W. Wilson 公司，以便出版品能列入 CBI 索引，因此經常的，CBI 的消息搶先其他主要目錄一步。

● CBI 的選用主題常以形式標題（ form headings ）出現，如 "Science fiction," "Drama," "Short stories," 以便利讀者查詢。

● CBI 附有出版公司，及經銷商指南，對採購部門而言爲極有用的資料。

此一索引的出售價格如下：

Permanent Retrospective Volumes: 永久性彙積本

| 1992 | 1991 | 1990 | 1989 | 1988 | 1987 | 1986 |

每册售價依 Service Basis 而定。

1985	1982	1979	1976	1973	1970
1984	1981	1978	1975	1972	1969
1983	1980	1977	1974	1971	

每册售價：美國及加拿大　　　180 美元

　　　　　其他國家及地區　　205 美元。

                    1967–1968   1963–1964   1959–1960
                    1965–1966   1961–1962   1957–1958

　　每册售價：美國及加拿大　　265 美元

　　　　　　其他國家及地區　　295 美元。

                    1953–1956   1943–1948   1933–1937
                    1949–1952   1938–1942   1928–1932

　　每册售價：美國及加拿大　　200 美元

　　　　　　其他國家及地區　　225 美元。

2.　電子形式索引（Electronic Format）

　　　　目前提供 1982 年 1 月以後的資料：

　　　　On WILSONDISC：

　　每季修訂及彙積

　　每年訂購價格爲　　1,295 美元

　　　　On WILSONTAPE：

　　　　On WILSONLINE：

　　　　On WILSEARCH：

124.　Education Index. ISSN 0013-1385 LC 30-23807.

　　Education Index 爲一主題及著者索引，並附有甚多互見，若干題目模糊不清或容易遭致誤解的文字偶而提供書名索引。在每一卷册之中並包含書評的引用文獻（Citations），此項資料依著者排列。

　　此一索引自 400 種美國、英國、德國、加拿大及荷蘭的學報，單行本（Monograph）及年鑑中取得資料。爲研究教育思想及發展之最好參考工具，目前重點在於課程的專門趨勢。

1. 書本索引（In Print）

Education Index 為一月刊，每年出版十次，七月八月停刊，每年有四季彙積本（三月、六月、九月及十二月），並有每年彙積本。

其學科範圍包括：

✦ Audiovisual Education ✦ Classrcom Computers ✦ Comparative Education ✦ Competency-Based Education ✦ Educational Technology ✦ Government Funding ✦ Language & Linguistics ✦ Literacy Standards ✦ Multi-Cultural/Ethnic Education ✦ Psychology ✦ Religious Education ✦ Science & Mathematics ✦ Social Sciences ✦ Special Education ✦ Student Counseling ✦ Teacher Education ✦ Teacher/Parent Relations ✦ Vocational Education.

其特徵為：

● 運用與教育學有關的專門主題。

● 完善的參見。

● 包括電腦教學計劃。

● 新書評論單獨成立索引。

此一索引出售價格如下，

Permanent Retrospective Volumes: 永久性彙積本

July 1991–June 1992	July 1987–June 1988
July 1990–June 1991	July 1986–June 1987
July 1989–June 1990	July 1985–June 1986
July 1988–June 1989	

每冊售價依 Sevice Basis 而定。

July 1984–June 1985	July 1970–June 1971
July 1983–June 1984	July 1969–June 1970
July 1982–June 1983	July 1968–June 1969
July 1981–June 1982	July 1967–June 1968
July 1980–June 1981	July 1966–June 1967
July 1979–June 1980	July 1965–June 1966

July 1978–June 1979	July 1964–June 1965
July 1977–June 1978	July 1963–June 1964
July 1976–June 1977	July 1961–June 1963
July 1975–June 1976	July 1959–June 1961
July 1974–June 1975	June 1957–June 1959
July 1973–June 1974	June 1955– May 1957
July 1972–June 1973	June 1953– May 1955
July 1971–June 1972	

每冊售價：美國及加拿大　　　180 美元

　　　　其他國家及地區　 200 美元。

June 1950– May 1953	July 1938–June 1941
July 1947– May 1950	July 1935–June 1938
July 1944–June 1947	July 1932–June 1935
July 1941–June 1944	July 1929–June 1932

每冊售價：美國及加拿大　　　175 美元

　　　　其他國家及地區　 195 美元。

2. 電子形式索引（Electronic Format）

　　目前提供 1983 年 6 月以後的資料：

　　On WILSONDISC:

　　每季修訂及彙積

　　每年訂購價格爲　 1,295 美元

　　　　On WILSONTAPE:

　　　　On WILSONLINE:

　　　　On WILSEARCH:

125. Essay and General Literature Index. ISSN 0014-083X LC 34-14581.

　　Essay and General Literature Index 是檢索文集及套書（Anthologies and Collections）中論文的最重要工具。這些論文常常爲讀者漠視，也成爲圖書館參考館員最頭痛的問題。

Essay and General Literature Index 將以英文書寫的文選（English-language anthologies ）及論文集（ books of collected essays ）中的每篇論文，依著者及主題編製成為索引。其每一款目的內容包括著者的作品，論及此一著者的著作，以及對此著者作品的評論。

1. 書本索引（ In Print ）

Essay and General Literature Index 於每年六月出版，然後在次年一月份合併成為一年臨時平裝本（ vinyl-bound volume ），訂購此一索引的圖書館每五年年底可以收到五年永久性合訂本（精裝）。

自 1900 年以來，索引已自15,000種文集及套書之中以索引處理了近250,000篇論文，在研究工作中，人文與社會科學檢索資料經常落在自然科學與技術的後面 ， Essay and General Literature Index 的努力彌補了這個缺失，在解答參考問題時論文集能不能發揮功能，端賴有完善的索引。

其特徵為：

- 「精選新書介紹」（New Titles Elected）採購工作。
- 「經過索引處理圖書書目」（List of Books Indexed ）可以反映圖書館文集館藏情況。
- 有出版公司及經銷商指南。
- 完整的目錄性資料。
- 對於學生查詢某一時期的某篇文字極有幫助。

與此一索引功能可以互相呼應的參考工具書為：

The Reader's Adviser R.R. Bowker. 3v.

A. Robert Rogers 認為此一索引雖然重點在於文學，但也是研究人文學科不可缺少的參考工具。在其所著的 Humanities 一書

中，竭力推薦，但卻誤會此一索引爲著者、書名及主題的混合索引（見該書 p.11.），此一索引實爲著者及主題的索引，爲避免讀者誤解，特此說明。

此一索引出售價格如下：

每年訂費：美國及加拿大　　115 美元。

其他國家及地區　　125 美元。

Permanent Retrospective Volumes:　永久性彙積本

Essay and General Literature Index 1985-1989
2,031pp.　1990　19,579 essays from 1,593 collections.

Essay and General Literature Index 1980-1984
2,095pp.　1985　19,876 essays from 1,520 collections.

Essay and General Literature Index 1975-1979
1,807pp.　1980　20,125 essays from 1,501 collections.

Essay and General Literature Index 1970-1974
1,781pp.　1975　20,896 essays from 1,337 collections.

Essay and General Literature Index 1965-1969
1,596pp.　1970　19,818 essays from 1,123 collections.

Essay and General Literature Index 1960-1964
1,589pp.　1965　21,320 essays from 1,088 collections.

Essay and General Literature Index 1955-1959
1,421pp.　1960　20,091 essays from 957 collections.

Essay and General Literature Index 1948-1954
2,306pp.　1955　33,880 essays from 1,341 collections.

Essay and General Literature Index 1941-1947
1,908pp.　1948　32,226 essays from 2,023 collections.

Essay and General Literature Index 1934-1940
1,362pp.　1941　23,090 essays from 1,241 collections.

Essay and General Literature Index 1900-1933
1,952pp.　1934　40,000 essays from 2,144 collections.

每册售價：美國及加拿大　　230 美元。

其他國家及地區　　275 美元。

2. 電子形式索引（Electronic Format）

目前提供 1985年 1 月以後資料：

On WILSONDISC:

每年修訂並彙積

每年訂購價格為　695 美元

On WILSONTAPE:

On WILSONLINE:

On WILSEARCH:

126. General Science Index. ISSN 0162-1963 LC 79-2592.

General Science Index 是以學生和不是專家的普通人設計的。

在 Readers, Guide to Periodical Literature 之中的科技資料，讀者可能感覺過於簡單而 Applied Science & Technology Index 中的資料對這些讀者又可能稍嫌深奧。General Science Index 的出現，就是要彌補前述兩種索引之間的空檔。

H.W. Wilson Co.在推銷小冊子中說「你不需要一個Ph. D.學位就會在這一索引中找到需要的科技資料」。

1. 書本索引（In Print）

General Science Index為一月刊，每年出版十次（六月及十二月停刊）每年二月、五月、九月及十一月出版平裝彙積本，並出版每年精裝彙積本。

此一索引為出現在139種英文科技期刊學報中文獻的綜合性指南，依主題編製而成，其學科範圍包括：

　　✦ Astronomy ✦ Atmospheric Science ✦
　　Biology ✦ Botany ✦ Chemistry ✦ Earth Science
　　✦ Environment & Conservation ✦ Food &
　　Nutrition ✦ Genetics ✦ Mathematics ✦
　　Medicine & Health ✦ Microbiology ✦ Ocean-
　　ography ✦ Physics ✦ Physiology ✦ Zoology.

其特點如下：

- 主題標題運用簡易文字。由圖書館專業館員編製。

- 對於科技圖書的書評也納入索引。

- 主題標題範圍廣泛，利用自行編製的主題權威檔（Special subject authority file）。

- 主題文字簡單易懂。

- 完善的參見辦法。

- 書目資料完整。

Choice 的評論極佳，認為此一索引的問世是科技目錄發展的歷史性大事（historic event in science bibliography）。

Reference Services Review 的評意更為驚人，指稱 General Science Index 是25年以來出版的最傑出的25種參考資料之一。

此一索引的出售價格如下：

Permanent Retrospective Volumes:

June 1991–May 1992	June 1987–May 1988
June 1990–May 1991	June 1986–May 1987
June 1989–May 1990	June 1985–May 1986
June 1988–May 1989	

每冊售價依 Service Basis 而定。

June 1984–May 1985	June 1980–May 1981
June 1983–May 1984	June 1979–May 1980
June 1982–May 1983	June 1978–May 1979
June 1981–May 1982	

每冊售價：美國及加拿大　　175 美元

其他國家及地區　195 美元。

2. 電子形式索引（Electronic Format）

目前提供 1984 年 5 月以後的資料：

On WILSONDISC:

每月修訂及彙積

每年訂購價格為　　1,295 美元

　　On WILSONTAPE：

　　On WILSONLINE：

　　On WILSEARCH：

127.　**Humanities Index.** ISSN 0095-5981 LC 75-648836.
International Index 1907-1965.
Social Sciences & Humanities Index 1965-1974.
Humanities Index 1974-

Humanities Index 的家世可追溯到（International Index to Perio-
dicals）1907.

International Index 乃是期刊讀者指南（Readers Guide to Periodi-
cal Literature）的補篇之一。原來蒲爾索引第五補篇完成後，並未繼
續刊行第六次五年補篇，期刊讀者指南當時所收集期刊資料不過一百
種而已，勢不能不顧及蒲爾索引中，未被期刊讀者指南接收的三百餘
種期刊中所包含的資料，因此乃有 International Index的產生。此一出
版物，收集期刊一百七十二種，均為母刊（指期刊讀者指南）所未索
引的資料，因為部份為歐洲出版的期刊，故定名為 International Index
to Periodicals。期刊選擇重點，偏於社會科學和人文學科，自1955年
後，此種偏向更形加強，純科學與心理學期刊均被刪除，而另以五十
二種社會科學和人文學科期刊代替，1965 年起國際期刊索引改稱為
Social Sciences and Humanities Index。此一索引有各種彙積本。

1974年細胞分裂，Humanities Index 與 Social Science Index 分別
成為單獨的索引，圖書館參考服務工作人員必需了解這三種索引彼此

之間的關係，運用時才可以得心應手。

1. 書本索引（In Print）

　　Humanities Index 爲一季刊，每年三月、六月、九月及十二月出版，此外更出版每年彙積本。

　　此一索引依主題及著者款目編製而成，取材於 345 種學報，索引本身依字順排列，附加甚多互見，有關書評的引用文獻（citations）依著者排列，成爲單獨的部份。

　　其學科範圍包括：

> ✦ Art ✦ Archaeology & Classical Studies ✦ Area Studies ✦ Dance ✦ Drama ✦ Film ✦ Folklore ✦ History ✦ Journalism & Communications ✦ Language & Literature ✦ Music ✦ Performing Arts ✦ Philosophy ✦ Religion & Theology.

　　其特徵爲：

- 編輯人員爲有人文學科背景的圖書館員。
- 索引對象包括小說，短篇故事，詩歌及戲劇。
- 經過索引處理的期刊均提供完整的訂購資料。
- 以 Wilson 權威著者檔控制用爲主題的人名。
- 每篇引用文獻都加入完整的目錄性資料。
- 與人文學科有關的新書有單獨的索引。

Humanities Index 的出售價格如下：

Permanent Retrospective Volumes: 永久性彙積本	
Apr. 1991–Mar. 1992	Apr. 1987–Mar. 1988
Apr. 1990–Mar. 1991	Apr. 1986–Mar. 1987
Apr. 1989–Mar. 1990	Apr. 1985–Mar. 1986
Apr. 1988–Mar. 1989	

　　每册售價依 Service Basis 而定。

Apr. 1984–Mar. 1985	Apr. 1978–Mar. 1979
Apr. 1983–Mar. 1984	Apr. 1977–Mar. 1978
Apr. 1982–Mar. 1983	Apr. 1976–Mar. 1977
Apr. 1981–Mar. 1982	Apr. 1975–Mar. 1976
Apr. 1980–Mar. 1981	Apr. 1974–Mar. 1975
Apr. 1979–Mar. 1980	

每冊售價：美國及加拿大　　190 美元

其他國家及地區　220 美元。

SOCIAL SCIENCES & HUMANITIES INDEX　永久性彙積本
Permanent Retrospective Volumes

___ Apr.1973—Mar. 1974	___ Apr.1970—Mar. 1971	___ Apr.1967—Mar. 1968
___ Apr.1972—Mar. 1973	___ Apr.1969—Mar. 1970	___ Apr.1966—Mar. 1967
___ Apr.1971—Mar. 1972	___ Apr.1968—Mar. 1969	___ Apr.1965—Mar. 1966

INTERNATIONAL INDEX　永久性彙積本
Permanent Retrospective Volumes

___ Apr.1964—Mar. 1965	___ Apr.1949—Mar. 1952	___ July 1931—June 1934
___ Apr.1962—Mar. 1964	___ Apr.1946—Mar. 1949	___ Jan.1928—June1931
___ Apr.1960—Mar. 1962	___ Apr.1943—Mar. 1946	___ 1924—1927
___ Apr.1958—Mar. 1960	___ Apr.1940—Mar. 1943	___ 1920—1923
___ Apr.1955—Mar. 1958	___ July 1937—Mar. 1940	___ 1916—1919
___ Apr.1952—Mar. 1955	___ July 1934—June1937	___ 1907—1915

每冊售價：美國及加拿大　　75 美元

其他國家及地區　85 美元。

2.　電子形式索引（Electronic Format）

目前提供 1984 年 2 月以後的資料：

On WILSONDISC：

每季修正及彙積

On WILSONTAPE：

On WILSONLINE：

On WILSEARCH：

128.　Index to Legal Periodicals. ISSN 0019-4077 LC 41-21689.

Index to Legal Periodicals 取材於620種在美國、英國、愛爾蘭、

加拿大、澳洲、紐西蘭出版的法律性學報，及年刊。

1. 書本索引（In Print）

　　Index to Legal Periodicals 爲一月刊，每年出刊十一次，（九月份停刊），每年出版季刊彙積本（二月、五月、八 月及十一月），每年彙積本爲永久性出版品。

　　其學科範圍包括：

> ✦ Banking ✦ Constitutional Law ✦ Criminal Law ✦ Environmental Protection ✦ Labor Law ✦ Landlord/Tenant Decisions ✦ Malpractice Suits ✦ Multinational Corporations ✦ Public Law & Politics ✦ Securities & Antitrust Legislation ✦ Tax Law & Estate Planning.

其特徵如下：

- 主題與人名混合索引（Subject-author Index）。
- 主題依地區及題目（Geograph and topical subdivision）。
- 案例（Table of Cases）表依原告及被告姓名字順排列。
- 法令彙編表（Table of status）依司法審判權（Jurisdiction）安排，通常依照人名字母順序。
- 完整的參見。

此一索引出售價格如下：

Permanent Retrospective Volumes: 永久性彙積本

Sep. 1991–Aug. 1992	Sep. 1984–Aug. 1985
Sep. 1990–Aug. 1991	Sep. 1983–Aug. 1984
Sep. 1989–Aug. 1990	Sep. 1982–Aug. 1983
Sep. 1988–Aug. 1989	Sep. 1981–Aug. 1982
Sep. 1987–Aug. 1988	Sep. 1980–Aug. 1981
Sep. 1986–Aug. 1987	Sep. 1979–Aug. 1980
Sep. 1985–Aug. 1986	

　　每冊售價：美國及加拿大　　　225 美元

　　　　　　其他國家及地區　　　245 美元。

Sep. 1976–Aug. 1979	Sep. 1970–Aug.1973
Sep. 1973–Aug. 1976	

每册售價：美國及加拿大　　　320 美元

其他國家及地區　　350 美元。

Sep. 1967–Aug. 1970	Aug. 1958–Aug. 1961
Sep. 1964–Aug. 1967	Aug. 1955–July 1958
Sep. 1961–Aug. 1964	Aug. 1952–July 1955

每册售價：美國及加拿大　　　225 美元

其他國家及地區　　245 美元。

　　1993 起訂閱此一索引，美國及加拿大爲 225 美元，其他國家及地區爲 245 美元。

2. 電子形式索引（Electronic Format）

　　目前提供 1981 年 8 月以後的資料：

On WILSONDISC：

每月修訂及彙積

每年訂購價格爲　　1,495 美元

　　On WILSONTAPE：

　　On WILSONLINE：

　　On WILSEARCH：

1988 年 H.W. Wilson Co.

129. Index to Legal Periodicals Thesaurus. 76 pp. 1988,
　ISBN 0-8242-0762-9 LC 87-25449.

　　專供學生、圖書館員查閱此一索引中所用的法律名詞，此一字典爲 76 頁的小册子，售價：美國及加拿大 65 美元，其他國家及地區爲 80 美元。

130. **Library Literature.** ISSN 0024-2373 LC 36-27468.

Library Literature 為一雙月刊，有每年彙積本。

美國圖書館協會（A.L.A.）於1934年出版 Library Literature 1921-1932，經 H.W. Wilson 公司複印，成為此一索引的創刊號（basic volume)。American Reference Books Annual（ARBA）對 Library Literature 所作的評語是「我們這一行業必要的索引」（The definitive index in the field)。筆者深有同感，我曾對學生說「不會用 Library Literature, 或者是會用而不用 Library Literature，就不夠資格做一個專業的圖書館員。」

Library Literature 為一著者及主題索引，取材於專業期刊學報，畢業論文，研究報告及小冊子，非圖書館學學報經過索引Wilson 系統處理者，如與圖書館學有重要關係的，亦在收集之列。近年來由於增加對圖書館學的著作書評，視聽資料，圖書館學學術會議的會議紀錄，使得此一重要的索引更形重要。

我們在此所指的圖書館學包括資訊科學在內。

1. 書本索引（In Print)

Library Literature 為一雙月刊，每年二月、四月、六月、八月、十月及十二月出版，有每年彙積本。

此一索引收集 219 種專業學報❶以及 600 種專書中的資料，其論題（Topics）包括：

---

❶ 圖書學系所圖書館（或稱學生實習圖書館）在訂購專業期刊學報，應先核對 Library Literature 的期刊學報書目（Periodical Indexed），以擴大檢索功能，這樣做法會提高訂費（Service Basis），但是值得的。

- 自動化。
- 唯讀性光碟。
- 分類。
- 編目。
- 檢查制度。
- 版權。
- 圖書館教育。
- 學會。
- 圖書館學校。
- 各類型圖書館。
- 線上檢索。
- 人事。
- 公共關係。
- 讀者服務。
- 古籍，珍本。
- 館藏維護，發展。
- 書目標準化。
- 出版趨勢。

等多項（不及枚舉）。

其特徵為：

- 主題及著者混合索引。
- 款目排列遵照 Library of Congress Filing Rules.
- 論文索引之處理運用最新圖書資訊學主題。
- 充份使用參見。
- 完整的書目資料。

- 新書評論設有單獨索引。

- 採用圖書設立單獨書單，包括價格 ISBN 及 LC 號碼。

- 提供主要人事變動及訃聞。

- 外國出版品的英文翻譯款目。

此一索引的出售價格如下：

Permanent Retrospective Volumes: 永久性彙積本

1992　1991　1990　1989　1988　1987　1986

每冊售價依 Service Basis 而定。

1985　1984　1983　1982　1981　1980　1979　1978

每冊售價：美國及加拿大　　170 美元

其他國家及地區　185 美元。

1976–1977	1970–1971	1961–1963	1952–1954
1974–1975	1967–1969	1958–1960	
1972–1973	1964–1966	1955–1957	

每期售價：美國及加拿大　　185 美元

其他國家及地區　200 美元。

| 1949–1951 | 1943–1945 | 1936–1939 | 1921–1932 |
| 1946–1948 | 1940–1942 | 1933–1935 | |

每期售價：美國及加拿大　　140 美元

其他國家及地區　155 美元。

2　電子形式索引（Electronic Format）

目前提供 1984 年 12 月以後的資料：

On WILSONDISC：

每季修訂及彙積

每年訂購價格為　1,095 美元

On WILSONTAPE：

On WILSONLINE：

On WILSEARCH :

131. Play Index. ISSN 0554-3037 LC 64-1054.

Play Index 在編組上分為四部份：

1. 每一劇本依著者，劇名及主題編成索引。在著者款目下，列舉劇名，簡略劇情，需要角色，配合之音樂舞蹈等項。
2. 角色的分析。
3. 經過索引處理的劇本，包括出版項各種資料。
4. 出版公司的名單（其出版品經過此一索引收集者）。

此一索引出售價格如下：

永久性彙積本	每册售價	
	美國及加拿大	其他國家及地區
□ Play Index 1983-1987	S55	S60
□ Play Index 1978-1982	S45	S50
□ Play Index 1973-1977	S38	S43
□ Play Index 1968-1972	S30	S35
□ Play Index 1961-1967	S25	S30
□ Play Index 1953-1960	S22	S27
□ Play Index 1949-1952	S17	S20
□ 以上 7 册同時訂閱 Play Index, 1949-1987	S232	S265

此一索引四十多年來收集 26,000 個劇本，目前祇有書本索引（In Print）而無電子形式索引。

132. Short Story Index. ISSN 0360-9774 LC 75-649762.

Short Story Index 為一著者、書名與主題的混合索引，收集若干期刊雜誌及故事集中的資料，此一索引計分為四部份：

1. 著者款目（包括完整的目錄性資料），書名款目（包括不同的名稱 Variations）及主題款目。

2. 為此一索引收集的全集書目（A list of collections indexed）。

3. 出版商及經銷商指南。

4. 經過此一索引收集的期刊目錄。

此一索引自1900年問世以來，迄今已收集 164,000 篇故事，使用者可以三種方法檢索資料：

- 依照論題 Theme（例如：原子戰爭、吸毒、第二春、婚姻等問題）。

- 依照地區 Locale（例如：非洲、太空、北極、柏林等）。

- 依照形式 Form（例如：夢中、記憶、方言、幽默等情況）。

Short Story Index 每年10月出版，刊登過去一年有關短篇故事的資料，此一索引的出售價格如下：

每年訂費：美國及加拿大　　　90 美元

　　　　　其他國家及地區　　100 美元。

永久性彙積本	每冊售價	
	美國及加拿大	其他國家及地區
Short Story Index 1984-1988	130	150
Short Story Index 1979-1983	100	110
Short Story Index 1974-1978	90	100
Short Story Index 1969-1973	60	65
Short Story Index 1964-1968	45	50
Short Story Index 1959-1963	40	45
Short Story Index 1955-1958	40	45
Short Story Index 1950-1954	40	45
Short Story Index 1900-1949	50	55

H.W. Wilson Co. 於1979出版 Short Story Index: Collections Indexed, 1900-1978 將過去七種彙積本彙積成為一冊，其索引分析（analyzed）的故事集約8,400種，短篇故事125,000篇，使找尋資料更為便利。

目前無電子形式索引。

133.　Social Sciences Index.　ISSN 0094-4920 LC 75-649443.

　　Social Sciences Index 為一主題和著者的索引，有關書評的引用文獻（Citations）依著者排列，安排於索引之後，成為單獨項目。

　　此一索引為季刊，每年三月、六月、九月及十二月出刊，每年則出版永久性精裝彙積本。此一索引的前身為 International Index（v.1-18），及 Social Sciences & Humanities Index(v.19-27)，圖書館參考服務工作人員必需注意這些索引彼此之間的關係。

　　讀者請參見 Humanities Index 款目。

1.　書本索引（In Print）

　　　　Social Sciences Index 收集 342 種英文期刊學報的資料，其學科範圍包括：

> ✦ Anthropology ✦ Area Studies ✦ Community
> Health & Medical Care ✦ Economics ✦ Ethnic
> Studies ✦ Geography ✦ Gerontology ✦ Inter-
> national Relations ✦ Law & Criminology ✦
> Minority Studies ✦ Planning & Public Admini-
> stration ✦ Police Science & Corrections ✦
> Policy Sciences ✦ Political Science ✦ Psy-
> chology & Psychiatry ✦ Social Work & Public
> Welfare ✦ Sociology ✦ Urban Studies.

其特徵為：

- 主題、著者混合排列。
- 特殊的主題顯示學科的理論與實踐均可兼顧。
- 完善的參見辦法。
- 完整的目錄性資料。
- 新書書評成立單獨的索引。
- 書名之選用指明為評論學術會議論文。

此一索引的售價如下：

Permanent Retrospective Volumes: 永久性彙積本

Apr. 1991–Mar. 1992	Apr. 1987–Mar. 1988
Apr. 1990–Mar. 1991	Apr. 1986–Mar. 1987
Apr. 1989–Mar. 1990	Apr. 1985–Mar. 1986
Apr. 1988–Mar. 1989	

每册售價依 Service Basis 而定。

Apr. 1984–Mar. 1985	Apr. 1978–Mar. 1979
Apr. 1983–Mar. 1984	Apr. 1977–Mar. 1978
Apr. 1982–Mar. 1983	Apr. 1976–Mar. 1977
Apr. 1981–Mar. 1982	Apr. 1975–Mar. 1976
Apr. 1980–Mar. 1981	Apr. 1974–Mar. 1975
Apr. 1979–Mar. 1980	

每册售價：美國及加拿大　　190 美元

　　　　　其他國家及地區　　220 美元。

2.　電子形式索引（Electronic Format）

目前提供 1983 年 2 月以後的資料：

On WILSONDISC:

每月修訂及彙積

每年訂購價格爲　1,295 美元。

On WILSONTAPE:

On WILSONLINE:

On WILSEARCH:

134. Vertical File Index. ISSN 0042-4439.

Vertical File Index 爲月刊，每年出版十一次，八月停刊。其收集的對象爲小册子（Pamphlets）。

此一索引的當前熱門問題部門（Current Topic section）在每一期中提出10-15個大家關心的問題，並註明在Wilson出版品中的引用文獻，

每一論題都放在適合的標題之下，包括期刊名稱及論文的總結（Summaries），，此一索引依主題處理資料，其目錄性資料極爲完整。

1.　書本索引（In Print）

　　　　內容包括：

- 職業訊息，能源，稅收，銀行，消費者資訊，環境等項目，範圍極爲廣泛。
- 精選的政府出版品資料。
- 精選的大學出版品資料。
- 圖表、地圖（選擇性的）。
- 附有書名索引，每季及半年主題索引。

　　　　此一索引的每年訂購價格爲：

美國及加拿大　　　50 美元

其他國家及地區　　55 美元 。

　　　　圖書館員對於大量出現的小冊子，常常手足失措，不知如何處理。此一索引爲極重要的參考工具，可供館員借鏡。

2.　電子形式索引（Electronic Format）

　　　　目前提供 1985 年 12 月以後的資料，僅有一種 On WILSON-LINE　。

The Readers' Guide Family.

Reader's Guide family Readers' Guide 系統包括有四項 H.W. Wilson Co. 重要索引及摘要。

Readers' Guide to Periodical Literature
■　Print　■　CD-ROM

■ **Online** ■ **Tape**
Abridged Readers' Guide
Nineteenth Century Readers' Guide
READERS' GUIDE ABSTRACTS
■ **Print** ■ **CD-ROM**
■ **Online** ■ **Tape**

爲便利使用者起見，H.W. Wilson Co.另外製作錄影帶及小冊子：

How to Use the Readers' Guide Video
How to Use the Readers' Guide to
Periodical Literature Booklet
How to Use READERS' GUIDE ABSTRACTS
Booklet

135. Readers' Guide to Periodical Literature. I SSN 0034-
0464 LC 6-8232.

Reader' Guide to Periodical Literature 簡稱 Reader's Guide, 爲近
代索引中最重要的一種，「使用索引者往往首先想到 Readers' Guide.」
這句話是筆者說的，而且是實情。

本索引於 1900 年問世 ， 1905 年發行第一次彙積本（Cumulated
volume）。自此以後，Reader's Guide 就成了威爾遜索引系統的核心，
也代表了這家偉大公司的光榮和成就。

H.W. Wilson Co.在宣傳小冊中聲稱：「Reader' Guide 是研究工
作者第一個檢索的索引，而且他們永遠回來查詢（always reture to），
在索引之中沒有對手，它把競爭者遠遠丟在後面（No competing index
comes close.）」。

1. 書本索引（In Print）

此一索引的出刊情形如下：

(1) 半月刊：三月、四月、九月、十月及十二月。

(2) 月　刊：一月、二月、五月、六月、七月、八月及十一月。

(3) 季　刊：五月、八月、十一月及二月（平裝彙積本）。

(4) 年　刊：永久性精裝彙積本。

Reader' Guide　取材於 4 種流行的期刊學報，依著者及主題款目編組（Subject and author entries），爲確保標題（Subject headings）及著者姓名（author names）前後一致（uniform）特成立姓名及主題權威檔（name and subject authority files）。爲模糊不清的書名（ambiguous titles）及評論性（criticisms）文字（如對歌劇、電影、電視節目的評述），則特別增設書名款目（Title enhancement）。

每一種經過索引處理的期刊學報都提供完整的訂購消息並爲這些期刊學報中的書評成立單獨的書目（Separate listing of Book reviews）。

爲訓練讀者使用此一索引，H.W. Wilson 公司特別製作一套條狀底片（Filmstrip）（放映時間十二分鐘）及一種教導手冊（booklet），按部就班的訓練讀者，學習利用 Readers' Guide 是必要的，因爲會用 Readers' Guide 就會使用威爾遜系統中每一種索引。

此一索引出售價格如下：

Permanent Retrospective Volumes: 永久性彙積本

1992
1991
1990
1989
1988
1987
1986
1985
Mar. 1984–Feb. 1985
Mar. 1983–Feb. 1984
Mar. 1982–Feb. 1983
Mar. 1981–Feb. 1982
Mar. 1980–Feb. 1981
Mar. 1979–Feb. 1980
Mar. 1978–Feb. 1979

```
Mar. 1977–Feb. 1978
Mar. 1976–Feb. 1977
Mar. 1975–Feb. 1976
Mar. 1974–Feb. 1975
Mar. 1973–Feb. 1974
Mar. 1972–Feb. 1973
Mar. 1971–Feb. 1972
Mar. 1970–Feb. 1971
Mar. 1969–Feb. 1970
Mar. 1968–Feb. 1969
Mar. 1967–Feb. 1968
Mar. 1966–Feb. 1967
Mar. 1965–Feb. 1966
Mar. 1963–Feb. 1965
Mar. 1961–Feb. 1963
Mar. 1959–Feb. 1961
Mar. 1957–Feb. 1959
Mar. 1955–Feb. 1957
Apr. 1953–Feb. 1955
Apr. 1951–Mar. 1953
May 1949–Mar. 1951
May 1947–Apr. 1949
May 1945–Apr. 1947
July 1943–Apr. 1945
July 1941–June 1943
July 1939–June 1941
July 1937–June 1939
July 1935–June 1937
July 1932–June 1935
     1929–June 1932
     1925–1928
     1922–1924
     1919–1921
     1915–1918
     1910–1914
     1905–1909
     1900–1904
```

每册售價：美國及加拿大　　　180 美元

　　　　　　其他國家及地區　　195 美元

每年訂購價格同上。

2. 電子形式索引（Electronic Format）

　　目前提供 1983 年 1 月以後的資料：

　　On WILSONDISC

　每月修訂及彙積

　每年訂購價格爲　　1,095 美元

　　On WILSONTAPE:

　　On WILSONLINE:

On WILSEARCH:

電子形式索引的出現例如 UMI 的 ProQuest, Magazine Index 並不表示 Reader's Guide 印製索引末日的來臨,這有以下幾個原因。

(1) 若干圖書館館藏期刊館藏中都收集了 Reader's Guide 所索引的 240 種期刊學報,查詢資料極爲方便,使用者隨時可以找到期刊。

(2) H.W. Wilson Co.在選用 Reader's Guide 中的期刊時,預先取得 A.L.A. 參考工作部門的同意,因此多少反映了專業館員的態度,也就取得了支持。

(3) 使用者的習慣和對電子形式索引的陌生, 也使得 Reader's Guide 的地位屹立不搖。

136. Abridged Readers' Guide to Periodical Literature. ISSN 0001-334X LC 38-34737.

Abridged Readers' Guide 是爲中小型圖書館,尤其是公共圖書館的分館和學校圖書館設計的期刊索引, H.W. Wilson Co.推出這一索引考慮到經費問題和使用者的知識程度動機至善,但是在資訊社會,期刊學報的重要性不斷加強,使得這一索引的功能受到懷疑。

Abridged Readers Guide。就組織及索引技術而論, 與 Readers Guide to Periodical Literature 完全相同,所不同者在於範圍及篇幅。

此一索引爲一月刊,但六月、七月及八月停刊,因此每年出刊九次,並於五月及一月出版平裝彙積本,每年暑期出版一年彙積本(精裝)。

Abridged Readers' Guide to Periodical Literature 收集 68 種通俗的期刊雜誌的資料，這 68 種期刊雜誌已收集在 Readers' Guide 之中。為了適應中小型及中學圖書館的需要，經由 ALA Committee on Wilson Indexes 選擇推薦而組成，其所選出的期刊及種數因為時間及需要的轉變而時有變動（例如 1978 年 3 月號收集 59 種期刊，其中 27 種為新增加的，同時撤銷原有的 15 種）。

1. 書本索引（In Print）

此一索引出售價格如下：

Permanent Retrospective Volumes:　　永久性彙積本

1992	Mar. 1984–Feb.1985	June 1973–May 1974
1991	Mar. 1983–Feb.1984	June 1972–May 1973
1990	Mar. 1981–Feb.1982	June 1971–May 1972
1989	Mar. 1980–Feb.1981	June 1970–May 1971
1988	Mar. 1978–Feb.1979	June 1969–May 1970
1987	June 1976–Feb. 1977	June 1968–May 1969
1986	June 1975–May 1976	June 1967–May 1968
1985	June 1974–May 1975	June 1966–May 1967

每冊售價：美國及加拿大　　90 美元

　　　　　　其他國家及地區　　100 美元

每年訂購價格同上。

2. 電子形式索引（Electronic Format）

與 Readers Guide to Periodical Literature 共用。

137. Nineteenth Century Readers' Guide to Periodical Literature. ISBN 0-8242-0584-7 LC 44-5439.

Nineteenth Century Readers' Guide 為 Readers' Guide to Periodical Literature 的補篇之一。通常習慣，補篇乃將母篇資料年限向後延長，此一索引卻例外的向前追溯。Readers' Guide to Periodical Literature 刊行初期，僅收集資料五十一種，均自 1900 年開始，因此 Readers'

Guide 是一個二十世紀的索引。Nineteenth Century Readers' Guide 將其中三十七種資料推至 1800－1899 年，另十四種資料也從 1800 年開始，但延長至 1922 年止，以與 Reader's Guide 啣接，因此 Nineteenth Century Readers' Guide ，也有部份二十世紀資料。

此一索引中，詩詞資料份量極重，研究西洋文學尤其詩詞者，需經常利用此出版品。另一特長為著者的辨識（ Identification ），在 1890 年代，無名著者數目超過今日多多，蒲爾索引的著者辨識工作，遠不及此一索引。

此一索引於 1944 年出版，為兩卷， v.1. 1516 p. v.2. 1588 p. 其出售價格為：美國及加拿大 180 美元，其他國家及地區 195 美元。

138． Readers' Guide Abstracts．

Readers' Guide Abstracts 簡稱 RGA 的出現 ，增強了 Readers' Guide 的聲勢和功能就研究工作者的需求而論，索引祇能指出有這一篇論文，而不能解說內容，使用者希望對這篇文字多少有些概念，以便決定是否有找到全文（ Full text ）的必要 。

自 1985 年開始 ， H. W. Wilson Co. 出版此一摘要 ，在 Readers' Guide 所收集的 240 種期刊學報，每一篇文字都編製有約 125 個字的摘要，每年總計 60,000 個款目。

On MICROFICHE:

每年出版 8 次並彙積

Permanent Retrospective Volumes: 永久性彙積本
Volume 7: January 1991–December 1992
Volume 6: January 1990–December 1991
Volume 5: January 1989–December 1990
Volume 4: January 1988–December 1989

Volume 3: January 1987–December 1988
Volume 2: January 1986–December 1987
Volume 1: September 1984–December 1986.

每卷售價如下：美國及加拿大　　675 美元

其他國家及地區　　750 美元。

On WILSONDISC：

每月推出磁碟

每年訂購費用（包括所有權）　1,995 美元

On WILSONTAPE：

每月修訂索引及摘要

On WILSONLINE：

每週修訂索引兩次

每週修訂摘要一次

On WILSEARCH：

1992年年底開始提供。

139. **Readers' Guide Abstracts Select Edition.**

此一文摘幾度更改名稱：

原來名稱為 Readers' Guide Abstracts Print Edition ，後來出版 RGA School and Public Library Edition in Print，最近又改名為 Readers' Guide Abstracts Select Edition 。

Readers' Guide Abstracts 和其 Select Edition 的區別在於範圍（Comprehensiveness）及存取（Accessibility）。

READERS' GUIDE ABSTRACTS	READERS' GUIDE ABSTRACTS SELECT EDITION
♦ 60,000 abstracts annually from 240 periodicals	♦ 25,000 abstracts annually from 240 core periodicals
♦ Available on CD-ROM, on tape, online, and on microfiche	♦ Available on CD-ROM and in print

1. 書本摘要（In Print）

Permanent Retrospective Volumes:
Volume 4: August 1991–July 1992
Volume 3: August 1990–July 1991
Volume 2: August 1989–July 1990
Volume 1: August 1988–July 1989.

每冊訂費：美國及加拿大　　　199 美元

其他國家及地區　　229 美元。

2. 電子形式摘要（Electronic Format）

On WILSONDISC：

初次訂購可收取一張磁碟，包括100,000摘要，及1988年以後的索引及摘要，此外訂購這一摘要，可以有三種方式供選擇。

Monthly Option:	$995 (12/year), includes no-charge online access.
School Year Option:	$695 (9/year), includes no-charge online access.
Quarterly Option:	$395 (4/year), online access unavailable.

140. WILSONDISC: A CD-ROM retrieval system.

威爾遜磁碟（WILSONDISC）是唯讀型光碟檢索系統（CD-ROM Retrieval System），其功能有四：

- 加強圖書館資訊服務。
- 使用者可以直接從資料庫取得資訊。
- 檢索最新引用文獻（Up-to-date Citations）。

● 鼓勵試用資料庫（Database Exploration）。

此一系統每一個資料庫都有單獨的磁碟，大多數的磁碟每三個月修正和彙積一次。

為了使用者的便利，此一系統根據使用經驗，特別製作為三個層次的檢索方式（Three search modes tailored to different levels of search experience）。

1. BROWSE Mode 瀏覽式

是最直接的檢索方法（most straightforward approach），會用印製的威爾遜主題使用 Browse mode 不會有任何困難，其不同之處是 Browse Mode 在輸入主題名詞之後，銀幕立刻顯示以字母順序環繞在這個主題名詞的所有有關主題的清單(the list of subject terms that alphabetically surround the term inputted），使用者可以在這一清單中挑選最合適、最精確的主題，同時也可以運用著者、書名（也可以混合著者、書名、主題）檢索。

2. WILSEARCH Mode 選項式

WILSEARCH 是比較 Browse Mode 複雜的檢索方法。

是以選項導向的（menu-driven）對多數的使用者來說，這種檢索方式可能是最有用的，使用者可以輸入多種主題名詞，電腦立刻檢索所有學科中的每一件記錄（the computer will then search all fields of each record）。

往往使用者對於應用那個主題沒有把握，電腦有能力找出分散在紀錄中的這些字，可能有的是在一册書之中，有的則是摘要。

WILSEARCH Mode 並不僅是主題檢索，而且是將主題、著者、論文、學報篇名、杜威十進分類號碼和關鍵字合而為一的檢索，在銀幕上顯示所謂 selected Data Elements，有點類似選項(Menu)

使用者只是填空 " fill-in-the-blanks " 。

3. WILSONLINE Mode 深入式

　　運用 WILSONLINE Mode 需要相當時間的學習和操作。

　　因爲這是深入的資料庫檢索 (in-depth database searching) 和線上檢索同樣威力，但是實際操作只是用磁碟而已。

　　其特徵甚多，下列幾種功能只是舉例：

● 運用布林邏輯 (Boolean Logic) (乃是運用 and, or, not 三種檢索方式) 使得檢索的範圍可大可小，伸縮自如。

　　Searches can be broadened or narrowed by using Boolean Operators,

● 可以用 43 個檢索點 (access points) 來利用目錄性記錄。

● 可以同時作多項文獻檢索 (8 種以上)。

● 爲了便利使用者辨識各種控制形式 (controlled forms)。

　　特別設置線上索引典 (Online Thesaurus) 自動化文字轉移 (Automatic Vocabulary Switching) 控制文字檢索 (Controlled Vocabulary Searching) 和文獻擇字 (Free Text)。

BOOLEAN OPERATORS 布林邏輯運作示意圖

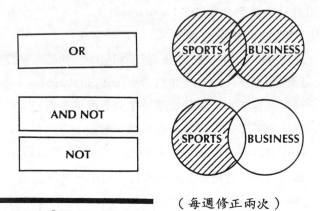

（每週修正兩次）

WILSONLINE® DATABASES

助記簡稱	資　料　庫	開始運用日期
AST	Applied Science & Technology Index	October 1983
ART	Art Index	September 1984
BAI	Biological & Agricultural Index	July 1983
BIB	Bibliographic Index	November 1984
BIO	Biography Index	July 1984
BPI	Business Periodicals Index	July 1982
BRD	Book Review Digest	January 1983
CBI	Cumulative Book Index	January 1982
EDI	Education Index	June 1983
EGL	Essay and General Literature Index	January 1985
GPO*	GPO Monthly Catalog	July 1976
GSI	General Science Index	May 1984
HUM	Humanities Index	February 1984
IGP*	Index to U.S. Government Periodicals	January 1980

ILP	Index to Legal Periodicals	August 1981
LCF*	Library of Congress MARC Books—Foreign	January 1977
LCM*	Library of Congress MARC Books	January 1977
LIB	Library Literature	December 1984
MLA*	MLA International Bibliography	January 1981
RDG	Readers' Guide to Periodical Literature	January 1983
RGA	Readers' Guide Abstracts	January 1983
REL*†	Religion Indexes	January 1975
SSI	Social Sciences Index	February 1983
VFI	Vertical File Index	December 1985
WBA	Wilson Business Abstracts	January 1986

助記簡稱	指南，著者權威檔
JNL	Journal Directory
NAM	Name Authority File
PUB	Publishers Directory

　　WILSONDISC 的出現顯示了 H.W. Wilson 公司在建立 THE WIL-SON INFORMATION SYSTEM 所作的努力和成就，也爲圖書館參考服務帶來了相當的衝擊，但是這並不意味印製索引的功能趨於沒落，因爲：

1. 印製索引已經採用多年，其中所收集的期刊學報，和圖書館期刊館藏匹配良好（a good match for periodical collections）。

2. 使用者的檢索習慣必需尊重。

3. 圖書館經費能不能夠負荷是極爲現實的問題。

---

* Database not produced by The H.W. Wilson Company
† Produced by ATLA

4. Wilson 編製索引是和 ALA Reference and Adult Services Division 合作的，例如 Readers' Guide to Periodical Literature ，因此印製索引反映出來圖書館員的興趣和需求。

5. 到目前為止，磁碟還沒有收集完整的過去資料（見 Wilsonline Database 表）。

6. Wilsondise 可以迅速的、完整的檢索新穎的資訊，是橫的拓充；印製索引可以追溯過去的文獻是縱的延伸，兩者是相輔相成的。

六、其他重要索引

141. Book Review Index. 1965-   Gale.

Book Reriew Index 簡稱 BRI 。

此一索引每年出版六次（二月、四月、六月、八月、十月及十二月），採取逐漸按期彙積的方式（every other issue cumulating the previous issue），自 1965 年開始問世以來，每年出版永久性彙積本，此外為便利讀者查詢，另行出版多年彙積本，The Master Cumulation, 1965-1984 書評引用文獻（Review Citations）在 160 萬項以上。

經 BRI 索引處理的期刊學報達 500 餘種，分為三類：

1. 書評性學報，如 Choice, Booklist 等。

2. 通俗性期刊，如 Newsweek, Sports Illustrated 等。

3. 學術性學報，如 American Anthropologist, Sewance Review 等。

書評出現次數不受限制（由一次至二十次均可列入 BRI），但著作本身不到 50 page 者，則不在收集之列（詩歌、兒童著作不受限制），因此比較容易找到書評，尤其是不太引人注意的圖書。威爾遜索引系

統中的 Book Review Digest 收集書評的期刊僅一種，而且非小說必需取得三種書評，小說必需取得書評四種以上始能入選，因此不太熱門的著作在 BRI 中找到的機會較多，因為 BRD 是重質的（BRD 中有摘錄（excerpt），BRI 雖然也有簡短書評，但總不及摘錄的功能）*，所以 Wilson 公司另行出版 Current Book Review Citations，自1200種期刊中取得資料，這種作法顯然是以 CBRC 的量來壓倒 BRI，同時維持 BRD 的質。但 CBRC 祇有一年的彙積本，BRI 則在一年之中彙積三次，由其出版多年彙積本如 1965-1984，使找尋資料更為便利，此三部書評索引各有千秋。

　　BRI 的項目包含資料極為完整：著者、書名、發表書評之期刊，日期及頁數，更以特殊符號（special codes）指明接受評論的出版品為參考書、兒童讀物，或一種期刊。著者姓名以深色字體印出，又為不知道著者為何許人的讀者，另外編製有書名索引。

142. Magazine Index. Menlo Park, CA Information Access Corporation, 1977-

　　Magazine Index 為一電腦輸出的縮影捲片（Computer-Output-Microfilm 簡稱 COM）的索引。

　　經過此一索引處理的期刊約達 370 種，同時可經由洛克希德資訊系統（Lockheed's DIALOG system）線上作業（on-line），其收集的期刊吸收了 Readers' Guide 索引處理的 185 種學報，更加上在專門索引中出

---

*　關於 BRI 和 BRD 的比較，請參考 ARBA 1992 p.23 James Rettig 所寫的書評。

現的期刊，甚至從未經過索引處理的期刊學報。

Magazine Index 的特點如下：

1. 每月修正並彙積資料 updated and cumulated monthly 。

2. 出版不到兩週的期刊即可納入索引系統。

3. 運用 Library of Congress 標題總目選用主題，同時爲不適宜使用 L.C. 的主題則採用自然語言標題（natural language headings），例如「速食連鎖店」（Fast-food chains），工商產品可以直接運用其特有名稱如 " RCA XL100 " 或「彩色電視機」。

4. 縮影捲片永遠包含最近五年的論文索引在內。

5. 在每一主題之下，最新的資料排列在較舊的資料前面。

6. 對每一期刊的資料收集完整，包括書評及評論。如電視節目、唱片、電影（依等次以 A-F 評分）。

7. 正製作縮影單片 Microfiche 。

8. 發行兩種印行的索引，一爲「熱門主題」（Hot Topics），收集當前大衆關心的二三十個問題的資料，另一爲「產物評鑑」（Product Evaluations ）均爲活頁裝訂，並每月修正。

9. 每月運送 16 mm microfilm 與訂購單位。

10. 訂購單位應有縮影軟片閱讀機（automatic microfilm reader ）的設備，此一閱讀機操作極爲簡易。

Magazine Index 的出現革命化了索引的製作及功能，至少威脅到 Reader's Guide 的生存 ，但事實上並不完全如我們想像的情況。首先，此一索引價格太貴，每年訂費爲 1,750 美元（成本關係 ）。其次，若干讀者仍然脫離不了手執一卷的習慣。

在上述兩個問題未解決以前，Wilson 印製索引系統是不容易被打倒的。

143. **The New York Times Index.** New York Times, 1913-

　　（美國）紐約時報(New York Times)為世界上最重要報紙之一，
理由如下：

(1) 對於世界及美國本身新聞報導之詳盡。

(2) 重要文件、演說，登載全文。

(3) 權威性的書評、影劇評。

(4) 每週世界大事分析。

(5) 詳盡的商業情況報導。

(6) 體育新聞之詳盡。

(7) 重要人物死亡訃告。

(8) 索引之完整及編組完善，研究工作者往往毋需閱讀報紙本身，
僅藉索引，即可取得若干事實的答案。

(9) 本報有合訂本及縮影片（Microfilms）出售，增加參考便利。

　　由於報紙參考價值提高，索引之成為參考工具之價值，亦跟隨提
高。此一索引為半月刊，有季刊彙積本及一年彙積本，其索引編製及
組織與泰晤士報略同，但更為詳盡。

　　其他主要報紙已編製索引者為：

　　　　Chicago Tibune,

　　　　Los Angeles Times,

　　　　Washington Post,

　　　　New Orleans Times-Picayune,

　　　　The Wall Street Journal 等。

　　The New York Times Index 已可線上檢索（online），如果圖書館
能訂購報紙索引，The New York Times Index 應列為第一優先。

144. **Public Affairs Information Service Bulletin.**New York:
Public Affairs Information Service, 1915-　　（ISSN
0898-2201）.

Public Affairs Information Service, Inc. 簡稱（PAIS），與圖書館
事業頗有淵源，在1914年成立時的原意不過是一個類似圖書館協會的
組織而已。1954 年經紐約州立大學董事會認可爲非營利教育企業，目
前會址即在紐約市公共圖書館，並且大量運用該館館藏。

PAIS 出版品有五種：

1. Public Affairs Information Service Bulletin簡稱 P.A.I.S.Bulletin,
   爲研究社會科學（尤其是公共政策的文獻）最重要的參考資料。

　　　　P.A.I.S. 之所以列入索引類討論的原因，是此一出版品，索
引將近一千種精選社會科學期刊，但 P.A.I.S. 重點並不在於索
引，而在於事實與統計（factual and statistical information） 資
料。

　　　　P.A.I.S. 爲一期刊性質出版物，依學科排列，範圍是全球性，
以英文書寫的資料，每年彙積一次，每年終了，並發彙積合訂本，
年刊中另附有索引期刊略字與全名對照表、出版商及機關團體名
單、參考書檢討（所檢討年鑑即有四種之多）。自1956年起，年
刊中附加有著者款目，約計每一年刊刊載資料在 二萬五千款目
（entry）以上，對於各國國情報導以及參見之完善，都是本出版
物可以自豪之處。

　　　　PAIS Bulletin 爲一主題索引，有三種訂購方法：

● 全額訂購（Full subscription）

　　每月一期，季彙積本三期加上年彙積本及著者索引。

- 部份訂購（Partial subscription）

  季彙積本三期，加上年彙積本及著者索引。

- 限量訂購 Limited subscription）

  年彙積本及著者索引。

  自 1915年起每年均有彙積本。

145.2. PAIS FOREIGN LANGUAGE INDEX.（ISSN 0896-792X）

為以法文、德文、義大利文、西班牙文及葡萄牙文書寫的公共政策文獻，主題索引，主題及摘要為英文。

146.3. PAIS INTERNATIONAL,

為前述 1. 2.兩項出版品的電子資料庫（electronic database）線上檢索時運用 DIALOG, BRS, and Data-Star。

147.4. PAIS on CD ROM,

將前述 1. 2. 3.項出版品合併製作成為唯讀性光碟。

148.5. PAIS SUBJECT HEADINGS（2nd editlon）

經過文字控制（controlled vocabulary）運用在 PAIS 出版品中的主題名詞。

七、摘　要　Abstracts

摘要是一種特殊參考工具，因其與索引有極密切關係，故附於本章中討論。

一般而論，摘要的功用有二：

1. 對專門學科新穎文獻，製成索引。

2. 將專門學科中重要出版品，編成文摘（Digest）。

　　因此摘要一方面為參考資料，另一方面也可看為找尋參考資料的工具。對一般使用者而言，摘要較索引更為有用，因摘要可幫助研究者選擇資料，而索引對簡易與深奧文獻同等處理，選擇資料，自非易事。對專家而言，他們缺乏逐一瀏覽專長學科中所有文獻的時間，摘要將學科範圍內所有重要及新穎文獻，簡縮成數十或百字的總結，專家們可以最經濟的時間，對他們最關心的學科，有一初步瞭解，並能進一步選擇有興趣的摘要全稿，仔細閱讀。

　　摘要種類眾多，Robert Collison 在其名著 Abstracts and Abstracting Sources 中指出摘要學報至少在一千種以上。這部書是1971年的出版品，22年後的今日，Abstracting Journals 增加到甚麼程度，令人不敢想像。本書限於篇幅，祇能在科技、人文及社會學的範疇中，各選出一、二種作為代表性的介紹。

149. Biological Abstracts. BioSciences Information Service. 1926- Semi-monthly.

　　簡稱 BA 是生物學科最主要的摘要刊物。

　　收集110個國家 149,000篇原始研究的摘要，依照85個主題類目排列，這些原始論文的摘要都以英文書寫。

　　其索引有五種：

● 著者索引（Author Index）：按姓氏排列。

● 生物系統索引（Biosystematic Index）：按生物學的門、綱、目、科系統分類。每一類中，再按主要觀點（Concept）排列。

● 種屬索引（Generic Index）：由篇名及論文中挑取生物的學名製成。種屬名稱下，也列有主要觀點，以資區辨。

● 概念索引（Concept Index）：大主題類目的索引。

● 主題索引（Subject Index）：由篇名及文章的關鍵字（Key-Words），前後再加襯主題關聯字（Subject Context）而成。

BA 有彙積本， 1988 年起並成立生物科學資料庫（BIOSIS Data Base）。

150. Business Publications Index and Abstracts Gale Research Company, 1983-

Business Publications Index and Abstracts 為一新的摘要，於1983 年問世。

此一摘要將 Management Contents Database（一個企業管理資料庫）中的資料印製成書，其內容包含 3,000 種商業圖書的目次（contents）及在 700 種商科期刊學報中所出現的 36,000 篇論文。

此一摘要補充線上檢索（complements online access），其功能為：

(1) 使讀者藉瀏覽（browse）印製本而設計線上檢索的計劃。

(2) 對沒有線上檢索機會的讀者提供資料。

(3) 提供讀者檢索機會而不需立即耗費利用線上檢索的費用。

(4) 便於影印及複製引用文獻及摘要。

此一摘要分為兩大部份：

1. Subject-Author Citations

每年出刊十二次，另有每季及每年彙積本，分為二部。一為主題款目，依主題標題之字母順序排列，款目內容包括論文的書名、著者、期刊、卷冊號碼、出版日期、頁數等等。

另以互見指出公司名稱、地點、相關人員等資料。

另一為著者款目，依著者姓名編目排列，款目內容包含與主題款目相同的資料。

2. Abstracts

每年出刊十二次，另有每年彙積本。

每篇文摘均由學科專家執筆，每一款目均附有該篇論文的完整目錄性資料。

以數字代碼（numerical code）與 Subject-Author Citations 呼應。

151. **Chemical Abstracts: Key to the World Chemical Li-terature.** American Chemical Society. v.1-　, 1907-Weekly.

簡稱CA是世界最大的也是無比重要的科學性摘要，收集有關化學及化學的世界文獻，內容為 14,000 種。科技刊物、連續性出版品、半數以上是以英文書寫的，其他則為 36 種語言文字的文獻，其資料範圍包括：

● 期刊文獻（Journal Articles）

● 專　　利（patents）

● 技術報告（Technical Reports）

● 論　　文（Dissertations）

● 會議紀錄（Conference Proceedings）

其組織方式則是將摘要分為 80 個部份歸納於 5 大類之中：

● 生物化學

● 有機化學

● 分子化學

- 應用化學與化學工程
- 物理的與分析的化學

CA索引甚多，其目的在於提供檢索點，主要索引為：

- 著者索引（Author Index）
- 化學物質索引（Chemical Substance Index）
- 公式索引（Formula Index）
- 一般標題索引（General Index）
- 專利索引（Patent Index）

此外有 Index Guide 是指引使用者檢索。

Chemical Substance Index 和 General Subject Index 的工具而不是 CA的索引。

152. **CURRENT AWARENESS ABSTRACTS** Aslib, The Association for Information Management.

此一摘要提供最新穎的圖書館學資訊科學的資料，從300 種核心學報中經由掃描（scanning）編制2,500 篇摘要，其中90％是剛出版不到兩三個月的資料。

其著者與主題索引，使得檢索極為方便。

詳盡的目錄性資訊，每篇文字以及出版時間都有專用號碼可以使得辨識（Identifying）得心應手。

153. **Dissertation Abstracts International** University Microfilms International 1938-　　Monthly.

Dissertation Abstracts International ，簡稱DAI ，爲一月刊，在 1938 年開始發行。早期名稱略有不同， v.1-11,（1938-1951）名 稱 爲 Microfilm abstracts ； v.12-29（1952-June 1969）則以 Dissertation abstracts 的名稱發行。DAI 收錄北美洲及世界各地超過五百多所學術研 究機構的博士論文摘要，摘要由論文作者自撰，每篇約 350 字左右。

DAI 分三個部份印行：

    Section A   The Humanities and Social Sciences

    Section B   The Science and Engineering

    Section C   Worldwide

Section A 及 Section B 每月出刊一次，刊登的摘要，其資料全文 可透過UMI (University Microfilms International)獲得。Section C 每 三個月出刊一次，1989年以前只收錄歐洲地區的論文摘要，自1989年 開始增收世界各地的論文摘要，唯刊登在 Section C 的摘要,其資料全 文不能透過 UMI 獲得。

摘要按主題分類排列，同一主題的摘要再依作者姓名排，提供的 書目資料包括論文題名、作者、學位名稱及獲取日期、所屬的學術機 構，原始論文的頁數，摘要編號、指導教授以及 UMI 的訂購號碼。

此一摘要的索引爲 Keyword Index 及 Author Index. Section A 及 Section B的作者索引另有年彙編本。此外， DAI 亦有 CD-ROM 以及 線上檢索的資料庫。

154. Environment Information Access

Environment Information Center, Inc. 1971-

155. Environment Index

Environment Information Center, Inc. 1971-

Environment Information Access 爲一半月刊，七月及八月份刊出刊，爲一主題摘要，將資料分別列入 21 個範疇。其資料收集範圍是國際性的，凡與環境科學有關的資料，如污染、保養均在收集範圍之內。

摘要及論文名稱均以英文書寫，款目依登錄號碼（accession number）排列，在登錄號碼之前另以星標（asterisk），註明可能在縮影單片（microfiche）中找到的資料。

著者索引	author index
登錄號碼索引	accession number index
關鍵字索引	keyword index
主題索引	subject index
工業索引	industry index

均分別附置於每一刊次之中，此外並將標準縮寫字（standard abbreviations）排列成表。

當一年各卷期完全出版以後，使用者應即查詢 Environment Index 1971-，爲同一出版單位刊出之年刊，以節省查檢時間。

156. Library & Information Science Abstracts. London: Library Association. 1969- Monthly.

Library & Information Science Abstracts, 簡稱 LISA，前身爲 Library Science Abstracts（LSA）。此一摘要的內容，包括有關圖書館學、資訊科學及其相關學科的期刊學報論文、報告和會議記錄等。被摘要的資料，其原文長度必須超過一頁以上，被處理的資料 500 種來

自世界上約六十個國家。

LISA每月出版一次，除了書本式外，LISA已於1976年建 立 資料庫，可透過 Lockheed DIALOG 及 ORBIT等代理商作線上檢索。另外，LISA亦提供自1969年至目前的光碟資料庫（CD-ROM），讀者可透過不同的途徑進行檢索。

書本式的LISA，每期分爲兩大部份：

1.　摘要部份

　　按主題分類編排。每一摘要均以英文撰寫，附有完整的書目資料。

2.　索引部份，包括：

　　Name Index　作者索引，與摘要的編號對應。

　　Alphabetical Subject Index　主題索引，按字母順序排。

索引部份另有年彙編索引。

此摘要的資料全文可透過 The British Library, Library Association Library 取得。

157.　Pschological Abstracts. Association, v.1-　　1927-
　　Monthly.

本摘要蒐集約950種心理學及相關學科的期刊技術報告，及圖書以編製摘要。

每期均有主題及著者索引，主題運用美國心理學學會自編 5,000 名詞的主題索引典。

其內容排列方式依照 17 大類：

● General Psychology

- Psychometrics

- Human Experimental Psychology

- Animal Experimental and Comparative Psychology

- Physiological Psychology

- Physiological Intervention

- Communication Systems

- Developmental Psychology

- Social Processes and Social Issues

- Social Psychology

- Personality

- Physical and Psychological Disorders

- Treatment and Prevention

- Professional Personnel and Professional Issues

- Educational Psychology

- Applied Psychology

- Sport Psychology and Leisure

此一摘要對於醫學也極爲有用。

158. RILM: Abstracts of Music Literature.

International RILM Center, Queen's College, 1967-

RILM (Répertoire internationale de la littérature musicale) 爲一季刊。

國際音樂圖書館學會(Interantional Association of Music Libraries)與國際音樂學會 (International Musicological Society)合作編製此一專

門與音樂有關的摘要，其內容包含期刊學報論文、書評、圖書及博碩
士論文等多項資料。

　　RILM依九大類編組而成：

(1)　參考與研究資料

(2)　作品集

(3)　音樂史

(4)　民族音樂

(5)　聲樂與樂器

(6)　演出

(7)　理論與分析

(8)　音樂教學法

(9)　音樂與其他學科的關係

　　每年第四次季刊包括著者及主題索引。

159. Scientific Research Abstracts in the Republic of China
Science & Technology Information Center, National
Science Council, R.O.C., 1977-　　　Annual.

　　此一摘要自1977年起，以年刊的形式出版，之前有1971-1975 ，
1975-1976 的彙編本。此一摘要的目的，在掌握國內的科學技術研究計
劃，避免研究的重複。資料的收集是透過問卷方式取得，調查的對象
包括國內一百多所大專院校及研究機構。其缺點是並非每個調查對象
都樂意回覆問卷，回覆問卷的機構會被列出以供參考。

　　此摘要共分兩部份：

1.　Report Abstracts

　　研究報告摘要，依四大類編組而成，此四大類分爲是 Science, Medicine, Agriculture 及 Technology。每一摘要提供的資料，包括學科類別、編號、研究者姓名、研究單位、研究專題名稱、經費補助單位、補助編號、補助金額、研究期限、研究報告的出版情況、以及摘要內容。

2.　Indexes

　　(1)　作者索引（Author Index）

　　(2)　題名索引（Title Index）

　　(3)　關鍵字索引（Key Word Index）

　　(4)　研究單位索引（Execution Unit Index）

　　(5)　補助單位索引（Sponsor Unit Index）

第七章 傳記參考資料
Biographical Reference Sources

一、傳記文學的形式和傳記參考資料的特徵

傳記文學 (Biographical Literature) 的形式，如果以著作者來分類可分為二種：自傳與人傳。以被傳人數作標準，更可分為個別傳記與集體傳記。

所謂「自傳」 (autobiography)，當然是指著作者敍述自己生活及思想的書籍。 自傳僅僅祇能報導生活的一部份， 著名的佛蘭克林自傳 (Autobiography of Benjamin Franklin) ， 是佛蘭克林五十五歲時的著作，因此他晚年的三十三年，便沒有紀錄，祇好由他人補作傳記了。在參考工作上，這本書是不夠完整的，這一句話也可應用到所有的自傳。

「人傳」是他人執筆的傳記。若干人傳是執筆者研究的結果，更有若干是由被傳人處取得資料，這種資料稱為「直接的資料」(primary source)。在通常情形下，直接資料是值得寶貴的，但這並不是說直接的資料，一定就是可信的資料，因此在參考步驟裏就有「真偽」的問題與「求證」的工作。

所有「自傳」，都是「個別傳記」 (individual biography) ， 多數「人傳」，也是個別傳記，羅斯福與哈浦金斯(Roosevelt and Hopkins)之類的作品，究屬少數。個別傳記，當然也有參考價值，但其價值的高低，要看索引完善的程度而定。唯一完全符合參考工作要的個別傳記，是 1955 年出版的貝多芬百科全書 (Beethoven Encyclopedia)。此書

僅僅收集樂聖貝多芬的資料，款目的編排，完全依照參考書的格式，這一種體裁，在參考書中雖不能說「絕後」，至少也算「空前」了。傳記參考資料的骨幹是「集體傳記」 (collective biography)。顧名思義，集體傳記是多人傳記的集合，因為節省篇幅，資料僅限於必需記載的事實，款目內資料的編排，也有一定的秩序，形容語句盡量避免，自不待言，所以這類資料，符合參考工作的目的而缺乏閱讀的趣味和價值。

從另一角度來看，傳記資料可以算參考資料的主力，傳記問題也一向是參考工作的重心，所有百科全書中的資料，幾乎四分之三都與傳記，人物有關。如果我們留心檢查純文學的百科全書，如 Cassell's Encyclopedia of World Literature，，其中三分之二的篇幅，都是文學家的傳記，若干音樂百科全書，更是全盤「音樂家」的天地。

傳記問題的「踴躍」，是一種自然和必然的現象。今日的世界是以「人」為中心的世界，人們最感到興趣的仍然是其他的「人」。當然「人」對「人」的關切和好奇，並不是形成參考問題的唯一動機，主要的原因，是學術、事業、歷史在在都與人有最密切的關係。偉大政治家的生平與歷史的演變，不可分割，偉大科學家的成就，形成了今日的世界，偉大演員的奮鬪，增加了劇場影壇上的光輝。追求知識，要從創造、光大這些學術知識人物的傳記着手，研究與知識有關係的人，往往是取得那一知識的捷徑。

二、傳記問題的分析

赫琴斯 (Margaret Hutchins) 在她所著的參考工作導論中 (Introduction to Reference Work)，曾將傳記問題分為四類：

1. 辨　識 (Identification)

所謂辨識問題，在下列情形之下發生：

詢問人爲某種原因必須確定某一人名，但

(1)　不能記憶此人的完整姓名。

(2)　將兩個同姓名人物混淆。

(3)　此人的姓名更改。

(4)　所知姓名中部份錯誤。

(5)　僅知筆名或僞名，需與眞名對照。

2. 查詢來歷曖昧人物的身份 (Obscure personage)

辨識的對象，多半是有點名氣的人物，本項所指，乃不見經傳的
人物，因此不能使用較大的名人錄和傳記字典。查詢此類問題時，
詢問者業已知道此一被調查者的姓名，但必需附加若干資料，才
能形成假定 (hypothesis)。例如：某人曾於某年在一種小型期刊上，
發表關於某地商業情況的簡短文字，由此可以假定在某年左右，
某人曾居留某地，或可能爲某地商會會員。根據此項附加資料，
可以查詢某地戶口名簿及該地商會會員錄，如仍不能找到此人資
料，則推翻所成立的假定，另行成立新的假定。

3. 歷史上眞相不明事實的澄清 (Disputed facts)

歷史上若干是非功過，常爲學術研究討論爭辯的良好題目。例如：
杜魯門回憶錄中所提到的若干歷史事件的追述，即爲當時國務卿
貝爾納斯所堅決否認，事實的澄清，仍然離不開傳記資料。

4.　大人物小事的探詢 (Hidden facts about famous people)

此類問題中所指大人物，幾乎全部爲歷史上的著名人物，因此資料的探詢 (Investigation)，必需藉助於歷史研究法。

三、傳記參考資料的種類

1.　找尋文獻的參考工具書

薛爾斯 (Shores) 將傳記參考資料分爲三種：

(1)　**一般性的傳記參考資料** (General)

此種資料，包括古今中外的著名人物傳記，例如：

Webster's Biographical Dictionary

Chamber's Biographical Dictionary

(2)　**追溯性的傳記參考資料** (Retrospective)

此種資料僅限於業已死亡的著名人物傳記，例如：

Dictionary of American Biography

Dictionary of National Biography

(3)　**現時性的傳記參考資料** (Current)

此種資料收集所有當代人物傳記，範圍較爲廣泛，收容標準也不如前二種嚴格，例如：

Current Biography

International Who's Who

薛氏的分類,偏重於純傳記的傳記參考資料,而沒有將適當的注意力放在其他參考書中所含的傳記資料上面,因此比較週詳的分類方法,是按照參考書的形式來分類,傳記參考資料的收集,可以比較完整。

2. 依資料形式的分類

(1)　百科全書

百科全書資料中加入傳記,不過近幾十年的事,然而傳記性資料已佔百科全書總篇幅的四分之一,因此百科全書和半百科全書型的參考書,如 The New Century Cyclopedia of Names., 已成爲找尋傳記資料最普通的處所。

百科全書所收集的傳記資料,多半限於基本或主要的事實,如完整姓名、生死時間、出生地、早年情形、所受教育、重要經歷及著作等資料,部份百科全書更加入被傳人的貢獻與評論,最大的百科全書如大英百科全書,所載傳記資料甚多長篇大論章回式的文章。

一般習慣,關於主要角色 (Major figures) 的資料, 多由專家執筆,其資料是由研究而來,稱爲直接資料 (Primary Sources),因此材料的正確性, 很少成爲問題 , 至於次要人物 (Minor figures) 的寫作,大都由編輯部門負責,資料來源多半是間接的 (Secondary Sources),因此使用者爲愼重起見,似有與他種參考書核對的必要。

各種百科全書所收集的傳記資料,不僅範圍、內容、詳簡各有千秋,抑且有地域上的偏愛和重點:
茲將幾種常用的百科全書,列表如下:

百 科 全 書 名 稱	傳 記 資 料 重 點
American Peoples Encyclopedia	運動家、醫生、心理學家、當代文學家、藝術家。
Chamber's Encyclopedia	不甚聞名的英國人士，歐洲大陸人士，尤其是科學家。
Collier's Encyclopedia	語言學家，傳記中仍然生存的人物資料最多。
Columbia Encyclopedia	美國歷史人物、拉丁美洲人物藝術家、社會科學家、聖經人物。
Compton's Pictured Encyclopedia	加拿大人物，兒童讀物的作者及繪圖者。
Encyclopaedia Britannica	英國及歐洲大陸歷史人物。
Encyclopedia Americana	業已死亡的人物，十九、二十世紀的政治家、商業家，甚多加拿大人物。
World Book Encyclopedia	當代政治家、著作家、兒童讀物的繪圖者。

(2) **百科全書補篇和年鑑**

百科全書補篇和年鑑中所收集的傳記資料分爲兩種：

① 該年內死亡的重要人物。② 該年內重要新聞人物。

此類參考書以記載「暫時重要」人物(transient importance)的傳記資料著稱，這類人物的資料，不可能在永久性傳記參考資料中找到。百科全書補篇和年鑑，更登載該年各種「獎勵」得主、外交人員和若干政府官員名單，此類資料在其他參考書中並不多見；因爲資料來源，多半根據直接資料，所以有極高的準確性。

(3)　普通字典和曆書(Almanacs)

此類參考書，祇能供給極有限度的傳記參考資料，款目下僅僅記載若干主要事實如姓名、生死年月、出生地、及少量可供辨識的資料。

在大字典中，傳記資料或與字的界說，混合排列，也有將傳記資料提出，另成單獨部份的。曆書中多數有傳記辭典 (Biographical Glossaries) 專欄，至於各國政府過去與現在的首長、重要官員的名字，祇能在他們所屬的項目下找到，索引中並不排入個別人名。

使用者如果不僅以辨識爲滿足，至少可以自這類參考書中所包含的資料爲出發點，例如字典或曆書指出某人爲西班牙音樂家，使用者如需更多的資料，可進一步的檢查西班牙名人傳或者音樂家辭典。

(4)　傳記字典型

傳記字典可以分爲兩種：

①　普通傳記字典 (General biographical dictionaries)

②　專科傳記字典 (Specialized biographical dictionaries)

普通傳記字典中的款目，在形式上和百科全書相彷彿，其唯一區別，在於普通傳記字典中包含較多的款目而已，換言之，普通傳記字典中收集了較多的人物傳記。

就資料的詳簡來說，各種普通傳記字典各有不同，例如韋氏傳記大字典 (Webster's Biographical Dictionary) 採用簡短款目 (brief entries) 的方針，而當今人物傳記 (Current Biography)

卻編排長篇文字。

由於篇幅廣大，傳記衆多，幾乎所有普通傳記字典中收集到
的資料，都是間接來源 (Secondary sources) ，執筆者也不署
名，因此難免錯誤。此類參考書最大功用，在於核對和比較
若干人物的事實，或作爲進一步找尋資料的指南。

專科傳記字典指某一學科的名人傳記，例如圖書館學的 Who's
Who in Library Service ，數學的 Men of Mathematics 。 這種
參考書的功用，在於找尋次要人物的傳記資料，因爲重要的
專門人物，可以在普通傳記字典或普通 Who's Who 之類的參
考書之中找到資料，另一特徵是資料的正確性是世所公認的。

(5)　Who's Who 型和 Who Was Who 型的傳記參考資料

Who's Who 型的參考書有以地域爲主的，也有以學科爲主的，
前者如 Who's Who in New York
　　　　Who's Who in Modern China
後者如 Who's Who in Library Service
　　　　Who's Who in World Aviation
幾乎所有的 Who's Who 型的參考書的資料都是根據被傳人塡
寫編輯部所發出的一組問題而來，因此取得的資料雖是直接
的資料 (Primary sources) ，但是也是被傳者願意提供的資料，
例如女性的眞實年齡，常無法確定。

此類參考書的另一問題是被傳人的選擇，當然唯有享有盛譽
的人物，才能有入選的資格，不過「盛譽」的衡量 (measur-
ement of repute)，究竟難免受主觀成見的影響。

除去上述二項無法彌補的缺點，Who's Who 型的參考書，仍

然是最具權威性的參考資料。

Who Was Who 型參考書的編製，與 Who's Who 型完全相同，唯一差異是其中的傳記限於業已死亡的人物。通常的情況，Who Was Who 是將 Who's Who 最後一版的資料，加上被傳人死亡的日期而已。（所謂最後一版乃就死亡的被傳人觀點而言）

(6)　**期刊雜誌報紙中，往往可能找到極寶貴的傳記資料**

例如時代雜誌（Time）的封面人物報導，其資料的新穎、完整，遠在所有參考書之上，Time 中傳記資料，決不限於封面故事（cover story），自不待言。期刊中的傳記資料，往往屬於新聞人物方面，在永久參考書中很難找到，在永久參考書能找到的資料，也遠不及期刊雜誌報導來得詳盡。

報紙中最主要的為紐約時報，此一報紙的每年索引（New York Times Index）中，刊有當年死亡名人表，略有重要性人物之死亡，均不能逃避紐約時報的收集，此種收集遍及世界各角落，因此查詢某人是否仍然生存，紐約時報索引實為最準確的資料來源。

另一寶貴的參考工具是 Facts on File，此一出版物除記載死之消息以外，並且登錄重要人物每月活動（day by day activ-ities）。

以上所舉無非兩個例子而已，期刊雜誌報紙雖為傳記資料主要來源，但先決條件是這些出版物必需是裝訂成冊的，必需有可靠的索引。

(7) 機關會員錄，手册及課本

機關手册、會員錄中的資料，如會員名單、會員住址、主要
職員他的簡傳，都是通常參考書 (Conventional Sources) 中所
找不到的。

課本 (Textbook) 本不是找尋傳記資料的主要工具，而且其中
即令有若干傳記資料，也通常不包括主要事實如：出生地、
家庭、住址、生死年月等，但是論及人物（尤其學者，專家）
的成就，學術上的貢獻，課本中不乏比較通常參考書更充份
之資料。

四、利用傳記參考資料應行注意事項

1. 讀者對被傳人國籍不清楚則查詢一般性或國際性傳記字典。

2. 讀者已知被傳人國籍則查詢國家傳記字典。

3. 讀者已知被傳人死亡則查追溯性傳記字典 (Retrospective Biograp-
   hical Sources)。

4. 讀者確知被傳人尚健在則查詢當前或新穎之傳記字典 (Current
   Reference Sources)。

5. 讀者已知被傳人專長或專業則查該一行業的專門性傳記資料❶。

---

❶ Cheney, Frances Neel. Fundermental Reference Sources. Chicago:
   A.L.A., 1971 p. 77.

五、主要傳記索引

若干大出版社爲其刊出整套索引編製索引總集：Index Series，例如：

H. W. Wilson Company 之

Index to the Wilson Authors Series.

Gale Research Company 之

Biography and Genealogy Master Index,

Author Biographies Master Index,

Journalist Biographies Master Index,

Performing Arts Biography Master Index,

Writers for Young Adults:

Biographies Master Index,

Historical Biographical Dictionaries Master Index,

Children's Authors and Illustrators: An Index to Biographical

Dictionaries, 3rd ed.

160. **Biography and Genealogy Master Index.** Gale Research

Company 1943 ISBN 0-8103-7605-9.

Biography and Genealogy Master Index. 簡稱 BGMI，其第一版原名爲 Biographical Dictionary Master Index 計 3V.，於 1975-6 年出版。

每一款目包括姓名、出生年月及指出資料出處 (source) 的代碼 (code)。

本書第二版（1980 年出版）計 8 册，共 6,000 頁，收集 350　種傳記字典（如 Who's Who in America, American and Women of Science）中資料約 320 萬引用文獻（citations）。

由於 BCMI 引用（cites）經過索引處理的書刊中所載的全部資料，使用者可以查出某一人物的傳記是否登載在經過索引處理某一書刊之內。

此一索引，爲一逐年出版的連續出版品，並有若干跨年彙積本，經 Book in Prin 收集者在二十卷以上，玆依年代次序，並以彙積本取代年刊列舉如下：

Biography & Genealogy Master Index, 8 vols. 2nd ed. 5860p. 1981.
(0-8103-1094-5)

Biography & Genealogy Master Index, 1981-85, 5 vols. (0-8103-1506-8)

Biography & Genealogy Master Index, 1986-1990: Cumulation of Supplements 3 vols. (0-8103-4803-9)

Biography & Genealogy Master Index, 91-95 Cumulation, 3 vols. 1994. (0-8103-5516-7)

Biography & Genealogy Master Index, 91-95 Cumulation, vols. 1994. (0-8103-8343-8)

Biography & Genealogy Master Index, 91-95 Cumulation, vols.　2. 1994. (0-8103-8344-6)

Biography & Genealogy Master Index, 91-95 Cumulation, vols.　3. 1994. (0-8103-8345-4)

在傳記索引之中，最重要兩種爲：

1.　Biography & Genealogy Master Index　其編製的目的在於檢索傳記

字典以及傳記指南中的資料。

2. Biography Index 的作用則在於追踪期刊學報及若干傳記圖書中的資料。

BGMI 中所收集者大部分爲健在人物的傳記資料，因此查詢歷史上人物的資料時，還應該查詢其他追溯性傳記索引， 例如 Who Was Who ，至於 Biography Index 請參見第六章索引。

161. **Index to Marquis Who's Who Books 1992.** Marquis Who's Who, 496pp. ISBN 0-8379-1429-9.

Marquis 是以出版 Who's Who 型傳記參考資料聞名於世的，其出版品如 Who's Who in America 以及其四個分區 (Regional) 傳記， Who's Who in the World, American Law, Entertainment Finance and Industry; Who's Who of Emerging Leaders in America ，等 11 種傳記，參工具書收集傳記在 280,000 人以上，有此一册在手可以節省檢索時間。

在傳記索引中最主要的仍然是 Biography and Genealogy Master Index (BGM). Gale 出版，其 1986-1990 版可以檢索在 250 種傳記工具書中的 200 萬傳記。

六、傳記字典（一般性）

162. **Cambridge Biographical Dictionary.** Cambridge University Press, 1990. ISBN 0-521-39518-6.

Cambridge Biographical Dictionary 原名 Chamber's Biographical

Dictionary 於 1897 年初版，經過多次增訂與修正。

與本書性質編製近似之書爲 Webster's New Biographical Dictionary。

Cambridge 收集 19,000 人士的傳記，Webster's 則收集約 30,000 人士的傳記，二書皆重視十九及二十世紀的資料，而收集傳記都以英美人物爲主。然而質勝於量，此二書的不同之處如下：

1. Webster's 僅提供主要事實。

   Cambridge 提供主要資料較 Webster 充實。

2. Webster's 只有參考功用，而無閱讀可能。

   Cambridge 除參考功用外，可讀性極高，因爲增加嚴格的評價和人間的興趣（Human Interest）。

3. Webster's 很少作大幅修正，最新版次爲 1988 年。

   Cambridge 資料新穎，正確可靠。此次討論者爲 1990 年版。

本版特點在於增加運動，演藝人員及音樂家等有較多讀者感覺到興趣（popular areas）的行業，但限於篇幅，其選擇的標準有時難免是主觀的。

在參考室中，專業館員應該將 Cambridge 和 Webster 兩部傳記字典配合使用。

163. Webster's New Biographical Dictionary. Merriam-Webster, 1988. ISBN 0-87779-543-6.

Webster's New Biographical Dictionary 是標準傳記型參考書之一，收集人類有史 5,000 年以來 30,000 名重要人物傳記，編輯部份在序文中指稱最早的一人是埃及國王 Menes,（king of Egypt c.3100 B.C.,），其款目甚短約與 Who's Who 型傳記字典類似。

在本版（ 1988 ）以前，這部重要的參考工具書的書名是 Webster's Biographical Dictionary 書名加上“ New ”字以後最大的改變是不再收集仍然生存人物的傳記，一方面因為其他主要傳記參考資料如 Who's Who, Current Biography, 參鑑等已經相當完善，另一方面要追踪這些現代名人不斷變動，新穎的資料並非易事，筆者認為 WNBD 集中精力注重歷史上有成就人物的決策是明智之舉。

雖然編者自稱現版已經加強對亞洲、非洲第三世界的傳記資料，但是仍然以英、美國籍人士較受重視，對於我國的歷史偉人，WNBD 採用韋傑士羅馬拼音 (Wade -Giles transliterations) 及姓名以全名作為單元處理 (Chinese names have been treated as units and printed entirely in boldface)，這是因為我國文化條件優越，中國人的姓名最少兩字，最多四字不像其他文化複雜，若干姓名不知道姓在那裏開始，名在何處截止。

此一傳記字典的主要功用為：

1. 辨識。
2. 追查若干同姓名人士的家族關係。
3. 如果需要查詢的人物，較有名氣而且多半業已死亡，此一傳記字典應為首先查詢之處。

本書的缺點如下：

1. 不作大幅修正，資料新穎程度不夠。
2. 款目過於簡略，毫無可讀性，此點遠不及 Cambridge Biographical Dictionary （原名 Chamber's Biographical Dictionary。）

Webster's new biographical dictionary 有兩點特徵：

1. 大部份被傳者的姓名之後都加注一行敍述或形容文字，對辨識極為有益，在文稱為 Ascriptive identifier ，例如：

Paul Saint Ist cent'ry A.D.

One of the twelve Christian apostles.

2. 在每一傳記款目之下，除一般性資料，如生死年月業等之外，還加入其成就和對後世的影響。

七、國際性傳記字典

164. Almanac of Famous People Gale Research Inc. 1989. 3v. ISBN 0-8103-2784-8. ISSN:1040-127X.

Almanac of Famous People 過去名稱爲 Biography Almanac 。

編者認爲書名中引用 Famous 一字更能顯示此一出版品內容的特徵，但是他們所謂的 Famous 既無限制又缺乏定義，標準和規則 (Fame has neither limitations nor definitions, standards nor rule)很難使讀者體會，在序文中也引用了 " 成就 " " made it " 字樣， 比較容易爲人接受。

Almanac of Famous People 收集了自聖經時代 (Biblical times)一直到現在 25,000 名新聞人物的傳記資料，每一被傳人款目之下都有簡短幾個字或一句話 (a one-line descriptor)以形容這位人物的特色。例如：前英國首相柴契爾夫人即以 " 鐵娘子 " 字樣爲形容詞。

Thatcher, Margaret Hilda Roberts
"Iron Lady"
English. Political Leader
Conservative Party leader, 1975--;
  prime minister of Britain, May 1979-.
b. Oct 13, 1925 in Grantham, England
Source: *Cur Bio 75; Int Dc WB; Int WW 86; New YTBS 75, 79, 83; Who 87; Who Wor 87*

本書有三卷：

V.1 　傳記人物　　Ａ— Ｉ

引用資料代碼的字鍵 Key to Source Codes

AlmAP 　　　*The Almanac of American Politics.* The senators, the representatives, the governors--their records, states, and districts. By Michael Barone, Grant Ujifusa, and Douglas Matthews. New York: E.P. Dutton, 1977, 1979.

↓　　　　　　　　　　↓

代碼（Code）　　　經過索引的圖書（Book Indexed）

V.2 　傳記人物　　Ｊ— Ｚ

引用資料代碼（Source Codes）

V.3 　時間索引

地區索引

　●美國（以下依州、都市次序排列）。

　●加拿大。

　●其他國家（依國家字母順序，再依都市字母順序排列）。

職業索引

165. **The International Who's Who 1992-1993.** Europa Publications; ISBN 0-946653-84-4.

The International Who's Who 於 1935 年發行初版。　本書第 56 版（1992-1993）收集全世界各處 20,000　名人的傳記資料，其中 1,200 人初次出現。

其選擇被傳人選是根據：

1.　個人成就與聲望　　　　（merit）

2.　使用者繼續不斷的興趣（Continuous Interest）

3.　重要性　（Importance）

憑着多年來的公正聲譽，其由問卷所得的資料，編製成爲本書，筆者認爲難能可貴，但是書評專家的立場一向是採取「春秋責備賢者」的態度，認爲在人選上略嫌偏重西方國家，但是並不是每一個國家都出版自己的Who's Who的，即令有這種國家集體傳記也不見得按年出版。 International Who's Who 的出現彌補了這個缺憾。

使用者查詢各君主國家王室的資料及最近國際間謝世重要人員的訃聞，本書爲首先查閱的參考資料。

166． **Who's Who in the World.** 1993-1994． 11th ed． Bowker-Saur 1240pp． ISBN 0-8379-1111-7.

本書收集 31,000 著名人士的傳記資料，根據出版公司Marquis的傳統，資料簡單扼要容易瞭解。

每一款目包含姓名、職位、教育、婚姻、經歷、宗教信仰、社會活動（civic activities）、住址，此外並附有被傳者著作書目（如果此人有著作發表）。

本書所收集的傳記很少與 International Who's Who 重複但與Who's Who in America 近似，被傳者全部爲健在的人士，由於沒有注明在前一版死亡的人士，使用者最好同時查閱Who's Was Who 及 Who's Was Who in America 之類的資料，以免鬧出笑話。

八、國別傳記

167．Who's Who China: Current Leaders. Beijing, Foreign Languages Press. 1989. 1126p. ISBN 0-8351-2352-9.

　　此一傳記是一部同時以中、英兩種文字編寫而成的參考資料，主編者是 Who's Who in China 的編輯委員會。

　　我國旅美傑出學人李華偉博士在書評中指出這部重要的參考工具書提供了中央、地方政府，政黨以及軍方的傳記資料，每一款目都收集了完整的被傳人資料和像片。

　　本書的特徵有：

1. 中文部份使用傳統中國文字而不用簡體字。
2. 主要機關和負責人的表格。
3. 中文姓名索引。
4. 被傳人依職務行業的分類 categories 。

168．Who's Who in the People's Republic of China. 3rd. ed. K.G. Saur 1991 2v. 900p. ISBN 3-598-10771-4.

　　Who's Who in the People's Republic of China 的主編是 Wolfgang Bartke 他是中國研究權威，同時也是 A Biographical Dictionary and Analysis of China's Party Leadership 1922-1988 主編。

　　本書的第三版收集 4,100 名當前中國大陸政治、文化等方面領導人物的傳記資料，其中半數是新增加的人物，2,400 名傳記附有像片。

　　我國旅美學人，圖書館學專家李華偉博士在書評中將本書與 Who's Who in China Current Leaders 作一比較，他指出此一出版品有多出一倍的款目，資料的收集較爲廣泛，同時包括在朝及在野人士。

169. A Biographical Dictionary and Analysis of China's Party Leadership 1922-1988. K.G. Saur 1990/530pp. ISBN 3-598-10876-1.

　　本書主編是中國通 Wolfgang Bartke Who's Who in the People's Republic of China 是他另外一部重要出版品。

　　在組織上，本書分爲兩大部份：

1. 介紹 CCP's 2nd to 13th Central Committees 1094 名中央委員的資料。每一款目包括：
   - 出生地及時間。
   - 家長背景。
   - 在國內外所受教育。
   - 軍方資歷。
   - 政治經歷。
   - 1949 年以前所擔任的職務。

2. 分析從 1927 年到現在中央政治局的 (Politburo) 男女成員 106 名。其內容爲：
   - 中央政治局委員名單。
   - 中央常務委員會名單。
   - 年齡分析。
   - 國外教育情形。
   - 軍方領袖等。

170. Contemporary Newsmakers. Gale Research Company, 1984.

Contemporary Newsmakers 爲一季刊，有每年彙積本，自1984年一月起開始接受訂購，簡稱 CN。

CN 爲 Contemporary Authors (CA) 的姊妹作，兩書的格局完全相同，所不同者在於 CA 收集對象爲作家，而 CN 收集者爲新聞人物。

CN 每一期約 125～150p，收集約 75 名有參考價值的新聞人物的記資料。

CN 與 Current Biography 並不衝突，一則後者每年只收集 130 人的傳記，而 CN 則收集 300 人的傳記，再則已在 Current Biography 中出現的資料，CN 即不再收集。

每一款目資料第一部份爲個人性的，包括出生地點、年月、家庭情況、教育背景、宗教信仰、政治立場及住址電話。第二部份爲職業及專業資料，包括所屬會社組織。第三部份爲被傳者的感想和意見，爲本書有閱讀價值部份，稱爲 Sidelights。第四部份提供期刊報紙及書籍的目錄，以便讀者找尋更多的資料。

171． Current Biography. 1940. H.W. Wilson ISSN 0011-3344.

Current Biography 平均每期刊載約十五篇傳記文字，附有被傳人照片，其資料取材於報紙、期刊、書籍，加之被傳者自行填寫的問卷（autobiographical questionnaires），每篇字數約 2,500-3,000 字左右，其寫作方式並不限於一定的格局，故內容生動、活潑、可讀性極高。

傳記對象不限於美國人物，但這些被傳人都是對美國情勢有或多或少影響的人物 (Influencing the American Scene)。

款目內容包括：

姓名。

出生時間。

專業。

生活及經歷。

被傳人觀點、態度及意見。

新聞界、同事對被傳人的觀察。

參考資料。

此一出版品的特徵為：

- 每年出版 11 期（十二月除外）。
- 死亡被傳者的名單。
- 每期均有彙積索列。
- 每期均載有以前期別修正資料。

（例如 Current Biography 1990 即載有我國旅美學人名建築師
貝聿銘 I.M. Pei 的新增加資料）。

172. Current Biography Yearbook 1992. H. W. Wilson 700pp.
approx. 1991 ISSN 0084-9499.

Current Biography Yearbook 每年 12 月出版，將一年中 11 冊的
Current Biography 彙積於一冊，資料均經修正。

本期年鑑的特色之一是將十年內的 Current Biography 文字彙編成
一個總的索引，附有參考書目以及依據專業編製的分類索引。

173. Current Biography Cumulated Index 1940-1990. H. W.
Wilson ISBN 0-8242-0819-6.

提供 20,000 傳記的索引。

此一彙積索引將 50 年間（ 1940-1990 ）所有 Current Biography論文的對象，逝世人物及修正項目集中於一册，以節省使用者檢索的時間。

174. **Dictionary of American Biography.** The Concise Dictionary of American Biography Charles Scribner's Sons.

Dictionary of American Biography 簡稱 D.A.B.。

此書等於美國國家傳記（ National Biography ）爲美國學術團體聯合會 American Council of Learned Societies 監製。

D.A.B. 1974 共 1 卷，另加 8 卷補篇（ 舊版爲 21 册 ）。

收集重要美國人士的傳記，其收集條件有二：

1. 在 1935 年以前死亡的人士收集在前 1v.，， 1965 年以前死亡的人士則收集在 8 個補篇之中。

2. 必需是居留在美國有相當時期者。

D.A.B. 的編製完全仿效 D.N.B. ，其文字是公正的，材料的正確性更無問題，此書有六種索引：

1. 被傳人的字順索引，附執筆者姓名。

2. 執筆者的字順索引，及所寫傳記的人名。

3. 被傳人的出生地索引，(1)依州別，(2)依國名(外國出生的美國人)。

4. 被傳人受教育的學校。

5. 被傳人的職業索引。

6. 論題 (Topics) 索引——爲一種分析索引，將被傳人的特殊事實或與被傳人有關的主題。例如：門羅主義、新政。

為 D.A.B. 執筆的共有 3,000 位專家學者,文字長短不一,但生動活潑令人不忍釋手。

175. **Dictionary of American Biography. Supplement Eight:**
    1966-1970. ISBN 0-684-18618-7.

1988 年出版,收集 454 個傳記,其中女姓約為 15%,使女姓大為不滿,因而促成了 Notable American Women, 1607-1950 的出版。

176. **Dictionary of American Biography. Comprehensive Indcx:**
    Complete through Supplement Eight. 1990 1001p. ISBN
    0-684-19114-8.

將本篇 11v.及以後陸續出版的 8 冊補篇彙積成為一冊總的索引,檢索資料,極為便利。

177. **The Concise Dictionary of American Biography.** 1990
    1536p. ISBN 0-684-19188-1.

包含 17,000 傳記款目,規模較少的圖書館可購置以代替 D.A.B. 本篇。但 Concise D.A.B. 只能作快速參考用,作為研究工具仍嫌不足。

178. **Who's Who in America 1992-1993.** Marquis, biennial
    47th Edition 1992/c.4,032pp. ISBN 0-8379-0147-2.

Who's Who in America 每兩年出版一次，目前已刊出第 47 版，此一主要的傳記參考書收集資料的條件如下：（見選擇標準 "Standards of Admission"）

1. 基於被傳人的成就和貢獻。

2. 基於被傳人的職位和聲望。

　　款目內容包括：

　　　　姓名、職業、父母、婚姻、子女、教育、經歷、寫作、政治
　　　　活動、獎勵、會社、宗教、住址、辦公地點等項。

　　其資料係根據被傳者填寫問卷（questionnaire）而取得，自 1978 年起被傳人中部份人士並被要求填寫「生活觀感」（Thoughts on my life）的資料。

　　本書幾乎等於美國國家傳記，但也包括若干與美國利益和興趣有關的國際人士，共 79,000 人。

　　曾經列傳 Who's Who in America 的人士，死亡後，自然的列入 Who Was Who in America。

179. **Who's Who in America 1992-1993 Geographic/Professional Index.** Marquis 1992/c. 486pp. ISBN 0-8379-1507 -4.

　　此一重要的索引分為兩大部份：

1. 地區索引。（依國別、州、縣市次序）

2. 專業索引。

　　將專業細分為 39 個範圍如藝術、工程、科技等。為了找尋某一專業的頂尖人物，此一索引極為有用。

180. **Who's Who in America Junior and Senior High School Version**. Marquis.

此一專供中學生檢索的Who's Who in America 共 8 卷，分兩次刊出。

> Volumes 1-4, 1989-1991
> • Science & Technology
> • Politics & Government
> • Sports
> • Entertainment

ISBN   1989/2,464pp./4-vol. set

0-8379-1250-4.

> Volumes 5-8, 1991-1993
> • Business & Industry
> • Literary Arts
> • Visual Arts
> • World Leaders & Name
>   Index

ISBN   1991/2,204pp./4-vol. set.

0-8379-1251-2.

181. **Who Was Who in America**. Marquis ISBN 0-8379-0219-3.

本書在實質上是Who's Who in America 的補篇，因爲其資料的來源是列名於後者的死亡人士。

就款目內容而論，Who Was Who in America 移用Who's Who in America 最後一期的資料（就死亡的被傳者而言），在被傳者的出生

日期之後加上死亡日期而已，列入 Who Was Who in America 的傳記同時也自新版 Who's Who in America 中撤銷款目，因此兩書要配合使用。

本書最新一卷包含過去所有卷冊的索引，因此運用本書必需從最後一卷開始查閱。

本書編排次序頗為奇特，其創刊號即基礎號 1607-1896 在本書中稱為歷史號 (Historical Volume)，不算 v.1 （在其他出版公司如 H.W. Wilson 必然稱 1607-1896 一卷為基礎號 (Basic Volumer)，而將 1897-1942 稱為 v.2 ）此點使用者必需注意，因為很容易誤認此一套書到目前為止只有 7 卷，或是遺漏 1607-1896 的基礎號。

至 1989 年止 Who Was Who in America 已收集 117,000 名美國死亡名人的資料，其出版的套書共 11 冊。

Historical Volume (1607-1896)
1966/702 pp.
0-8379-0200-2/£46.00

Volume I (1897-1942)
1966/1,408 pp.
0-8379-0201-0/£46.00

Volume II (1943-1950)
1966/614 pp.
0-8379-0206-1/£46.00

Volume III (1950-1960)
1966/959 pp.
0-8379-0203-7/£46.00

Volume IV (1961-1968)
1969/1,236 pp.
0-8379-0204-5/£46.00

Volume V (1969-1973)
1974/1,031 pp.
0-8379-0205-3/£46.00

Volume VI (1974-1976)
1976/673 pp.
0-8379-0207-X/£46.00

Volume VII (1977-1981)

1981/636 pp.
0-8379-0210-X/£46.00

Volume VIII (1982-1985)
1985/441 pp.
0-8379-0214-2/£46.00

Volume IX (1985-1989)
1989/392 pp.
0-8379-0217-7/£46.00

Index Volume (1607-1989)
0-8379-0218-5/£24.00

182．Who's Who of Emerging Leaders in America 1993-1994 4th.ed. ISBN 0-8379-7203-5.

本書提供 20,000 名在美國社會中力爭上游的青年才俊資料，這些「明日之星」已經在各行各業嶄露頭角，編輯部門在序文中指出「由於他們目前位居要津而且成就卓著，因此我們把他們看成潛優的未來領袖」所謂「他們」，平均年齡在 30 — 50 歲之間。

本書的結構與Who's Who 型的參考工具書類似。

書評對於本書的選擇被傳對象缺乏一定標準頗有微言，並且質問既然已有Who's Who in American Law，本書將地區法官收集在傳記之中有無必要，這種意見筆者不敢苟同，我認爲本書強調「世代交替」的觀念值得讚揚，同時爲物色適當人選，借重諮詢顧問，專業組織會議找尋演講人或論文寫作人，本書都有極大功用。

183．Who's Who in American Politics 1991-92. R.R. Bowker 13th. ed. 1997p. 2v. ISBN 0-8352-3012-0.

本書爲唯一討論美國政治決策者， 從總統到基層的指南 ， 收集

25,000 從政人員的傳記資料，每一款目列舉被傳人之：

黨籍。

出生地及時間。

家庭。（父母、配偶、子女）

教育。

經歷。

著作。

投票地址、通訊地址。

在文部份，列舉總統、內閣、國會議員、州長及每州之政黨主席。

184. **The Dictionary of National Biography.** Oxford University Press.

Dictionary of National Biograph 簡稱 D.N.B.。

本書爲世界上最大的傳記字典，其篇幅約等於 D.A.B. 的兩倍，D.A.B. 即以本書爲模式而刊行。

此一偉大的集體傳記於 1882 年由 George Smith 創辦，其主編爲 Sir Leslie Stephen and Sir Sidney Lee,據 Bohdan S. wynar 考證，Stephen 是爲了編輯這套大書貢獻最卓越的人，他個人執筆的傳記有 820 人，佔篇幅 1,370 頁之多。在 1901 年時爲止，此一套書共推出 22v. 其字順分配如下：

1.	Vols.	1-3	Abbadie-Beadon	1885	年出版
2.	”	4-6	Beal-Browell	1885-6	″
3.	”	7-9	Brown-Chaloner	1886-7	″

4.	″	10-12	Chamber-Craigie	1887.	年出版
5.	″	13-15	Craik-Drake	1888.	″
6.	″	16-18	Drant-Finan	1888-9.	″
7.	″	19-21	Finch-Gloucester	1889-90.	″
8.	″	22-24	Glover-Harriott	1890.	″
9.	″	25-27	Harris-Hovenden	1891.	″
10.	″	28-30	Howard-Kenneth	1891-2.	″
11.	″	31-33	Kennett-Lluelyn	1892-3.	″
12.	″	34-36	Llwyd-Mason	1893.	″
13.	″	37-39	Masquerier-Myles	1894.	″
14.	″	40-42	Myllar-Owen	1894-5.	″
15.	″	43-45	Owens-Pockrich	1895-6.	″
16.	″	46-48	Pocock-Robins	1896.	″
17.	″	49-51	Robinson-Sheares	1897.	″
18.	″	52-54	Shearman-Stovin	1897-8.	″
19.	″	55-57	Stow-Tytler	1898-9.	″
20.	″	58-60	Ubaldini-Whewell	1899.	″
21.	″	61-63	Whichcord-Zuylestein	1900.	″
22.	″	64-66	Supplement	1901.	″

　　被傳者都是在各行各業中 (in all walks of life)出人頭地，業已死亡的英國人士，共達33,000人。 其資料不厭求詳，莎士比亞的款目竟長達49頁（培根32頁，威寧頓公爵34頁）。

　　D.N.B. 每一款目均經執筆者簽字，文字敍述均註明資料來源，並附有參考書目。

D.N.B.爲連續出版品，過去每十年出版一次，DNB 1941-1950
刊載 1901-1950 間所有 D.N.B. 的彙積索引。

185. Dictionary of Nattional Biography 1971-1980. ISBN
　　　　0-19-8652089.

主編 Lord Blake 在序文中長談撰稿人的困難以及物色執筆者的艱
辛，他說知識和公正是寫作 D.N.B. 款目的兩大條件，Lord Blake 的
成績極爲卓著，受他號召而動筆的學人之中竟有三人曾經擔任英國首
相。

186. The Dictionary of National Biography 1981-1985. ISBN
　　　　0-19-865210-0.

自本卷開始 DNB 每 5 年出新版一次，其彙積索引將 20 世紀 8 版
DNB 的款目集中，使得檢索便利不少。

其中被傳人 Sir Robert Meyer (1879-1985) 可能是年齡活得最長久
的一人，他是著名音樂家，在他一百歲時，出版一本自傳紀念自己，
這本自傳書名是「我的第一個一百年」(My First Hundred Years) ❷。

187. Concise Dictionary of National Biography, 1992 3v.
　　　　IVBN 0-19-965305-0.

---

❷ Bohdan S. Wynar Best Reference Books 1970-1980 Libraries
　　Unlimited 1981 p.45.

是專爲較小規模圖書館編製的其內容爲正編 22v．及到 19．DNB
的傳記摘要，約 30,000 款目，在簡篇中，只提供生死年月、日期、教
育，主要經歷和成就（偶而列著作），無主題及職業索引，但是其正
確性及素質是毋庸懷疑的。

188．**Who's Who.** London: A. & C. Black Ltd, 1849. annual
　　　1992 ISBN 0-312-07573-8.

　　Who's Who 是此一類型，即所有各型各色的Who's Who 中最資深
的一種，第一卷於 1849 出版，當時不過是一份人名單而已，到 1897
年才開始建立現在的形式。

　　因爲英國首先出版 Who's Who，其他國家出版 Who's Who 型的書
籍，只好加上國名或地名。例如：

　　　Who's Who in Italy.

　　　Who's Who in Latin America.

　　Who's Who 是健在的人的傳記，在英國皇室資料之後依字順排列
傳記款目。被傳者絕大多數爲英國有頭有臉的人士，由於個人成就與
貢獻，乃以問卷取得這些人物的資料，大英國協的重要人員也包括在
內，偶爾也包括其他國家的領袖。

　　列名 Who's Who 的人物死亡後款目即行撤銷，移送與 Who Was
Who。

　　本書爲一年刊。

189．**Who Was Who.** London: A & C. Black Ltd, 1920.

　　本書爲Who's　Who 的補篇，凡登載於Who's　Who 上的人物死亡後，傳記即轉載於本書之中，傳記資料加入被傳人死亡的日期。業已出版者爲：

v.1	1897-1915	於 1920 年出版
v.2	1916-1928	於 1929 年出版
v.3	1929-1940	於 1941 年出版
v.4	1941-2950	於 1952 年出版
v.5	1951-1960	於 1962 年出版
v.6	1961-1970	於 1971 年出版
v.7	1971-1980	於 1981 年出版
v.8	1981-1990	於 1991 年出版

190． 其彙積索引爲 **A Cumulated Index to Who Was Who, 1897-1990.** St. Martins Press. 1991. 801p. ISBN 0-312-06817-4.

191． Who's Who of Southern Africa . Pa. Taylor & Francis, 1989. 674p. ISSN 0083-9876.

　　本書內容：Republic of South Africa 其他非洲南部國家如 Botswana, Mauritius, Namibia, Swaziland, and Zimbabwe 但顯然資料的重點在於南非共和國，實質上，本書提供甚多傳記以外的資訊，例如大學的行政部門和教授、外國使節等。
　　由於南非共和國是我國主要友邦，對於南非的參考工具書。圖書館參考服務單位應該特別重視，建議使用者同時參考 Who's　Who in

South African Politics 4th. ed. 1993 。

192. Who's Who in South African Politics. R. R. Bowker
4th Edition 1993 368pp. ISBN 1-873836-00-0.

　　本書爲活躍於南非共和國政 130 名主要人物的傳記，每一被傳人款目除了列舉基本資料外，還提供平均 1,200 字的文字以增加讀者對被傳人的認識。

　　由於南非政局瞬息萬變，本書第四版修正了 80 個原有款目，並加 50 個全新款目，其保持資料新款的努力值得欣賞，但讀者仍應時常注意報刊新聞以補本書之不足，同時也應參照 Who's Who of Southern African 。

九、專門人才傳記

作　家

The Wilson Authors Serles.

　　The wilson Authors Series 包括傳記出版品 12 種，都是作家的傳記資料，所謂「作家」(Author)並不限於文藝作品的作者，歷史學家、哲學家、神學家、新聞記者，甚至科學家也包括在內，只要他們的寫作能啓發大眾興趣，而且具有相當的影響力，換言之選擇的標準有的是依學術價值，有的是看受歡迎的程度。

　　每一款目除有關此一作家的傳記（或自傳）性資料外，尚有對此

作家作品品評的文字。款目之後附有此一作家作品的書目，及評論此
一作家作品的書目。

這 12 種傳記是：

> World Authors　1950-1970
>
> World Authors　1970-1975
>
> World Authors　1975-1980
>
> World Authors　1980-1985
>
> World Authors　1980-1990
>
> American Authors 1600-1900
>
> Twentieth Century Authors
>
> Twentieth Century Authors　First Supplement
>
> British Authors Before 1800
>
> British Authors of the Nineteenth Centurg
>
> European Authors 1000-1900
>
> Greek and Latin Authors 800 B.C-A.D 1000

由於這 12 種傳記各有其地區和時間的範圍，過去都是被看成獨
立的出版品，Wilson Co 於 1991 年修正出版。

Index to the Wilson Authors Series. H.W. Wilson. 104pp.
1991　ISBN　0-8242-0820-0.

將這 12 種傳記中 9,000　名被傳人的資料串連起來，減少使用者
檢索的時間，同時也加強了這 11 種傳記的使用功能。

193. World Authors 1950-1970. H. W. Wilson 1,593pp.　1975

ISBN 0-8242-0429-0.

收集 950 名作家的傳記與自傳資料。

這些作家是在 1950-1970 年間成名的（他們的作品必需是用英文書寫的）。

本書原來編著的目的是作爲 Twentieth Century Authors 的姊妹篇 (A Companion Volume)。

194. World Authors 1970-1975. H. W. Wilson 893pp. 1980 ISBN 0-8242-0641-X.

收集 348 名作家的傳記與自傳資料。

這些作家是在 1970-1975 年間成名的（他們的作品必需是用英文書寫的）。

195. World Authors 1975-1980. H. W. Wilson 831pp. 1985 ISBN 0-8242-0715-7.

收集 379 名作家的傳記與自傳資料。

這些作家是 1970 年代成名的。（他們的作品必需是用英文書寫的）

196. World Authors 1980-1990. H. W. Wilson. 938 pp. 1991 ISBN 0-8242-0797-1.

收集 320 名作家的傳記與自傳資料（他們的作品必需是用英文書寫的）。這些作家都是近來成名的。

197. American Authors 1600-1900. A Biographical Dictionary of American Literature. H.W. Wilson Company, 846pp. 1938(8th printing, 1977). ISBN 0-8242-0001-2.

American Authors: 1600-1900 收集 1,300 名美國作家的傳記資料，款目長短不一，由 150 字至 2,500 字不等。本書對所謂「作家」從寬解釋，除眞正的文藝作家外，還包括有重要著作的政治家，教育家及宗教領袖。

從美國殖民時代開始到十九世紀末期，這些作家對於美國文藝的發展有卓越的貢獻。

在傳記款目中包括主要作品目錄，傳記及評論文字來源的書目，肖像約 400 幅。

198. Twentieth Century Authors H.W. Wilson Company, 1942 (7th printing, 1973) ISBN 0-8242-0049-7.

本書收集 1,850 名作家的傳記性資料（間有自傳型），這些文學作家來自世界各處，但是他們的作品必需是以英文寫作而成的。他們在 1900 與 1942 年之間在國際文壇活躍。

每一款目均附有此一作家作品的書目，以及評論此一作家作品的書目。

本書附作者肖像計 1,700 幅。

199. Twentieth Century Authors, First Supplement, 1955 (5th printing 1979) ISBN 0-8242-0050-0.

本書第一補篇收集 700 名作家的傳記性資料（間有自傳型），這些作家都是在 1942 年以後成名的（請注意本書於 1942 年初版）。

正篇中款目如有修正之處，以互見指引第一補篇款目。格局與正篇完全相同，附有肖像 670 幅。

200．British Authors Before 1800．H. W. Wilson Company，1952（4th printing, 1965）ISBN 0-8242-0006-3．

本書收集英國最早的著作至 Cowper 及 Burns 時代爲止的 50 名作家的傳記資料。

每一款目附該作家的主要著作書目，傳記性與評論性的參考書目，並有 220 幅作者肖像。

British Authors of the Nineteenth Century H. W. Wilson Company. 1936（7th printing, 1973）ISBN 0-8242-0007-1．

本書爲 British Authors Before 1800 的姊妹作，收集 19 世紀的英國作家 1,000 名，由 William Blake 到 Aubrey Beardsley 的傳記資料。

本書所謂的「作者」並不限於文藝作家，各種知識的著作對於該項學術的發展有重大貢獻者，其作者也收容於本書之中。

每一款目均附有作品目錄，傳記性及評論性著作的目錄，並有 350 幅肖像。

201．European Authors: 1000-1900．H. W. Wilson Company 1967（2nd printing, 1968）．ISBN 0-8242-0013-6．

　　本書收集 967 名歐洲大陸作家的傳記資料，每篇篇幅由 350 字至 2,500 字不等。其內容極爲精采，敍述這些作家成名的細節，以及在何種情勢之下寫出他們的作品，更進一步的說明這些作家在歷史上以及當今的地位。

　　本書附有肖像 309 幅，此 350 名作家的著作目錄，及出版日。

202. Greek and Latin Authors 800 B.C.-A.D. 1000　492 pp. 1980 ISBN 0-8242-0640-1.

　　本書收集從荷馬到中世紀 From Homer through the Middle Ages 376 名古典作家的簡短傳記資料。

　　附錄中有依世紀將作家排列的時代索引。

203. Facts About the Presidents. H. W. Wilson. Fifth Edition 419pp. 1989 ISBN 0-8242-0774-2.

　　Facts About the Presidents　提供從華盛頓到布希兩百年來美國總統的資料。

　　本書分爲二部：

1. 由四十個章回組成，將美國總統——由華盛頓至雷根——分別介紹，資料極爲豐富，包括他們的生活、家庭、事業及行政。

2. 所收集的資料使讀者能很輕易將每一位總統的背景和他的成就作一比較，附帶的資料爲每一屆國會的政黨控制情況、行政部門首長、每次大選的結果、選舉人票及全民投票的數字，每次大選總統候選人的名單等資料。

此書除參考價值外，可讀性亦極高。

204. **Speeches of the American Presidents**. H. W. Wilson.
820pp. 1988 ISBN 0-8242-0761-0.

Speeches of the American Presidents 提供美國 40 位先後任總統
180 次主要演說的資料。例如：

亞當士 "聯邦政府的性質"

　　　 ▲ Adams "The Nature of the Federal Government"

林　肯 "蓋特斯堡演說"

　　　 ▲ Lincoln's "Gettysburg Address"

雷　根 "邪惡帝國""星際戰爭"

　　　 ▲ Reagan's "Evil Empire" and "Star Wars."

每篇演說之前都有介紹文字說明發表演說的背景，對於每一位總
統在政治上的發跡，以及重要政蹟都有解說，附有完整的主題索引。

教 育 家

205. **Directory of American Scholars 8th ed.** R. R. Bowker
Company, 1982. 4v. ISBN 0-8352-1476-1.

此一指南收集 39,000 位美國與加拿大學者的傳記資料。其組織
分為：歷史、英文、演說、戲劇、外國語文、語言、哲學、宗教及法
律等類。

每一款目包括姓名、教育背景、專業經歷、現任職務、接受獎勵、

著作、通訊地址等項。

本書附設兩種索引：

1. 地理索引。

指出被傳者的服務地點，並以參見指引使用者至主題分類。

2. 人名索引。

本書所收集的學者都是人文社會科學方面頂尖的人物，多半爲傑出的教師及學科權威人士。

其 4 卷的組織如下：

1. 歷史。

2. 英文、演說、戲劇。

3. 外國語文、語言。

4. 哲學、宗教、法律。

藝 術 家

206. Who's Who in American Art 1993-1994. 20th Edition Gale. 1,500pp. ISBN 0-8352-3274-3.

本書第 18 版收集 11,500 名與藝術有關人士的資料，被傳者包括藝術家、藝術評論家、收藏家、藝術史學者、從事藝術品交易者、博物館員及藝術圖書館館員，比較舊版增加 700 個新的款目。

每一款目內容包括：籍貫、教育及訓練、展覽、專業工作、獎勵保存作品的博物館、工作的媒體、代理人、以及通訊地點。

本書附有地區索引及 35 個範疇的分類索引 1953-1988 中死亡的所謂藝術家也有訃聞專欄。

本書每兩年出版一次。

207. Who's Who in Art International Publications Service 1927. Biennial.

本書爲英國出版品，每兩年出版一次，收集世界知名的藝術界人士的傳記資料。附錄中載有專門論文的書目，死亡訃文等資料。

音樂家、戲劇家

208. Great Composers: 1300-1900. H. W. Wilson Company, 1983 429pp. ISBN 0-8242-0018-7.

本書以通俗文字寫作而成，爲研究工作者，修習音樂者以及愛好音樂人士的重要參考工具書。

收集 200 名作曲家的簡要傳記資料於一冊內，其款目包括歷史性、分析性、評論性以及個人的資料，附註包括國籍及時代的索引，並有 152 幅肖像。

在 1300-1900 年的六個世紀之中，這些偉大的作曲家對音樂的發展有絕大的貢獻。

209. Composers Since 1900. H. W. Wilson Company 639 pp. ISBN 0-8242-0400-X.

本書爲 Great Composers: 1300-1900 的姊妹作（companion volume），

收集在本世紀中作曲家共 220 名的傳記資料，其中半數均經面談訪問以取得資料，附有索引。

Composers Since 1900 First Supplement H. W. Wilson Company 328pp. 1981. ISBN 0-8242-0664-9.

此一補篇增加 47 名作曲家的資料，他們是在本書母篇出版以後成名的，母篇中若干資料並經修訂。

210. **American Songwriters.** H. W. Wilson 489pp. 1986 ISBN 0-8242-0744-0.

American Songwriters 是 200 年來美國流行音樂的指南，收集 55 名流行歌曲的作者（例如 Irving Berlin）的資料。

本書記載 5,500 首流行歌曲的成功史，敍述這些歌曲是如何寫作完成，經過甚麼人的推薦並且說明製作電影，在百老滙演出的內幕和情節。

American Songwriters 的款目包括下列內容：

● 作曲者及寫詞者全部作品的總結。

● 早期發展及所受影響。

● 主要音樂評論家的評估。

● 每一首歌成名經過。

● 評論文字的書目。

211. **Musicians Since 1900.** 970pp. 1978 ISBN 0-8242-0565-0.

本書提供 432 位在 20 世紀活躍於音樂廳及歌劇院音樂家的生活與專業的資料。

傳記包括聲樂家、樂器專家及樂隊指揮。

附有依照演出者的專長，例如聲樂或樂器的分類目錄。

思 想 家

212. Thinkers of the Twentieth Century 2nd. ed. Chicago: St. James Press, 1987. 977p. ISBN 0-912289-83-X.

本書第一版 (1984) 提供二十世紀 400 位成名思想家的傳記性與目錄性的 (biographical, bibliographical information) 資料， 經由一個極有份量的諮詢委員會選出，這些思想家代表不同的學科和不同的國家，如杜威 (John Dewey)、愛因斯坦 (Albert Einstein) 等。

每一款目包括傳記資料，完整的書目（思想家的著作），參考書目（有關此一思想家的書目）及一位專家對此一思想家的評論約 3,000 字。

本書第二版增加 50 名思想家的傳記。

Thinkers of the Twentieth Century 有可讀性，但缺乏被傳人取捨的標準，而"思想家"這個名詞也有點令人難以捉摸，是美中不足之處。

醫 生

213. Directory of Medical Specialists 1991-1992. 25th Edition 6,314pp./3-vol. set ISBN 0-8379-0527-3.

　　本書提供 400,000 開業醫生的傳記資料。第 25 版初次報導被傳者行醫專長及每鄉發給醫生開業執照單位的資訊，被傳者之中 35,000 名是新取得執照的醫生。

科技人才

214．**American Men and Women of Science 1992-1993**．R．R．Bowker 18th．ed．8v．ISBN　0-8352-3074-0．

　　American Men and Women of Science 的副書名是 A Biographical Directory of Today's Leaders in Physical，Biological and Related Sciences 也是本書的學科範圍，簡稱 AMWS 。收集美國與加拿大 125,000 名科學家的資料，每一款目包括姓名、住址、出生時間與地點、結婚年月、子女、教育背景、專長、專業經歷、職位、學會、研究工作。

　　運用此一權威性的傳記字典，可以在 10 門主要學科（ten major disciplines）以及美國國家科學基金會 164 門附屬學科（subdisciplines）之中找到合格的人員。

　　其學科索引 Discipline Index 使得查詢專家的工作輕而易舉。

　　本書每五年出版一次，18 版（1992-1993）共 8 卷。

　　有彙積索引，如：American Men and Women of Scienie Editions 1-14 Cumulated Index. AMWS Index 將 1906-1979 年間 AMWS 14 個版次，297,000 名科學家傳記彙編成爲人名索引，其功用如下：

1.　對美國科學家作傳記性研究。

2.　實驗單位物色某一學科專家。

3. 科學家物色合作研究人員。

4. 政府機構物色諮詢顧問人才（consultant）和技術人員。

5. 出版公司物色撰稿、編輯、審稿、科學專家。

6. 圖書館參考室解答參考問題。

　　AMWS 的姊妹出版品為 American Men and Women of Science: Social and Behavioral Sciences 13th ed.

215. American Men and Women of Science Online.

　　本書資料業已可能透過洛克希德公司資訊系統 (Dialog Information Services, Inc. DIALOG file # 236，也就是 AMWS file 線上檢索 (online searching)。

經銷商為：

> Vendor: DIALOG
> Information Services, Inc.
> File Number: 236; Bowker
> Biographical Directory
>
> Vendor: ORBIT Search
> Service
> File Name: AMWS

216. Who's Who in Science and Engineering 1992-1993. R. R. Bowker 1,248pp. ISBN 0-8379-5751-6.

　　Who's Who in Science and Engineering 1992-1993 是第一版。

本書收集 21,000 名國際尖端科技專家的傳記資料。款目內容包

括被傳人所有著作、獎勵、重要發明及發現、專利、以及正在進行中
的研究。

財　經　界

217．Who's Who in European Business 1993． Bowker-Saur
Ist Edition 400pp. 0-86291-795-6.

本書是歐洲 36 個國家 5,000　商業領袖的傳記參考工具書，其選
擇的標準有二：

1. 掌握歐洲最大 200 家公司高級行政主管的人事變動 by turnover 情
   況。
2. 據市場資本總額（by market capitalisation）排名在前 500 家重要公
   司的負責人和高級主管。
   所載傳記資料都是正確的，經過被傳人認可。
   款目內容包括：
   　　經歷細節。
   　　主管業務。
   　　教育。
   　　所用語言。
   　　家庭。
   　　獎勵。
   　　個人興趣。
   　　寫作及出版品。
   　　如何接觸（full contact information）。

本書爲初版，但是爲有意與歐洲國家經商者重要的參考資料，可與 Directory of European Business 配合查詢。

218. Who's Who in Finance and Industry 1992-1993. 27th Edition 960pp. ISBN 0-8379-032-0.

本書是商業世界的重要參考資料。在 25,000 商界領袖、決策者的傳記中，本書企圖在下列三個問題中取得答案。

1. 這些聞人現在在那裏？" who's where "
2. 他們是甚麼樣的人？ " who they are "
3. 他們做了甚麼事？ " where they've been "

219. Who's Who in International Banking. Bowker-Saur 6th Edition 1992/652pp. ISBN 1-85739-040-7/2125.00.

Who's Who in International Banking 收集資料訂有嚴格標準，被傳者都必需過邀請，Entry is by invitation only，他們都是全世界主要銀行有密切關係的人士。

本書分二卷：

1. 列舉世界各地 4,000 銀行界領袖的簡要傳記資料。

內容爲：

姓名。

教育。

興趣。

休閒。

詳細地址。

年齡、家庭。

事業。

會社。

獎勵等項。

2. 全球160個國家中1,000所主要銀行（其中歐洲500、美洲200
亞洲200、南美洲100、非洲50家銀行）及20,000高級經理人
員的名單。附資產、排行榜、每一銀行地址、主管的清單。

律 師

220. **Who's Who in American Law 1992-1993.** R.R. Bowker
7th. ed. 1,104pp. ISBN 0-8379-3507-5.

本書提供法學界27,650重要人士的傳記資料。 律師、法官、法
學教育家都包含在內。

款目內容為：

主要職務。

行業專長。

通過開業考試資料 (bar〔s〕) 。

政治及民間活動。

專業社團。

住址及辦公地點。

附有50項專業興趣及工作的索引50 fields of practice or interest.

宗 教 家

221．Who's Who in Religion 1992-1993．R. R. Bowker 4th.
ed．768pp．ISBN 0-8379-1604-6．

Who's Who in Religion 1992-1993 全球 16,000 名重要宗教界及其與靈性生活有關人士的傳記資料。

被傳者包括宗教團體的首席主教、主教、行政主管人員、宗教會社的領袖、宗教教育家、出版商、廣播人員及平信徒的領導人物。

十、諾貝獎得主

222．Nobel Prize Winners．H. W. Wilson 1,120pp. 1987
ISBN 0-8242-0756-4．

諾貝爾獎得主 Nobel Prize Winners：提供 566 名改變了我們世界的學人傳記資料，他們獲得這種無比殊榮是在 1901-1986 年間。

在編制上，本書分為四大部份：

1. 諾貝爾獎得主名單。
2. 依學科及得獎年的分類。
3. 諾貝爾基金會的簡介。
4. 個別得主傳記資料。

每一傳記款目約 1200-1500 字，其內容包括：

● 早年生活、家庭背景以及影響因素。

● 得獎原因、發明、或著作。

● 得獎人在其學科範圍中所作貢獻 laureate's contribution to their field 的嚴正評言。

● 得獎人照片。

● 得獎人著作以及討論研究得獎人的著作書目。（後者經過精選，包括過去以及新穎出版品。）

223． Nobel Prize Winners Supplement 1987-1991． 144pp. approx. Fall 1992 ISBN 0-8242-0834-X.

Nobel Prize Winners 的 1987-1991 補篇收集這段時期內新諾貝爾獎主的傳記資料共 49 人，其編制內容與母篇 Nobel Prize Winners 1901-1986 相同，另外增加四項索引：

1. 自 1901 年以來至 1991 年所有諾貝爾獎得主的名單。

2. 得獎學科範圍及年代索引。

3. 得獎人居住地。

4. 1986 以後死亡得主的名單。

224． The Lady Laureates． Scarecrow Press 2nd. ed. 316p. ISBN 0-8106-1851-5.

本書收集的是女性諾貝爾獎得主的傳記，因此本書的副書名是 Women Who have Won the Nobel Prize 。

其得獎分配如下：

　　　　和平獎　　　　　6 人

　　文學獎　　　　6 人

　　科學獎　　　　7 人

　　其中居禮夫人 Marie Curie 最為風光，她在 1903 年，1911年分別得到科學獎 Pearl Buck 則是因為熱愛中國而寫了幾本出色的小說而得到 1938 的文學獎。

　　本書附設有所謂 Time Line 的年歷，從 1833年諾貝爾獎提供者，軍火大王 Alfred Nobel 出生開始到本書傳記截止年 1984 之間的大事列成年表、以及書目、索引。

　　本書是第二版，當然沒有把 1984-1993 年之間的女性諾貝爾獎得主收集在內，讀者要檢索其他傳記參考資料。

十一、婦女領袖

225. Who's Who of American Women 1993-1994. Bowker-Saur 18th. ed. 0-8379-0418-8.

Who's Who of American Women 1993-1994 不僅收集 30,000著名女人的傳記而且說明她們 " 如何 "" how " 和 " 為什麼 "" why " 出人頭地 rise to prominence 。

　　本書涵蓋所有行業從藝術、教授到經商、從政。

226. Who's Who of Women in World Politics. Bowker-Saur ISBN 0-86291-627-5.

　　本書提供活躍於 100 個國家政治舞臺的 1,500 名巾幗英雄的傳記。

其特徵爲詳盡依國別排列組合的表格稱爲「政治指南」Political Direc tory 說明婦女在政府及立法機構的代表權、以及婦女參政、投票權的歷史背景。

附設依國別字順排列的傳記索引，以及顯示婦女議員人數的全球性地圖。

227． The International Who's Who of Women. Europa 1992 553p. ISBN 0-946653-85-2.

本書爲第一版。

其所收 5,000 傳記都是家喩戶曉的巾幗英雄。

這些名女人都經過一個所謂 International Panel of Specialists 的推薦，資料由問卷取得，包括休閒興趣、家庭細節是否與電影、電視戲劇有過交往等不容易在一般傳記參考工具書找到的資訊。

這部傳記參考工具書的索引特別有用，分別組織爲姓名、工作、國籍、專業等多種。

Choice 評語是「有用而且特別」(Valuable and Unique)。

228． Notable American Women. Harvard Univ. Pr., 1971. 3v. Supplement, 1980.

本書編製的嚴謹不亞於 D.A.B.。

在對性別歧視問題敏感的美國，本書的問世無異對女權運動者打了一針興奮劑。

在國家傳記字典 D.A.B. 中女性所佔的篇幅僅爲全書 5％ (Katz 估

計 15,000 傳記款目之中，女性不足 750 人）而同書中（ 74 人爲圖書館工作人員，6 人爲女性。筆者按：此六位女性圖書館員之中有韋棣華女士 Mary Elizabeth Wood 我國圖書館現代化運動的創始者。）圖書館員女性爲男性的 9％。

　　本書正編 3 卷及補篇 1 卷，共收集 1,900 名左右美國著名女性的傳記，這些被傳者都是在 1975 前死亡的女性，每一款目都是長篇的文字，經由執筆專家簽名並附有參考書目。

　　除美國總統夫人，妻以夫貴能列名此一傳記字典之中外，其他被傳者都是倚仗本人的成就及對美國的貢獻才能列名排行榜。

　　此書篇首有一長達 32p.的緖論，說明婦女在美國社會中所扮演的角色，爲一大好文章。

第八章　地理參考資料
Geographical Reference Sources

一、地理參考資料的特徵

地理資料是所有參考書中最複雜，也是牽涉範圍最廣的一種資料，幾乎所有學科，都脫離不了「地理」的關連。例如：美國高等教育，一方面討論「教育」，一方面卻涉及美國，其他如蘇聯音樂，法國地方政府等，無不可以同一方式解釋。假如我們勉強將所有資料分為「與地理有關係的資料」和「與地理毫無關係的資料」，我們將發現後者數量之少得可憐，因此墨菲 (Murphrey) 認為無論研究那一學科，如果想完全摒棄地理的因素，幾乎為一不可能的事。

地理資料另一特徵，是此類參考書籍，幾乎全部都是若干專家合作的產品。The Columbia Lippincott Gazetteer 曾列舉編輯八十一人的名單，因為地理資料範圍的廣泛，任何一個或少數飽學之士，都無法應付這一偉大的場面，何況同時要顧及出版的時間使資料不致失去時效？因此一般參考書審核方法中「著者的權威性」，在評核地理參考書時，便不太合用。通常審查地理性參考資料的重點，在於資料的來源及資料的可靠性 (Sources Reliability) ，如果在參考書序言中找不到資料來源的註釋時，另一方法是假定編輯此一參考書，究應使用那些資料。

二、收集地理參考資料所遭遇的困難

自從第二次世界大戰以來，由於科學的發達，交通工具的進步，使得國與國間，地域與地域間的空間距離，大為縮短，但同時也使人與人間的距離，更為遙遠。為了政治的原因，若干地理的資料，較前更難獲取。多年以來，蘇聯和若干東歐政權，甚少發表他們的各種地理資料和統計（現在情況大有好轉）。

今日的世界不僅有「開發」地區和「待開發」地區（ Underdeveloped areas) 的分別，而且有極大一部份地區，從未經過人類的探測。例如亞馬遜河流域、加拿大的原野、兩極地區等，人們僅有模糊的印象，因此有關這些地區的地理資料，最多也是不大可靠的資料。其他如若干國家之間領土國界，還待最後決定，語言文字的差異，影響地名的選擇和讀音，皆為獲取地理資料的煩惱。

地理資料的致命傷，在於時間的因素，地理資料失去時效的速度，遠在他種資料以上。戰爭、政變、人口的增加、疆域的變動、新興國家的成立，使地理資料無法跟上時間。往往一個月前出版的地圖，在今日使用幾乎等於廢物。因此使用地理參考資料時，必需同時複核若干參考用書，以免錯誤。

三、地理資料的範圍

地理參考資料最主要用途，在於獲取在某一地理名稱之下，有關該地的整個情況 (Complete picture) ，如果所搜求的資料，僅僅是該地的某一部份，則應另用其他專門的參考書。例如，所找尋的資料為美國加利福尼亞州 (California) 的一般情況，可用地理資料；如果需要加州的小麥產量，就應該用農產品統計的參考書，如各種年鑑、美國統計摘要之類的參考書。

地理參考資料的範圍如下：

1.　自然地理　　Physical　Geography

2.　生態學　　　Ecology

3.　經濟地理　　Economic　Geography

4.　人文地理　　Human　Geography

5.　政治地理　　Political　Geography

6.　地方誌　　　Historical Development of the Area

四、地理參考資料的種類

1.　百科全書

在百科全書裏，地理資料佔頗爲重要的份量。其中款目如：國別、地域、州縣、省市、城鎮、海洋、河流、島嶼、港灣、山嶺等，合計佔總篇幅四分之一強。但對於材料的處理，各百科全書收集的重點，殊不一致。

例如，Collier 百科全書，重點在於美國、加拿大。

2.　百科全書補篇 、年鑑、曆書

百科全書補篇所收集的地理資料，在種類與數量上，都比照其母篇，但資料貴在新穎，尤其有關國家及各地域的統計。

曆書資料極爲瑣碎，收集資料如各國基本事實、山高及河流長度等，極少登載較廣大範圍的地理資料。

3.　普通字典

對於地名的辨識（Identification），地名及所在地的讀音及拼字，字典中人口數字，多半過時，應與其他參考書核對。

4. 期刊雜誌

期刊雜誌中所載地理資料，往往爲大題目中的某一部份，因此對於某一地點有特殊興趣而希望獲得一全盤印象，往往需要檢閱多篇文章，才能達到目的。

如搜索資料爲一較小地點，或某一地點的某一方面情況，期刊可以供給甚爲理想的資料。

期刊雜誌中如假期雜誌（Holiday Magazine），國家地理雜誌（National Geographic Magazine），常有極爲精彩的文字與圖解，紐約客（The New Yorker）中的「國外通訊」，星期六文藝評論（Saturday Review）中的旅行專欄，都是期刊中極富參考價值的文章。

5. 政府出版品

各國新聞處，如我國臺灣省新聞處所出版的書刊，其他政府機構，如美國內政部所出版有關國家公園的小冊子。

6. 工商界及私人機構有關旅行的出版品

各地商會、旅行社、航空公司、鐵路公司，常常出版與他們有關的旅行資料。

7. 地圖集

地圖集分爲二種：歷史地圖集和現勢地圖集。每一地圖出版商，皆有其特殊出版風格，若干使用人士，也逐漸養成對某一特殊風格的

偏愛，因而養成習用某一家地圖的習慣。

　　現勢地圖集最重要的條件，在於能追上時代，保持時效。選擇使用時，應該注意地圖修正時期及其中所附的索引編製方法。

8.　地理字典

　　此類資料爲地理參考書中最有價值者，其有價值的理由在於：

(1)　資料最完整。

(2)　編輯部門的權威地位。

　　大體上，此種參考書，乃將地名依字母順序排列而成。地理字典有兩大缺點：書中所附較大地名資料，完整不夠深入，對於進一步研究工作，頗不適宜；此類書籍性質，過於專門，銷路不廣，因而影響修訂工作。

　　地理字典最大用途，在於不易變動的資料和數字（relative unchanging data），例如地點、面積等。容易變動的數字，如人口等，必需與較新參考書（如年鑑）核對。

9.　地理手册

　　通常限於世界某一部份，資料重點在於該一部份地區的最近政治經濟活動，此類手册必需每年修正。

10.　導遊書籍

　　此類書籍以「導遊」爲名，實際參考功用，不僅限於旅行指南之用，對於敍述的國家和地點，此類書籍的良好內容、組織、新穎材料及細密的敍述，往往超過普通參考書之上。

五、地圖管理及運用的注意事項

1. 每一地圖在檔案中 (File) 應有一定的位置 (definite position)。
2. 將經常運用的地圖儘可能集中一處。
3. 製作卡片儘量配合美國國會圖書館卡片格式。
4. 逐漸編製一套專為地圖使用的標題系統。
5. 標題的選擇不可標新立異而應當倣效標準圖書總目或圖書，期刊學報中常用的標準。
6. 查用地圖應索取最新版次。
7. 地圖查用完畢立刻歸還原處。
8. 查詢單張地圖 (Map) 時應同時核對地圖集 (Atlas)。

六、地 圖 集

採購及評鑑地圖集的參考工具書。

World Map Directory 1992-1993

Compiled by Aaron Maizlish and William Tefft.

Map Link

General Reference Book for Adults: Authoritative

Evaluation of Encyclopedias, Atlases and Dictionaries

1988 R.R. Bowker

Guide to Atlases. Scarecrow

此一指南收集 1950 以後出版的世界、區域及國別地圖集 5,500 種，其編組如下：

1. 世界地圖集

依年代排列，其下依出版公司字順排列。

2. 區域地圖集

依洲別排列，其下依出版公司字順排列。

3. 國別地圖集

排列在區域之下。

4. 專門地圖集

依學科（如經濟）排列，其下依出版公司次序排列。

另外兩種極有價值的參考資料 General World Atlases in Print.
R.R. Bowker, 1973 及 International Maps and Atlases in Print. 2nd ed.
R.R. Bowker, 1976 。 前者為評論，後是是完整的目錄。

讀者請注意這些指南的新版。

Atlas of the World. Oxford. 1992. ISBN 0-19-520955-9.

此一地圖集在組織上分為六大部份：

1. 世界統計　　　　　　5p.

2. 世界地理簡介　　　　46p.

3. 城市圖　　　　　　　66 個城市

4. 城市圖索引　　　　　15p.

5. 地圖 94 幅

6. 75,000 索引款目

229. The Earth and Man: A Rand McNally World Atlas.
Chicago, Rand McNally.

　　Rand McNally 為美國最著名的地圖出版公司，其出版的地圖無不精良（另一傑出的地圖出版公司為Hammond)。

　　此一地圖集分為三大部份：

1. 第一部份指出地球的結構，在太空中的地位，在地球上的生命，資源以及人類在地球上的生活。

2. 第二部份為地圖集約150幅。

3. 第三部份為有關地理的若干數字，字實與資料。

　　此一地圖集與衆不同之處在於1.第一部份，Rand McNally 開風氣之先將人類的生活列入地圖集，圖片均為彩色，美觀悅目，提高使用者之興趣。然而問題也出在此處，若干圖書館學專家認為這種資料已超出了地圖集的功能範圍，讀者可以在其他類型參考書中找到這些資料，收集在地圖集中徒然增加印刷成本「羊毛出在羊身上」，間接的加重了採購者的負擔。

　　此地圖集另一需要改良之處是索引不易運用。

230. Goode's World Atlas. Rand McNally.

　　Goode's World Atlas 為 Rand McNally 公司又一傑作。

　　Choice 曾在1966年提名此一地圖集為該年最優良出版品之一。

　　Library Journal 在書評中曾大加讚美，稱為在美國為中等學校編製最好的地圖集。

　　Holt 及 Wynar 將此一地圖集收集於「1970-1980最優良參考書籍」之中。

　　此一地圖集的功用並不限於中等學校，大專院校圖書館也應該將之收集於參考藏書之中。

Goode's 的編製大體可以分爲三部份：

1. 第一部份爲自然、政治、經濟地圖，其範圍遍及全球。

2. 第二部份依洲別及地區（continent and regions）提供地圖——南北美洲、歐洲、亞洲、大洋洲、非洲及海洋。

3. 第三部份爲索引、地理詞彙，及表格。

231. Hammond Atlas of the World. Hammond, 1993. ISBN 0-8437-1175-2.

Hammond 是揚名國際製作地圖的公司。

在序文中 Hammand 自稱這册地圖集是有史以來最正確的一種，而且所有的地圖都可以豎立（upright position）着看。

的確這册地圖集有其獨到之處，在篇首 24 頁中，編者不厭其詳解說其運用數位資料庫 digital data base 所產生的最佳投影方法（Hammond Optimal Conformal Projection），同時更以專文說明地圖製作學的進化史。

所附使用指南及快速參考指南都是極有價值的資料。

232. The Times Atlas of the World: The New York Times Book Co.

此一地圖集由紐約時報公司出版，乃是根據倫敦泰晤士報（The Times of London）於 1955-1959 年間所出版的 Times Atlas of the World: Mid-Century Edition 改編而成。Mid-Century Edition 一般認爲是第二次世界大戰後所出版的最良好的世圖集，共五卷：

1. 世界地圖、澳洲、東亞。

2. 西南亞、蘇聯。

3. 北歐。

4. 南歐與非洲。

5. 南北美洲。

首先問世的爲第三卷，此後的次序爲卷四、卷五、卷一及卷二，其卷册的次序，係依照「國際時間線」（International Date Line） 由東而西排列。此一地圖集極爲重視島嶼、海洋及蘇聯。

另一值得注意的是 Mid-Century Edition 製圖的投影方法（Projec-tion）計有 20 種之多，本集開始的世界圖即用八種不同的投影方法，包括最老的 Mercator Projection 及首次試用的 Bertholomew " Lotes " Projection—本集用之於製作「海洋」的地圖。本集導論部份將地圖製作史扼要紋述，爲不可多得的材料。

Comprehensive Edition 僅一卷 ，本卷的新內容包括月亮及人造衞星、礦產、能源的新資料。由於世局變化多端，地圖新穎的總比過時的更具參考價值，圖書館應該同時具備兩種 Edition, Mid-Century Edition 的優點在「量」，Comprehensive Edition 的優點在「質」。

233．Medallion World Atlas．Hammond.

Medallion World Atlas 爲 Hammond 公司傑出地圖集之一種，其資料內容如下：

1. 世界地圖，附索引   共 192 p.

2. 美國各州地圖附索引   共 128 p.

3. 100,000 款目索引包括美國區域代碼   共 160 p.

4.　美國及世界歷史地圖　　　　　　　共 112 p.

5.　環境及生命地圖　　　　　　　　　共　12 p.

　　(Environment and Life section)

6.　聖經地圖　　　　　　　　　　　　共　48 p.

234.The Whole Earth Atlas. New Census Edition. Hammond,
1984.

此一地圖的內容包括：

1.　世界地圖，附索引。

2.　美國各州地圖，附索引，人口數字，及地區代碼。

3.　世界地名索引。

4.　島嶼、河川、山脈、湖泊、海洋、運河、地球及太陽系的資料。

**235.　Today's world: a new world atlas from the cartoqra-
phers of Rand McNally.** Rand McNally, 1992. ISBN
0-528-83500-9.

此一新穎的地圖集只有不到 200 個 page 的篇幅，但是卻收集很多
有用的地圖資料。

　　其特色如下：

　　● 平衡的世界觀，不像若干地圖集重視歐、美，而忽略亞、非。

　　● 地圖美觀，國界以彩色標明，極爲醒目。

　　● 其 45,000 款目索引，使得找尋特定地點極爲容易。

236. **The Children's World Atlas.** United Media Enterprises, 1983.

　　本書是讓兒童接觸地理學科的最優良地圖集，在組織分為兩大部份：

1.　自然世界。提供地球、火山、氣候、旅行及交通的資料。
2.　世界上的國家。

　　附有詳盡地圖、數字及每日生活的像片。

　　此一地圖集的彩色圖片在 250 幅以上。

237. **Photo-Atlas of the United States.** Ward Ritchie Press.

　　此一地圖集利用人造衞星，U_2 偵察飛機，太空實驗艙 (Skylab) 攝影而製作的照片地圖，這是地圖製作破天荒的嘗試，照片每时約等於地球上 18 哩。

　　地圖範圍包括美國本土，夏威夷及阿拉斯加，其他代管地區如關島、維京羣島並不包括在內。

　　除地圖外尚有甚多有用的參考資料。

七、地理字典

238. **Webster's New Geographical Dictionary.** G.& C. Merriam.

　　Webster's New Geographical Dictionary 是地理參考書中最著名和最

常用的一種，一般讀者找尋地理資料時，往往會首先想到本書。

　　本書資料包括 47,000 個地名 ，地名中除現今大小地名以外，古代及中世紀的地名也收集在內，地名收集的標準依人口計算：

美國與加拿大　　　　　人口 1,500 以上的城鎮

英國、澳洲、紐西蘭　　人口 8,000 以上的城鎮

南非　　　　　　　　　人口 8,000 以上的城鎮

拉丁美洲　　　　　　　人口 50,000 以上的城鎮

歐洲（西、中）　　　　人口 10,000 以上的城鎮

蘇聯、日本　　　　　　人口 50,000 以上的城鎮

其他地區　　　　　　　人口 20,000-25,000 左右的城鎮

　　每一地名款目之下，收集讀音、方位、人口、面積、歷史、經濟等方面的簡略資料。附圖 218 種。

　　本書最大功用在於地名的辨識（Identification）。

239. Cambridge World Gazetteer: A Geographical Dictionary Cambridge University Press. 1988 ISBN 0-521-39438-4.

　　此一地理字典將城市與國家混合依字順排列，每一國家款目之下有繪製的簡單地圖，並附有省別表，在繪製的中國地圖中沒有臺灣，在臺灣款目之下又注出中華民國，另有繪製的臺灣省地圖。

　　其正文部份即 Gazetteer，可以很快的找到較小的城市（但也不是包括了所有的城市）似乎為唯一的功能。此外本書採用米達制，因此附設有對照表（Conversion Guide），但使用者必需自己計算。

240. The Columbia Lippincott Gazetteer of the World. New

York: Columbia University Press.

本書爲一標準地理參考用書，計有款目十三萬個，另加三萬參見互見款目。款目均甚簡短，其最大功用在於「決定一個地名之位置」。本書款目除指出一地的經緯度，並指出該地與另一較出名地點的距離和方向，在參考工作中稱爲 Location purpose 。

241. **A Dictionary of the Natural Environment.** John Wiley.

此一字典乃根據 A Dictionary of Geography 1965 (F.J. Monkhouse 主編) 改編而成，其編製主要目的爲地理學及環境科學的主要參考書。（見本人著「西文參考書指南」p.239 ）。

八、地理百科全書、年鑑、指南

242. **Worldmark Encyclopedia of the Nations.** New York: Wiley 1988. 5v. ISBN 0-471-62406-3.

Worldmark Encyclopedia of the Nations 共有五卷，分別討論聯合國、非洲、美洲、亞洲、澳洲及歐洲。

本書強調國際組織，因此每一國家的描述，均不本於該國家的立場，而是從世界整體的角度着眼，其着重點在於各國的國際關係以及聯合國制度的運用。

243. **Standard Encyclopedia of the World's Mountains.** New

York: G.P. Putnam's Sons.

本書收集有關世界主要山脈的款目，約三百個，每篇文字，長短不一，約在一百五十字至一千六百字之間，其平均字數爲四百五十。

款目內容包括：地質的形成、重要歷史、居民、探險、樹木及其他若干地理性資料。

本書附圖計有兩色，參考地圖十二幅，圖解一百幅，其中彩色者十六幅，均極精美。正文前部有導論一篇，解釋山脈的形成因素，人類自有史以來對山脈的關係與態度，以及爬山探險的歷史。傳記部份收集爬山探險家九十四人的簡傳，書中更附有五頁山脈及地理名詞字彙。

本書收集的山脈資料，實不如韋氏地理大字典 (Webster's Geographical Dictionary)及 Columbia Lippincott Gazeteer of the World 所收集者豐富，但此類參考專書，並不多見，且此書筆調流暢，充滿趣味，對山脈的形容描述及探險爬山的報導，均有獨到之處，故仍有參考價值。

244. Standard Encyclopedia of the World's Oceans and Island Islands. New York, G.P. Putnam's Sons.

本書爲 Standard Encyclopedia of the World's Mountains 姊妹篇，風格也甚相同，文字生動，充滿趣味，可供參考及閱讀之用。

本書討論世界海洋、島嶼、海峽，共計三百五十地理單位，每篇文字長短在一百二十字至一千三百五十字之間，平均長度爲五百字。每一款目之下加入界說、位置、深度、（海洋）地圖上尋找的指標、

探險者、重要歷史事蹟、地理特徵等項。

　　就文字長短而論， 本書資料較韋氏地理大字典 (Websters Geo-graphical Dictionary) 及 Columbia Lippincott Gazeteer of the World 充實及更生動。

　　正文首先有長達九頁的論文一篇，題目爲「大陸與海洋」，描述陸、海的進化，島嶼的形成，海洋的特性，資料均從國際地球物理年 (International Geophisical Year 1959-60) 研究報導而來。正文後附有簡短地理名詞，字典約有兩千款目。

　　本書有精美圖解一百幅，其中有色者十六幅，及地圖十頁。

245． The Rand McNally Atlas of the Oceans． Rand McNally, 1977．

　　此一地圖集在書名上必需澄清兩點：

1. 所謂 Oceans 除大洋外還包括海，如北海、地中海、加勒比海及紅海等。

2. 本集以地圖集 Atlas 定名 ，而其內容之豐富實無異於地理字典和地理百科全書。

　　由於海洋佔地球總面積 71 ％，人類未來的希望在於海洋， 其重要性自無言可喩。

　　The Rand McNally Atlas of the Oceans 利用各種最新技術取得圖片及製作地圖，如人造衞星，深海研究實驗船，顯微照像術 (Microp-hotographic) 及廻音技術 (sonographic techniques) 等。

　　對於 1976 年舉行的海洋法會議 (Law of the Sea Conference) 的結果，此一地圖集有深入的說明及討論。

爲了便於和 Standard Encyclopedia of the World's Oceans and Islands 配合使用，此一出版品不排入地圖集。

246. Countries of the World and Their Leaders Yearbook 1993. R. R. Bowker. About 1,900 pp. 2 vols. ISBN 0-8103-7491-9.

此一年鑑取材於美國國務院與中央情報局。在正文之中，其主要的資料爲美國國務院所編製的 Background Notes on the Countris of the World ，對全球 170 個國家分別提出 4-20 頁長短不一的報告，每一國家款目之下的論文附有基本國情資料，地圖及像片。

此一年鑑的特徵爲單獨設立的「旅遊要點」Travel Notes section 說明各國海關與移民法律，各國假日，當地交通情況以及電報電話服務。

美國國務院更不厭其詳提出長達 300 頁的旅遊建議事項內容包括申請護照、繳稅規則、國際醫藥衞生及疾病、以及如何因應政治危機 (avoiding political dangers) 其設想之週詳，令人嘆爲觀止。

247. Handbook of the Nations. R.R. Bowker. 12 th ed about 420 pp. ISBN 0-8103-7486-2.

Handbook of the Nations 取材於美國中央情報局最新檔案，並由其他美國政府單位，如國防情報局、人口統計局、海岸防衞指揮部及美國國務院協助並提供資料。

此一重要手冊爲查訊全球 250 國家及地區經濟、政治及社會資訊

的權威參考工具書。

　　爲了快速參考的目的，每一款目約一頁左右長短，並附有該一國家主要城市的地圖、資料，依下列主題組成：

1. 地理

　　包括面積、疆界、海岸線、氣候、自然資源、環保等。

2. 人口

　　包括人口、種族、宗教、語言、文盲等。

3. 政府

　　包括國都、獨立日期、憲法、行政組織、領袖、選舉、政黨等項。

4. 經濟

　　包括生產總額、通貨膨脹及失業率、農工、電力、預算、貨幣。

5. 交通

　　包括鐵路、公路、水道交通、海港、航空及電訊等。

6. 國防

　　包括軍力、組織及國防預算。

248. Facts About the States. H.W. Wilson 576pp. 1989.
　　　ISBN 0-8242-0407-7.

　　Facts About the States 將美國 50 個州以及華府特區 Washington D.C.波多黎各 Puerto Rico 的各方面資料集中於一册介紹與讀者，編輯部門以頗爲自豪的口氣指出這部書是百科全書、年鑑以及統計彙編的"三合一"。

　　其內容是每州佔一章篇幅，報導：

　　　地理　　　　　　　　經濟

氣候	財政
人文	歷史
政府	文化及教育
政治	農、工
交通	觀光、旅遊

等項目。

　　每一章之後均有解題書目（其中包括小說、日記、學報及非小說）以顯示各州的歷史文化特色。此外有各州比較性統計資料（如人口、薪資、壽命、教育）方面的比較資料。

249.　Facts About the Cities. H.W. Wilson. 480 pp. 1992 ISBN 0-8242-0800-5.

　　Facts About the Cities 是 Facts About the States 的姊妹篇，此書提供美國 300 多個都市（包括波多黎各 Puerto Rico、關島 Guam，以及維爾京群島 the Virgin lslands 在內）的完整資料，爲了地域的平衡，每州都有兩個城市作爲代表，但人口要在 75,000 以上。

　　其內容爲：

歷史	居住問題
氣候	政府與政治
人口	交通
稅收	衞生
生活程度	運動
文化活動	犯罪

等項目，尤其可貴者是收集了完整的 1990 年人口調查統計數字

(Complete With 1990 Census Information) 。

　　本書可以取代 County and City Data Book 。

250. **Cities of the World.** R. R. Bowker 3,268 pp. in 4 vols. Based on U. S. State Department Post Reports. 1988. ISBN 0-8103-2528-4.

　　本書提供世界上 140 個國家中 1500 個城市的資料，　其讀者對象

爲：

　　●商業主管研究新的商業機會。

　　●市場行銷專家分析全球市場。

　　●新聞界追踪背景資料。

　　●一般人民尋找旅遊目的地。

　　　●學生檢索作業參考資料。

　　本書計有四卷：

> Volume 1: **Africa.** 843 pp. 1988.
> ISBN 0-8103-2539-X. Order #00850.
>
> Volume 2: **Western Hemisphere** (excluding U.S.). 776 pp. 1988.
> ISBN 0-8103-2540-3.
>
> Volume 3: **Europe and the Mediterranean Middle East.** 844 pp. 1988.
> ISBN 0-8103-2541-1.
>
> Volume 4: **Asia, the Pacific, and the Asiatic Middle East.** 805 pp. 1988.
> ISBN 0-8103-2542-X.

　　每卷均有索引地圖及照片，第四卷中更附有彙積索引。

251. **Cities of the United States.** R.R. Bowker Four vols.

about 400 pp. per volume. 1988-1989. ISBN 0-8103-2500
-4.

本書提供美國 130 個城市的資料。其選擇的標準根據下列幾個因
素：

1. 當前人口。

2. 自 1970 年以來，人口成長情況。

3. 歷史上的價值。

4. 對於商務及旅遊的吸引力。

本書共四卷：

> Volume 1. The South. 403 pp. 1988.
> ISBN 0-8103-2501-2.
>
> Volume 2. The West. 344 pp. 1989.
> ISBN 0-8103-2502-0.
>
> Volume 3. The Midwest. 447 pp. 1990.
> ISBN 0-8103-2503-9.
>
> Volume 4. The Northeast. 415 pp. 1990.
> ISBN 0-8103-2504-7.

每一卷收集 30-35 個城市，其每一數目內容爲：

地理	經濟
氣候	教育
歷史	政府
人口	醫藥保健
交通	
娛樂場所	大型會議場地及設備

附地圖、照片及彙積索引。

九、旅行、導遊

1. 交通工具、旅遊方式

由於經濟起飛,所得增加,加之休閒時間充裕,國人出國旅遊不僅蔚爲時尙,而且形成生活中的必要部份,一般而論交通工具以飛行爲主,由旅行社或航空公司代辦機票,本節所討論的是除了這種方式以外,旅遊者自己也能掌握資訊。

(1) 飛 行

252. Official Airline Guide: A Guide to Airline Schedules and Fares. 月刊

(2) 航 海

253. Fielding's Worldwide Guide to Cruises. New York: William Morrow & Co.

提供每一主要航海旅行公司船隻名稱,停靠港口,旅途活動的資訊,美國、歐洲、內陸水上旅遊的資料也包括在內。

Ford's Freighter Travel Guide. Woodland Hills, CA: Ford's Freighter Travel Guide.

提供貨輪順便接待旅遊者的資訊，這種服務價廉物美，但乘客人數是有限度的，通常不到一二十人，半年出刊一次。

(3) 鐵 路

254. **Official Railway Guide**: New York: National Railway Publications.

乘坐火車旅遊本已日漸式微，但近來又有重新爲旅遊者接受的趨勢，爲時間充裕的遊客着想，鐵路旅行另有風趣。

本出版品爲月刊，每年刊出 10 次， 旅遊目的地爲美國和加拿大

255. **Eurail Guide: How to Traver Europe and All the World by Train.** CA. Eurail Guide.

此一指南爲年鑑。

提供在歐洲及世界各地鐵路旅行詳細時間表及國家簡要資訊，重點在於以最經濟的消費換取最大享受。

(4) 公 路

256. **Standard Highway Mileage Guide.** Chicago: Rand McNally & Co.

此一指南爲駕車旅遊者必需參考的資料，指出 1,000 個以上城市之間最簡短和最直截的路程。

257. Glove Compartment Road Atlas. Hammod.

此一公路圖，包括美國五十個州及十七個大都市、地區地圖及
51,000 哩州際公路系統（Interstate Highway Systems）的路圖。所有地
圖均依地理關係而不依字母順序連接，附地名索引及各地駕駛必需注
意的特別情況，稱爲 " must see " local highlights 。

此一公路地圖集爲在美國駕駛汽車旅行者必備，體積大小經過特
殊設計，剛好放進汽車駕駛人座位右前方之小抽屜（glove compart-
ment)。

另一Hammond 出版之公路圖爲Hammond Road Atlas and Vacation
Guide, 除提供由大西洋海岸至太平洋海岸之間的公路圖外，尚附設公
路都市距離表及駕駛規則。

258. Mobil Travel Guides. Chicago: Rand, McNally.

此一旅遊年鑑爲一套書，將美國分爲七個區域，分別以專書報導，
其最重要的資訊是美國各州的駕車速度及飲酒法律，是圖書館必備的
參考資料。

(5) 步行、爬山

259. Walking: A Guide to Beautiful Walks and Trails in America. New York: William Morrow.

本書的問世是健行者的福音。

提供路線及沿途設備的資訊，尤其可貴的是建議部份，及指出造

成困擾的原因。

地點限於美國。

2. 導遊指南

260. Fodor Guides. New York: David McKay.

Fodor Guides 爲一整套導遊書籍，每本修正，自 1953 年問世以來，出版導遊書籍在 100 種以上，其可貴之處在於提供遊覽最佳季節，平均溫度，以及兒童感覺興趣的場所及活動。

導遊者最好先看此書再作旅行，或在旅途攜帶一冊隨時參考（此指南冊數，種類太多，當然是選擇和目的地、旅途有關係的專書）。

261. Eodor's U.S.A.

此一美國旅遊指南企圖解答下列問題：

1. 花費多少？

2. 到甚麼地方？

3. 旅遊計劃

乘坐交通工具或自己駕駛汽車？乘坐飛機？火車？或公路巴士？

是否攜帶兒童同行？食宿問題等。

本書並推薦美國渡假理想地點，從東北新英格蘭各州到夏威夷，均爲讀者安排。

262. Arthur Frommer guides. New York: Arthur Frommer,

Inc.

是以經濟爲着眼的導遊書籍，套書的重心在大都市如華府、洛杉磯、紐約等。

263. Let's Go:The Guide to Budget Travel to the U.S.A. St. Martin Press, 1982.

如何以最經濟的方法在美國旅行，本書提供了極爲實際的答案。

Let's Go 在編組上分爲兩大部份：

1. 將在美國旅行作一般性介紹與建議，其內容爲：

旅行計劃

交通問題

食宿問題

如何取得國際駕駛執照

對國外觀光客的特別建議等

2. 將旅行情況依州及縣市列舉。

264. Business Traveller's Handbook. Facts on File.

本書是一部專爲從事國際貿易的商人到美國及加拿大旅行的手冊。

其內容及附錄爲：

1. 免費電話號碼 (Toll-free Numbers) 。

2. 在美國的外國商會。

3. 美國駐在國外的進出口商務單位。

4. 美國各州商務情形的比較。

5. 商業諮詢。

6. 商業名詞字典等資料。

265. **Hotel and Motel Redbook.** American Hotel Association.

出外旅遊的人最大問題即爲食宿如何安排的問題，本書爲觀光客解決了困擾。在美國旅行此書是不可少的參考書。

每年四月出版。

266. **Worldwide Travel Information Contact Book.** Gale. 1st. ed. 1991-1992. ISBN 0-8103-7777-2.

本書將全世界 25,000 個能夠提供旅遊資訊的機構團體和與旅遊有關的政府機關依照國別列舉，其讀者對象是旅行的個人、商人、旅遊事業、研究人員和學生。

以中國爲例，在中國的款目之下提供的資料爲：

● 政府觀光局。

● 旅遊協會及服務單位。

● 交通。

● 戶外及休閒活動。

● 旅遊資訊出版品。

● 移民及外交單位。

● 地區、各省及地方旅遊資訊及管理機構。

● 中國駐外使領館及個別詳細地址。

● 商會。

● 其他有關事項。

　本書最有用的特色，是編列旅遊目的地索引（Travel Destination Index）使用者先找出自己想去的地點，然後運用索引檢索可以到有關的資料。

第九章 目錄性參考資料
Bibliographic Reference Sources

一、目錄的重要

目錄和圖書館事業的關係是密不可分的。

圖書館的主要使命是將知識組織起來，將人類的文明成果保存、運用、發揚光大，圖書館組織知識的工具就是目錄。因此圖書館必然有目錄，沒有目錄的圖書館算不得圖書館。

現代圖書館強調技術服務與讀者服務，所謂技術服務乃是以編製良好的目錄爲工作中心，有了良好的目錄才能使讀者服務的層次提升。近年來美國較有規模的公共圖書館和大學圖書館陸續的在參考室中安置目錄館員 (Bibliographer)，同時爲了促使圖書館自動化早日順利實現，美國圖書館界大力推行 AACR 2。我國有史以來就重視目錄，目錄學者不僅是大學問家，也是圖書館學專家，爲了順應世界潮流和配合國內需要，於近年完成中國編目規則。

二、目錄的功能

目錄的功能有三：

1. 選擇 (Selection)
2. 辨識 (Identification)
3. 文獻處理 (Documentation)

在二十世紀的八十年代，儘管圖書館事業受到資訊爆炸，自動化衝擊及電腦運用的影響，上述功能卻更形加強。

所謂資訊時代（Information age）的來臨使大館思想——儘收天下羣籍的雄心壯志趨於沒落，理想的現代化圖書館好像天空中的星球，又像棋盤上的棋子，是一羣袖珍、美觀，能使讀者感覺到家庭溫暖的建築物散佈在都市鄉村的角落裏，這些小巧玲瓏的圖書館羣的館藏是多媒體的，經過精選而合用，並靠著合作與分享（Sharing）以網路（Network）來互通有無。

資訊時代的來臨更使得讀者的讀書習慣完全改觀，在分秒必爭的環境裏，所謂「開卷有益」的觀點似乎不能因應時代的要求。讀者祇有時間讀好書，閱讀適合他學科需要、興趣和程度的書籍。

現代化的目錄不僅重視完整，正確而且更重視合作與迅速現代化的目錄不僅注意出版的過去（Backlist）現在（In print)而且要著眼未來（Forthcoming books）。

在現代化目錄之中，國家及地區的目錄重要性已不如過去，以美國而論 R.R. Bowker Company 的目錄系列及 H.W. Wilson Company 的標準目錄系列已經走向「目錄控制」（Bibliographic Control）康莊大道，而專科目錄及好書目錄的應運而生，都是我們應該密切注意的。

美國現行出版的目錄表
Bibliography (U.S.A) ❶

週　刊

Publishers Weekly

Weekly Record

月　刊

American Book Publishing Record

Cumlative Book Index

National Union Catalog

Paperbound Books in Print

雙月刊

Forthcoming Books

Subject Guide to Forthcoming Books

季　刊

Cumulated Book Index

National Union Catalog

年　刊

American Book Publishing Record

Books in Print

Books in Print Supplement

Cumulated Book Index

Publishers' Trade List Annual

Subject Guide to Books in Print

多年彙積本

American Book Publishing Record

National Union Catalog

---

❶　除 CBI 為 H.W. Wilson 出版品，National Union Catalog 為美國國會圖
書館出版品外，其他均為 R.R. Bowker Company 出版品。

三、 R. R. Bowker Company 目錄系列

267. American Book Publishing Record. R.R. Bowker ISSN 0002-7707.

American Book Publishing Record 為一月刊，過去每月將 Weekly Record（ Bowker 出版品 1991 年 12 月停刊） 所收集的圖書彙積成為一冊，所有款目依照杜威十進圖書分類法秩序組織，自 1992 年起自行收集資料。

此一月刊有著者、書名索引及主題指南 (Subject Guide)，簡稱 ABPR，必需直接向 R.R. Bowker 訂購。

268. American Book Publishing Record Annual Cumulative 1991. R.R. Bowker 1700 pp. ISBN 0-8352-3203-4 ISSN 0002-7707.

本書為圖書館採購與編目工作，必備的參考資料。 其中包括約 40,000 個經過完全編目的款目，依杜威分類法編組，換言之，在此一出版品中可以找到完整的目錄性資料，甚至未經美國國會圖書館編目的圖書如何編目，也可以在本書中得到答案。

ABPR 的每年彙積本如下：

1980 Annual Cumulative 1981/1,264 pp. 0-8352-1367-7	**1986 Annual Cumulative** 1987/1,550 pp. 0-8352-2318-3
1981 Annual Cumulative 1982/1,337 pp. 0-8352-1438-9	**1987 Annual Cumulative** 1988/1,472 pp. 0-8352-2447-3
1982 Annual Cumulative 1983/1,245 pp. 0-8352-1616-0	**1988 Annual Cumulative** 1989/1,583 pp. 0-8352-2612-3
1983 Annual Cumulative 1984/1,470 pp. 0-8352-1813-9	**1989 Annual Cumulative** 1990/1,600 pp. 0-8352-2814-2
1984 Annual Cumulative 1985/1,515 pp. 0-8352-2013-3	**1990 Annual Cumulative** 1991/1,438 pp. 0-8352-3042-2
1985 Annual Cumulative 1986/1,600 pp. 0-8352-2173-3	**1991** 見本款目

269．American Book Publishing Record Cumulative．R．R．Bowker．

ABPR 的多年彙積本已出版者有下列三卷 ❷。

1970-74
1976/6,600 pp./4-vol. set
0-8352-0911-3

1975-79
1981/6,500 pp./5-vol. set
0-8352-1371-4

1980-84
1986/6,500 pp./5-vol. set
0-8352-2018-4

---

❷　R.R. Bowker 會出版 1960-1964，1965-1969 彙積本，但新 Catalog 中完全不提這兩卷彙積本，原因不詳。

　　這些彙積本將 1970-1984 年間的 490,000 種圖書，用杜威十進圖書分類法串連起來。

　　多年彙積本有著者、書名索引、以及主題指南。

270. Publishers Trade List Annual 1992 4v. ISBN 0-8352-3241-7.

　　圖書館採購編目單位如果擁有本書 4 卷，就不必保存以千百計的美國和加拿大出版公司目錄。

　　本書索引包括所有美、加出版商名單，以及 70 個主題範圍的出版商書目。

　　每年修訂。

271. Subject Collections 1993. R.R. Bowker, 7th ed. 2,500 pp. ISBN 0-8352-3141-0.

　　檢索在美國和加拿大的任何地方，無論那一項主題的資料，本書提供完整而又正確的資料。

　　本書從 11,000 所學術圖書館、專門圖書館、公共圖書館以及博物院圖書館的書藏中挑選 18,000 種圖書，運用 LC 37,000 主題標目及參見方法編組成為款目。

　　Books in Print Family. R.R. Bowker Company.

Books in Print 系列 (Family) 包括下列出版品：

- Books in Print
- Subject Guide to Books in Print
- Books in Print Supplement
- Paperbound Books in Print
- Forthcoming Books
- Subject Guide to Forthcoming Books
- Scientific and Technical Books in Print
- Medical Books in Print
- Business and Economics Books in Print
- Religious Books in Print
- Children's Books in Print
- Subject Guide to Children's Books in Print
- International Books in Print

以上所列舉者一方面由於其重要性，另一方面我們的圖書館及讀者使用的機會較多，R.R. Bowker 所出版的BIP 系列實際不止比數，例如意大利、紐西蘭、澳大利亞、德國的BIP 都是R.R. Bowker 公司的出版品 Russian Books in Print 還有CD Rom.（R.R. Bowker 1993）。

　　R.R. Bowker Company 將上述系列以一至五種形式 (Formats) 供應使用單位及個人。

1. 印製本　　　　Print
2. 唯讀型光碟　　CD ROM
3. 縮影單片　　　Microfiche
4. 線上作業　　　Online
5. 磁帶　　　　　Tape

R.R. Bowker Co. 在目錄，常以圖型代替顯示形式 (Format)，

BOOKS　　CD-ROM　　FICHE　　ONLINE　　TAPE

而不用文字說明，讀者應特別注意。

R.R. Bowker 在 BIP 系列上所作的努力，使得目錄的研究和應用大大向前躍進一步，因爲使用者：

1. 能找出仍在發行中 (in print)某一出版品的主題，著者及圖書方面的所有目錄性質資料的細節。

2. 能找出最新價格，出版時間及是否仍在出版的消息。

3. 能掌握無論是一般學科及專科科目最近出版品的情報。

4. 能隨時依照著者、主題、出版公司或出版日期編製書目。

5. 能追踪出版趨勢（trends）及若干學科出版品的行銷盛衰情況。

6. 能避免在出版品已呈飽和狀態（saturated）的學科範圍內出版新書。

7. 能物色可能擔任 (potential) 著者、編輯人員、書評專家及諮詢人員的人選。

272. Books in Print 1992-93. R.R. Bowker 13,800 pp. 10v.
ISBN 0-8352-3205-0.

Books in Print 簡稱BIP，每年10月出版，提供在美國出版及銷售圖書的最新資料，BIP 1992-93 的特徵如下：

● 款目遍蓋各類型圖書950,000 種，其中 145,000 種爲新書。

● 360,000 種圖書調整價格，BIP 及時修正。

- 從 1991 年 8 月到 1992 年 7 月 O.P. 及 O.S.I.。❸的 140,000 種圖書 B.I.P. 有專冊報導。

- 爲 40,000 出版公司成立的單獨索引。

- 爲一種圖書均提供完整及新穎的目錄性及採購的資料，款目內容包括頁數、價格、出版者‧版次、裝訂及 ISBN。

- 自本期開始，甚多的出版公司提供圖書解題 (Annotations)。

273. **Subject Guide to Books in Print 1992-93**. R.R. Bowker 8,750 pp. 5v. ISBN 0-8352-3251-4.

Subject Guide to Books in Print 1992-93 在 BIP 1992-93 中抽出 725,000 種非小說 (nonfiction titles) 編組在 66,000 Library of Congress subjectheadings 之下，以便利讀者運用主題檢索圖書。RQ 在書評中指出「任何一所圖書館沒有這一套書是無法自圓其說的」（ There is no excuse for any library lacking this one)。

其特徵如下：

- 單獨的索引典 (Subject The saurus) 列舉並參見主題指南 Subject Guide 中的標題字 headings ， 加上線上檢索主題號碼 online subject heading numbers ，對於 online CD-ROM 使用者可謂理想之至。

- 1500 新的標目反映當前趨勢，及新的論題。

- 提供 80,000 新書， 350,000 款目經過修訂，刪除 30,000 款目

---

❸　O.P.。—out of print 指絕版。

　　O.S.I.—out of stock indefinitely 指不定期缺貨。

（如O.P.、O.S.I 等情況）使內容新穎並且保持正確。

- 和B.I.P 相同的目錄性及採購資料。
- 新增加出版公司自動提供的圖書解題。

274. Books in Print Supplement 1992-93. R. R. Bowker 3600pp. 3vols ISBN 0-8352-3220-4.

Books in Print Supplement 1992-93 在 BIP 正篇的次年四月出版 ❹。

此一補篇的特徵為：

- 提供 70,000 新書及準備出版圖書的資料。
- 320,000 個款目經過修正。
- 指出 85,000 種OP 及OSI 圖書。
- 增加 4,000 新出版公司，並修正出版公司地址改變的資料。

275. Books in Print With Book Reviews PLUS. R. R. Bowker.

在一片CD Rom中提供 160,000 最新全文（fullt Text）書評。這些書評的來源是：

---

❹ 例如：Books in Print 1992-93 在 1992 年 10 月出版，Subject Guide to Book in Print 1992-93 則在 1993 年 4 月出版。

Library Journal,
Publishers Weekly, School
Library Journal, Choice,
Booklist, Reference and
Research Book News, Sci-Tech
Book News, University Press
Book News, Kirkus, and
BIOSIS ·

每月修正一次，可運用 MS-DOS 或 Macintosh.

276. Forthcoming Books. Bimonly I SSN 0015-8119.

Forthcoming Books 為一雙月刊，其功能相當於新書消息，其特徵如下：

- 五個月以後才能出版的圖書，Forthcoming Books 可以預先發佈訊息。
- 去年暑期出版以及即將出版 120,000 種圖書的訊息 Forthcoming Books 可以追踪。
- 提供將要出版圖書的資料，如預計出版時間、延後出版、書價調整、版次、書名、ISBN 及 L.C. 號碼。
- 解答有關新書內容的若干問題。
- 增加出版公司供應的圖書解題。

277. International Books in Print 1992. K.G. Saur 11th ed. 2v.

本書收集全球 5,800 家出版公司所推出 210,000 種圖書的資料，這些出版品都是以英文寫作的，英國和英國的出版品不在收集之列。

所有款目依照 AACR 和 ISBD 編目規則以字順排列。

本書爲 2v.。

v.1 著者、書名目錄 Author-Title List，July 1992， 2,500 pp.
ISBN 3-598-22121-5.

v.2 主題指南 Subject Guide，August 1992, 2,050pp. ISBN 3-598-22122-3 。

運用 134 個主題，將圖書組織起來。

278. Books Out of Print, 1984-1988. 3v. R. R. Bowker 3,500 pp. ISBN 0-8352-2506-2.

此一絕版書目錄收集 1984-1988 四年之內，四年宣告絕版(O.P.)的書籍共 280,000 種，若干無限期缺貨（O.S.）的圖書也包括在內。

本目錄依著者及書目編組，款目內容與原來在 Books in Print 中刊載者完全相同。

Books out of Print 提供經過出版公司證實的款目，（完整的目錄性資料）3,000 專門售賣剩餘物質的經紀人 (remainder dealers) 絕版書零售商，需求印製出版者 (on-demand publishers) 以及檢索服務 (Search Service)。此一目錄有書本，CD ROM 及 Tape 三種形式。

279. Guide to Microforms in Print 1992. K. G. Saur 700 pp. ISBN 3-598-11082.

280. Subject Guide to Microforms in Print 1992. K.G. Saur 1,000 pp. SBN 3-598-11083-9.

1992 Guide to Microforms in Print 是一册以著者、書名編製而成的微縮媒體指南，圖書館員運用這册指南可以找到世界各國（美國在內）商業和非商業出版的每一種微縮媒體、圖書、學報、報紙、政府出版品以及檔案都包括在內。

每一款目依字順排列，其內容爲著者、書名、卷册、出版者、時間、出版地、微縮媒體的種類、訂購訊息，附有出版者的通訊地址。

Subject Guide to Microform Inprint 1992 是 Guide to Microform in Print 1992 的姊妹篇，運用杜威十進圖書分類法作爲選用主題的依據。

281. Literary Market Place 1993. R.R. Bowker January 1993/c. 1,800pp. ISBD 0-8352-3237-9.

Literary Market Place 簡稱 LMP，是美國圖書出版業的指南，此書報導 15,000 個主要出版、印刷、出售及媒體服務單位，而讓使用者對於 30,000 從事這個行業的人員動向瞭如指掌。

本書每年出版，並已進入 CD-ROM 請參見 Library Reference PLUS。

282. International Literary Market Place 1993. R.R. Bowker January 1993/c. 850 pp. 0-8352-3232-8.

International Literary Market Place 提供全球 160 個國家與圖書有關的企業和社團組織，包括出版公司、翻譯社、讀書俱樂部、文藝協會、設備供應商的資料。

附加資料爲版權會議、國際性組合、國際性書目、 ISBN 制度的

評論、書商活動日曆等。

本書每年修正，並已進入 CD ROM ， 請參見 Library Reference PLUS 。

283．Scientific and Technical Books and Serials in Print 1993．R.R. Bowker 3v. 4,850pp. ISBN 0-8352-3246-8.

如果從事科技文獻書目研究本書三卷是開始最好的地方。

收集全球 135,000 科技圖書以及 22,000 種科技性期刊學報的資料，前蘇聯出版品的翻譯也包含在內。

本書涉及 14,000 主題範圍，每年修正，有 CD ROM 。

284．Scientific and Technical Books and Serials in Print Online．R.R. Bowker．

由 Bowker 資料庫如 Books in Print Ulrich's International Periodicals Directory， Scientific and Technical Books and Serials in Print Online 收集 235,000 科技圖書和 38,000 種科技期刊學報的目錄性及採購資料。

285．SCITECH Reference PLUS．R.R. Bowker．

在一片 CD ROM 之中，使用者可以檢索到有關美國科學、技術、醫學的所有資料，包括人員、公司、實驗室，以及文獻在內。

SCITECH Reference PLUS將 6 所資料庫中的資料集合在一處。

1. American Men and Women of Science 資料庫中 120,000 美國和加拿大科學家和工程的傳記。

2. Books in Print 資料庫中 235,000 種科技圖書中每一册的資料。

3. Ulrich's 資料庫中 38,000 種全世界的科技期刊學報。

4. Medical and Health Care Books and Serials in Print 資料庫中 64,000 種醫學圖書及 11,000 美國和其他國家醫學期刊學報的資料。

5. Directory of American Research and Technology 資料庫中 11,000 美國 R&D 實驗室的資料。

6. Corporate Technology Directory (Corptech) 資料庫中 35,000 美國技術公司及相關企業的資料。

使用此— CD ROM 可以從 27 種檢索方式找到資料，每年修正。

四、H. W. Wilson Company 標準目錄系列

H. W. Wilson Standard Catalogs Series. H. W. Wilson Company.

威爾遜圖書公司 (The H. W. Wilson Company) 所出版之標準目錄系列計有下列五種：

Children's Catalog

第 16 版，1991.

ISBN 0-8242-8505-6.

Fiction Catalog

第 12 版，1991.

ISBN 0-8242-0804-8.

Junior High School Library Catalog

第 6 版，1990

ISBN 0-8242-0799-8.

Senior High School Library Catalog

第 14 版，1992.

ISBN 0-8242-0831-5.

Public Library Catalog

Wilson Standard Catalogs 五種所收集的圖書均由圖書館專業館員組成之委員會選訂。

其出版的目的在於協助：

● 館藏發展。

● 圖書採購。

● 讀書輔導。

● 分類編目。

標準目錄系列爲一五年連貫版務 (A five-year ongoing service)，訂購一年可以得到該年精裝本加上以後四年平裝輔篇。

286. **Children's Catalog Sixteenth Edition.** 1,346 pp. 1991
ISBN 0-8242-0805-6 LC 91-27841.

Children's Catalog 第 16 版提供 6,000種精選兒童圖書的書目，其讀者對象是學前到小學六年級的兒童。

Children's Catalog 在編組上分爲三部份：

1. 根據杜威十進分類法簡本 Abridged Dewey Decimal Classification 將

書編組成爲四部份：

非小說（包括傳記）Nonfiction(including Biography)

小　說　　　　　　Fiction

故事集　　　　　　Story Collections

易讀圖書　　　　　Easy Books

2.　著者、書名、主題及分析索引 (analytical index)。

3.　出版公司指南。

Children's Catalog 所推薦的圖書清單由有經驗的兒童圖書館館員組成的顧問委員會投票產生。其功能如下：

●分析索引可以檢索全集，套書中的資料，因此補充了小學圖書館目錄之不足。

●分析索引增加了小學圖書館書藏的用途。

●完整的書目資料可以核對資訊 (verification of information)。

●反映小學圖書館書藏情況 (annotate Children's Catalog to reflect your library's holdings)。

●協助教師選擇適當圖書作課室教學之用。

●選購兒童圖書的主要參考工具書。

訂購 Children's Catalog 第 16 版 1991，可以連續收到 1992、1993、1994 及 1995 年的輔篇，每一輔篇介紹新出兒童圖書 500 種。

287.　**Fiction Catalog Twelfth Edition.** 956 pp. 1991 ISBN 0-8242-0804-8 LC 91-2355.

第 12 版的 Fiction Catalog(1991) 提供經由美國圖書館學專家精選的優良小說 5,200 種，均附有解題 (annotations)。

此一目錄在編組上分為三部份：

1. 圖書依主要款目 (main entry) 的字順排列，第一款目包括情節 (plot) 的簡介、書評的節要，並指出絕版 (O.P.) 的圖書，及翻譯小說。

2. 為前述部份的書名及主題索引。主題儘可能採用以適量反映小說內容，並且依地域及時代細分，以便使用者找尋某一時代或某一地區的著作，並有大字版 (Large print books) 書目，以便利視覺不良的讀者。

3. 為出版商的指南。

其功能有三：

● 圖書館採訪部門選購小說時首先查閱的工具。

● 讀者輔導工作的資源 (A Resource for Readers' Advisors)。

● 參考服務不可缺少的參考資料。

訂購 Fiction Catalog 第 12 版，可以連續收到 1991 、 1992 、1993 及 1994 年的輔篇， 每一輔篇介紹新出小說 600 種。

288. Junior High School Library Catalog Sixth Edition.
802pp. 1990. ISBN 0-8242-0799-8 LC 90-44498.

Junior High School Library Catalog 第 6 版 (1990) 有四年補篇 1991 、 1992 、 1993 、 1994 。

此一目錄的設計是為了配合初中學生課程，作為補充讀物的參考，經由圖書館學專家組成的顧問委員會精選 ， 合乎初中程度的圖書 3,200 冊。

本目錄在編組上分為三部份：

1. 分類目錄

根據杜威十進分類法簡本(Abridged Dewey Decimal Classification)
分類，及薛爾斯標題總目 (Sears List of Subject Headings) 以取得
標題，每一款目均有完整的目錄性資料 （Complete bibliographic
information，有時加註書評中的引語 (quotations)。

2. 索引部份

為分類目錄查詢便利而編製的著者、書名及主題混合索引。此外
合著者 (joint authors) 及著者姓名的變化型式 (Variant forms of
the author's name) 均有參見。此一目錄分析編目 (Detailed analy-
tical cataloging) 之澈底，對於學校圖書館目錄極有幫助，尤其是
在全集 (Collections) 及選集 (Anthologies)之中查詢個別作者或某篇
文字的資料。

3. 出版公司的指南

每一補篇介紹 500 冊新書。

其功能如下：

● 探訪圖書的工具書。

● 編目用書。

● 參考服務工具書。

● 支援教學 (A Resource for Curriculum Support) 。

● 補充學校圖書館目錄。

289. Senior High School Library Catalog Fourteenth Edition
1,464 pp. September 1992. ISBN 0-8242-0831-5.

Senior High School Library Catalog 第 14 版 (1992) 有四年補篇，

1993 、 1994 、 1995 、 1996 （ 所謂 5 年連貫服務 A Five-Year
Ongoing Service） 。

此一目錄的設計是爲了配合高中學生課程，作爲補充讀物的參考
經由圖書館學專家組成的委員會精選，收集適合高中學生閱讀程度的
圖書 6,000 冊。

其編製方法與 Junior High School Library Catalog 相同。

1. 分類目錄

運用杜威十進圖書分類法 (Dewey Decimal Classification System)
及薛爾斯標題總目 (Sears List of Subject Headings) 。

2. 爲前項目錄的著者、書名、主題及分析索引。

3. 出版商指南。

Senior High School Library Catalog 的功能和 Junior High School
Catalog 相同，祇是程度上的差異而已。

關於高中學生讀物，除本目錄外尚可參考下列一書。

Books for Secondary School Libraries R.R. Bowker, （此書重點在
於藝術、哲學、歷史及宗教，共收集非小說圖書 9,000 冊 ）。

290. Public Library Catalog Ninth Edition 1,338pp. 1989.
ISBN 0-8242-0778-5 LC 89-9162.

Public Library Catalog 第 9 版 (1989) 提供 7,250 冊非小說 (non-
fiction titles) 圖書的資料，爲一分類目錄，由圖書館學專家組成的
委員會精選。

此一書目出版的設計一方面爲公共圖書館及大學圖書館選購圖書
之用，另一方面有助於分類編目工作，同時也可用作參考服務的工具

書。

其內容編組分為三部份：

1.　分類目錄

依著者姓名排列，提供完整的目錄性資料，所採用的標題根據 Sears List of Subject Headings，分類則根據 Abridged Dewey Decimal Classification，附帶國際標準書目號碼（ISBN）及美國國會書圖館卡片號碼。

每冊圖書內容的介紹或以解題（annotation）說明，或者摘錄書評的部份作為引語（evaluative quotaions）。

2.　為前述分類目錄的索引

計有為全部圖書編製的著者、書名及主題三種索引。此外並為圖書編輯分析款目（analytical entries）。

圖書館編目部門可利用此一部份的資料，建立權威擋（authority file）。

3.　為出版公司的指南，附有名稱及地址

根據 5 年連貫服勝（A five-year ongoing service）的原則，此一書目有四年補篇 1989 、 1990 、 1991 、 1992，共增加 3,200 冊新書的資料。

五、Whitaker 公司目錄

291. **Whitaker's Books in Print.** Lowdon Whitaker 1993. 4v. ISBN 0-85021-230-8.

本目錄以電腦編製，每年出版一次，為英國出版品，1993 年的

Whitaker's Book in Print 共 4v.，款目依字順排列：

v.1	A — D
v.2	E — K
v.3	L — R
v.4	S — Z

每一款目包含下列資料：

著者、編輯者、翻譯者、修訂者。

書名。

版次。

初版及最新版時間。

體積、頁數。

圖解。

國際標準圖書號碼。

國際標準叢刊號碼（ISBN）（ISSN）。

附有英國出版品及出版商指南、著者書名及主題索引，和過去版次不同之處是把原來安排在第一的出版公司名單轉移到第四卷，因為這四卷都是龐然大物調整的結果，使每冊篇幅較為接近，厚薄比較平均。

在 1988 年原名 British Books in Print，凡出版品價格在 0.15 英磅以下者不在收集之列。

六、好書、暢銷書書目

292. **Best Books for Public Libraries 1992.** R. R. Bowker 1,024 pp. ISBN 0-8352-3073-2.

本書所選擇的 10,000　種圖書都是得到重要書評好評的優良圖書，這些書評是：Library Journal, Booklist, Choice, The New Yorker, The New York Times Book Review, Atlantic, Time Newsweek.

Best Books for Public Libraries 將這些精選圖書分為：

1　小　說　　根據類型（by genre）

2　非小說　　根據杜威十進分類法

並且指出得獎作品、暢銷書、大學版等項，每一款目內容包括書名、著者、出版者、出版時間、價格、版次，ISBN 簡短解題 annotation 和引用文獻的書評。

本書可以用為館藏發展、評鑑書藏的重要參考工具，和 H.W. Wilson 公司出版的 Standard Catalog for Public Libraries 配合使用。

293.　Best Books for Children R.R. Bowker Company.

本目錄提供 9,000 種專供兒童閱讀的好書。

此一書目與課程密切配合，依照主題編組而且附有解題 （annotations）。

在編組上，此一書目將推薦圖書分為 35 個主題範圍，每一冊書均經三種書評評鑑，每一款目內容包括完整的目錄性資料，其中並註明閱讀程度（grade level）。

由於本目錄中的圖書均經精選，而且在數量上為一般兒童讀物選購工具書的三倍，論質論量，兒童圖書室都應該購置一冊。

294.　Books for the Gifted Child Ist ed. R.R. Bowker.

　　此一目錄編製的目的乃是爲了因應資賦優異兒童的閱讀需要。

　　精選 150 種對這些「神童」作智力挑戰（intellectually-challenging）的好書。書籍的範圍頗廣，從圖畫書到現代小說都應有盡有，在挑選時不僅考慮到誘導兒童的智慧啓發，同時更希望刺激孩子的閱讀興趣，進而養成喜歡看好書的習慣。

　　本目錄所選的好書以學前兒童到初中的優秀學生爲對象。

　　此外，本目錄並討論敎養資賦優異兒童的問題，學校應如何面對此一問題，以及選擇良好兒童讀物的標準。

295． **Bestsellers 1895-1990**．R.R. Bowker 1993. ISBN 0-8352
　　 -2730-8/£32.50

296． **80 Years of Best Sellers, 1895-1975**．R.R. Bowker

　　80 Years of Best Sellers 提出數字與事實說明何謂暢銷書，其數字的標準如下：

1. 精裝書 hard cover 　　　 售出 75 萬册以上者
2. 平裝書 paperbound 　　 售出 200 萬册以上者
3. 特殊範圍或學科 　　　 售出 50 萬册以上者

　　八十年來的暢銷書範圍甚廣，包括兒童讀物、園藝、食譜、文藝、傳記、導遊參考書等，此書列舉自 1895 年以來，每年前十名暢銷小說及非小說（annual top ten fiction and nonfiction titles）。

　　本書的重要性並不在於爲圖書的市場建立排行榜，而是了解美國人民讀書情況和閱讀習慣的轉變，是圖書館參考室必備的參考資料（參考館員必讀）。

Bestsellers 1895-1990 是 80 Years of Bestsellers, 1895-1975的修正版，編輯者是 Daisy Maryles 她也是 Publishers Weekly 暢銷書部門的編輯人，由於這種關係，本書是 R.R. Bowker/Publishers Weekly 合作的出版品，根據她多年的研究與經驗提出簡單扼要的暢銷書史及決定選擇標準，本書在內容上更提供：

1. 依年次排列的暢銷書目，並解說在排行榜前十名暢銷書的社會、歷史和文藝的背景。

2. 持久不衰的暢銷書目。

3. 在 1895 年前就已經暢銷的圖書書目。

297. How-To 1,400 Best Books on Doing Almost Anything
R.R. Bowker ISBN 0-8352-1927-5.

此一指南式的目錄在近代社會中的價值是無法評估的，現代社會有兩大特徵：

1. 由於經濟的理由，現代的人，無論是獨身，有家室之累或是工作的環境裏，都必需學會「親自動手」。

2. 由於休閒時間的增加，現代的人必需養成若干好癖或是實際的操作以打發時間。

本書編者是大名鼎鼎的 Bill Katz and Linda Sternbery Katz ，依據用途、可讀性及效果。

本書目收集 1,200 種優良的「如何做」書籍 (how-to-do-it books) 從養鳥滑雪到縫紉，依主題編組。每一款目包括著者、書名、出版公司、出版時間、頁數、價格及杜威分類號及功能評估。

附互見及著者、書名索引。

　　本書是 How-to： 1200 Best Books on Doing Almost Anything 的修正版，Booklist 對本書有極高評價。

298. Self-Help: 1,400 Best Books on Personal Growth R.R. Bowker ISBN 0-8352-1939-9.

　　Self-Help 為 How to 的姊妹作。

　　本目錄選擇專供自修的 1,200 種優良圖書，其編製的目的在於有助自我成長 (Personal Growth)。

　　本目錄範圍甚為廣泛，從經商、家庭醫藥、寫作至增進夫婦情感等，可謂無所不包。

　　299. 本書是 Self-Help:1200 Best Books on Personal Growth 的修訂版，主編當然是 Bill Katz and Linda Sternberg Katz 。

第十章　美國政府出版品

一、名詞的討論

何謂政府出版品（Government　Publication）

根據 Checklist of United States Public Documents, 1789-1909 一書中所下的定義：政府出版品乃是指「任何運用政府機關名義，經由政府機關授權，或動用政府經費而印製的出版品均稱為政府出版品。」❶ 這一界說先後為資深圖書館參考工作權威薛爾斯（Louis Shores）和圖書館學專家凱茲（William A. Katz）引用。 這兩位學人所不同之處在於凱茲採用 " Government Document " 字樣， 並用為他的名著參考工作概論（Introduction to Reference Work）第一卷第十一章的篇名 ❷。薛爾斯屬於老派保守人物，片紙隻字不肯輕易放過，照他看來， " government document " 是儲藏於國家檔案機構中的原始文件， " government publication " 則是由圖書館保存的這些原始文件的複製品 ❸。因此，他的大作基本參考資料（Basic Reference Sources） 第十三章即以

---

❶ Louis Shores, Basic Reference Sources (Chicago: A.L.A. 1954)，
　 p.208.

❷ William A. Katz, Introduction to Reference Work, V. 1. (New Yo
　 York: McGraw-Hill, 1983)， p.353。

❸ Shcres, p. 209.

" Government Publications "爲章回名稱。另一位學人賀羅維茲 (Lois Horowitz) 雖然也採用" government document "字義作爲章回名稱,但她在文字中一再引用「誤用的名詞」(misnomer) 和 「誤導的名詞」(misleading term) 之類強烈形容詞句以表示內心的不滿,最後她以莫可奈何的口吻指稱:「只好將錯就錯了」❹。美國圖書館協會則在圖書館名詞詞彙(A.L.A. Glossary of Library Terms) 中決定" Government Publication, "" Document," " Government Document," " Public Document 等名詞都可以交換使用。近一兩年來,學人如赫朗 (Peter Hernon)、麥克魯 (Charles R. McClure) 則根本不理會這些名詞,他們於 1984 年所出版的討論政府出版品的暢銷書乾脆定名爲 Public Access to Government Information 。我極爲欣賞這本名著,尤其喜愛這一書名,中文勉強譯爲人民如何順利取得政府資訊,意義雖然與原文近似,但無論看、讀都不及原文生動、順口。以英文名詞而論,我極願以" government information"取代" government publication "或" government document "。但在中文譯名中我却不敢以「政府資訊」代替「政府出版品」,一方面避免引起不必要的誤解,另一方面表示對傳統的尊重。

由於美國是資訊王國,美國出版品自然而然的成爲西文參考資料的主力;因此在本文中所討論的政府出版品只限於美國政府出版品。

二、早期的美國政府出版品

如果我們稍加研究,就會發現一個極爲奇怪的現象,那就是很難

---

❹ Lois Horowitz, Knowing Where to Look(Cincinati, Ohio: Writers Digest Books B, 1984),p.203.

在圖書館學文獻之中找到系統性的有關美國政府出版品的資料。席曼克柏 (Laurence F. Schmeckebier) 與伊士丁 (Roy B. Eastin) 是研究美國政府出版品的權威，他們在布魯金斯研究所 (The Brookings Institution) 支持之下，出版了政府出版品及其用途 (Government Publications and Their Use) 一書。這一本偉大的著作長達 476 頁，於 1961 年問世以來，就被視為這方面的經典鉅著，為從事政府出版品管理的圖書館員必備的讀物。細心的讀者一眼就可以看出這一部書印製的特殊之處，那就是在書套和書名頁上的書名，Government Publications 以大號字印行，and Their Use 則用小號字。這種排字的方法其目的並不在美觀，而是在造成一種印象，暗示此一著作的重點放在甚麼地方。我曾三讀此書，受益良多；但總覺得書名與內容不盡符合。其緒論 (Intrdouction) 部份僅有區區六頁，其他十八個章回充份的討論了不同類型的政府出版品和各自的使用方法。換言之，緒論並不是重點之所在，也就是說政府出版品的沿革資料少得可憐，在這一名著之中不佔地位。

何以會有這個現象？本書作者指出：「所謂政府出版品乃是人民管理自己所作努力的活記錄 (living record)」❺。 我們不要把這種論調看成他們為「政府出版品」所下的界說。他們企圖以各類型政府出版品的發展經過代替歷史。我個人卻認為這一說明只是申述政府出版品發行的目的而已。

有關美國政府出版品的歷史資料雖然鳳毛麟角，但是我們至少可以肯定一點，1860 年是一個關鍵年。 那年美國國會通過法案成立政

---

❺　Laurence Schmeckebier and Roy B. Eastin, Government Publications and Their Use (Washington, D.C.: The Brookings Institution, 1961), p. 203.

府出版單位，也就是後來美國政府印刷局（Government Printing Office 簡稱 G.P.O.）的前身。翌年 (1861) 美國政府開始自行出版文獻。在 1860 年以前美國政府並非沒有出版品，但政府機構完全是與私營出版公司訂約，以議價方式印製政府出版品。據薛爾斯報導，以國會而論，如果共和黨（Whig）爲多數黨而控制國會時，與政府訂約的私營出版公司必然是 Gales 與 Seaton ，如果民主黨 (Democrats) 得勢，則由 Duff Green 或 Blair Rives 兩大公司出面與政府訂約。他曾經以取笑的口吻說，只要檢查書名頁看是由那一家公司承印政府出版品，就可以看出那時共和、民主兩黨誰在控制國會❻。在資訊分發（distribution）方面，管理機構幾度易手，最早由美國國會圖書館負責，1857 至 1858 年間管理 權力轉移至內政部，同時開始實施圖書館寄存辦法。一直到 1895 年，國會通過印製法（Printing Law of 1895），撤除內政部的管理單位，單獨成立政府印刷局，1860 年的構想在漫長的三十五年之後終於實現。由上述例證及說明，可見美國政府出版品的發行與管理缺乏通盤計劃，以後的困難就是先天不足的結果。

三、美國政府出版品的特徵

美國爲一民主國家，自 1776 年立國以來，一直以民主政治的精神堡壘自居，而以民有、民治、民享爲國家政策的最高原則。民主的要件之一，乃是政府與人民之間必需「溝通」(communicate)，因此政府出版品就擔任了溝通橋樑的使命。「溝通」就是「讓人民知道」(to inform)，但是 「民可使知之」，並不等於人民可以自由取得

---

❻ Shores, p.209.

(free access) 資訊。茲就美國政府出版品的成敗得失略作檢討。

1. 優　點

(1)　權威性 (Authority)

薛爾斯指稱：「只要政府機關名稱在書名頁上出現，其內容的權威性已經取得保證 」❼。墨菲 (Robert Murphey) 在怎樣找出資料 (How and Where to Look It Up) 一書中也有類似的說明。他說：「大多數政府出版品的正確性幾乎是毋庸置疑的 」。❽ 他們的觀點沒有學者專家提出異議，正確、可靠是美國政府出版品的最成功之處，幾乎所有的年鑑型參考書都靠政府機構供應統計資料，而若干政府機構的研究報告都是珍貴的第一手資料。

(2)　經濟性 (Economy)

所謂經濟性是要看從那一個角度來觀察。由於「寄存圖書館制度」(Depository Library System) 的出現，人民可以無需付出代價取得政府提供的資料，當然是合乎經濟原則的 ; 但是站在政府立場卻極不經濟。此點以後再行說明。美國政府出版品也有銷售情形，但是並不以營利為目的，最多也只能看成蝕本買賣。

(3)　新穎性 (Timeliness)

甚多原始報告、新的研究發現、最近統計數字都最先在政府

---

❼　Ibid., p. 208.

❽　Robert Murphey, How and Where to Look It Up (New York: McGraw-Hill, 1958), p. 5.

文獻中出現。

(4) 可讀性 (Readability)

美國政府出版品的主要讀者對象爲美國人民大衆，因此編寫
計劃都以「大家都能看得懂」爲寫作時考慮重點。因爲文字
流利，裝訂精美，圖解美觀，過去曾有一家私營出版公司將
某種政府出版品冒充商業出版品 (Commercial Publication) 出
售，而遭到政府處分的記錄❾。

2. 缺　點：種類複雜

美國政府出版品究竟有多少類別 (types)，我曾經請教一位美國圖
書館界先進好友，他的回答是：「如果你有正確的答案，請告訴
我。」席曼克柏和伊士丁對這個問題避而不談，他們的成名著作
政府出版品及其用途一書將分類編目、工作與各類型政府出版品
扯在一起，雖然各有不同章回，好像井然有序，但閱讀以後仍然
不能說出一個確切的數字。

薛爾斯將政府出版品區分爲以下六種類型：

(1) 國會出版品 (Congressional Publications)

(2) 行政部門出版品 (Executive Publications)

(3) 司法部門出版品 (Judicial Publications)

(4) 索引與書目 (Indexes and Bibliographies)

(5) 地方政府出版品 (Document of State and Local Government)

(6) 外國政府與國際組織出版品 (Foreign and International

---

❾　Shores, p. 208.

document)。❿

凱茲的組織較爲精簡，他將美國政府出版品分組爲：

(1)　行政部門出版品。

(2)　立法部門出版品。

　　①　國會記錄 (Congressional Record)

　　②　法律 (Laws)

　　③　聽證會記錄 (Hearings)

　　④　議會各委員會出版品 (Committee Prints)

　　⑤　套書 (Serial Set)

(3)　司法部門出版品。⓫

顯然，他是根據三權分立的哲學思想將美國政府出版品組織起來。此外，他將各州及地方政府出版品另行組成一部以符合中央（即聯邦政府）與地方政府分權的政治原理。

值得我們注意的是薛爾斯和凱茲的組織並不是他們的發明，更不是「英雄所見略同」，而是「遷就現實」的必然結果。這點以後再作交代。

赫朗與麥克魯則以功能 (function) 爲着眼點，在人民如何順利取得政府資訊一書中將美國政府出版品編組爲六大範疇：

(1)　立法 (Legislative)

(2)　行政 (Administrative)

(3)　報告 (Reportorial)

(4)　服務 (Service)

---

❿　Ibid., pp. 207-225.

⓫　Katz, pp. 353-376.

(5) 研究 (Research)

(6) 資訊 (Informational)

更在每一範疇之下列舉 (上限為十七項) 依形式細分的類型：

① 行政報告 (administrative reports)

② 委員會報告 (committee and commission reports)

③ 研究報告 (research reports)

④ 統計 (statistics)

⑤ 普通資料小冊子 (general information pamphlets)

⑥ 期刊 (periodicals)

⑦ 新聞發佈 (press releases)

⑧ 指南 (directories)

⑨ 目錄與書信 (bibliographies and lists)

⑩ 判決 (decisions and opinions)

⑪ 規章 (rules and regulations)

⑫ 地圖 (maps)

⑬ 視聽資料 (audiovisual resources)

⑭ 法案及決議案 (bills and resolutions)

⑮ 聽證會記錄 (hearings)

⑯ 學報及會議錄 (journals and proceedings)

⑰ 法律 (laws and statutes) ⓬

賀羅維茲認為美國政府出版品範圍廣博，任何列舉方式都將

⓬ Peter Hernon and Charles R. McClure, Public Access to Government Information(Norwood, N.J .: Ablex Publishing Corp., 1984), pp. 44-45.

是「徒勞無功」。她只能採用「抽選」(random selection) 的
辦法,而她的「隨機抽樣」(a random sample) 也有九類之
多,每類並以例證說明 ❸。

① 專供消費者與納稅人參考的美國政府出版品

　　Publications for Consumers and Taxpayers.

　　如何標購國防部出售之剩餘個人物資 (How to Buy Sur-
　　plus Personal Property from the Department of Defense),
　　美國國防部編, 1978 年, 23 頁。

　　指導民衆如何投標購買政府剩餘工具、傢俱、辦公用設
　　備及車輛。

② 海報 (Posters)

　　有毒與無毒蛇類 (Snakes: Poisonous and Nonpoisonous Sp-
　　ecies) ,美國陸軍工程署印製, 1981 年。

　　此一海報爲 37 × 28 吋之彩色圖,展示蛇類 18 種。

　　旅行家號遭遇木星及其月亮衛星圖 (Voyager's Encounter
　　with Jupiter and Its Moons) ,美國太空總署 (NASA) 印
　　製, 1980 年。共六幅,每幅大小爲 36 × 24 吋。

③ 小册子 (Pamphlets and Brochures)

　　國外旅行須知 (Your Trip Abroad) , 美國國務院編,
　　1928 年。 32 頁。

　　提供申請護照、簽證、黃皮書、海關手續、領事館服務
　　項目等資料。

④ 目錄 (Bibliographies)

---

❸　Horowitz, pp. 204-207.

吸煙與健康參考書目 (Bibliography on Smoking and Health)，美國公共衛生局編，1981 年。 533 頁。

⑤ 指南 (Directories and Guidebooks)

太陽能教育指南 (National Solar Energy Education Directory)，美國能源部編，1980 年。 279 頁。

收集美國全國 900 所著名大學提供之太陽能及相關課程。

⑥ 手冊及教範 (Handbooks and Manuals)

歐洲商展：美國出口商指南 (European Trade Fairs: A Guide for Exporters)，美國商務部編，1981 年。 75 頁。

指導美國出口商人如何打開歐洲市場，尤其是參加歐洲商展的技術，以取得利潤。

美國海軍跳水教範 (The U.S. Navy Diving Manual)為全世界公認有關跳水技術最具權威之參考資料。

⑦ 字典與詞彙 (Dictionaries and Glossaries)

礦業礦產及相關名詞字典 (Dictionary of Mining, Minerals and Related Terms)，美國聯邦礦務局編，1968 年。 1,269 頁。

列舉 55,000 個英文礦業名詞，並加以解釋。專業人員及一般民眾均可使用。

國際關係字典，(International Relations Dictionary)，美國國務院編，1980 年。

解釋國際事務上所用之名詞、片語、重要單字及簡寫字。

⑧ 雜誌 Magazines)

商業美國 (Business America)，美國商務部編，1978 年

創刊。

此一雜誌提供有關通商機會之最新資料，以便美國出口商行在國外展開貿易。

長春 (Aging) 雙月刊，美國衞生部出版，1951 年創刊。專門提供老人活動、休閒的文字與消息，讀者對象爲三千三百萬年齡超過六十歲以上的美國人。

⑨ 索引與摘要 (Indexes and Abstracts)

精選水資源資料摘要 (Selected Water Resources Abstracts)，美國內政部編印，1954 年迄今。

此一摘要將有關水質管理、水污染、水法律、港口管理及水災控制的論文與報告編組成爲索引。

如果我們將赫朗與麥克魯的列舉和賀羅維茲的「抽樣」結果作一比較，就會發現只有四種類型近似或雷同，可以合併。

列舉 (赫朗)　　　　抽樣 (賀羅維茲)

　普通資料小册子　　　小册子

　期刊　　　　　　　　雜誌

　指南　　　　　　　　指南

　目錄與書單　　　　　目錄

　列舉不全，經由抽樣提出者 (賀羅維茲)：

　專供消費者與納稅人參考的美國政府出版品

　海報

　手册及敎範

　字典詞彙

　索引及摘要

如果將赫朗的「列舉」和賀羅維茲的「抽樣」合併，則美國政府

出版品的類型將由 17 項增加爲 22 項。即令如此，也不能代表美國政府出版品所有的類型；例如美國總統文件（Presidential Papers）一向是美國政府出版品中的骨幹，席魯克柏與伊士丁在政府出版品及其用途一書中單獨編寫成爲第十二章就不在前述的「列舉」與「抽樣」之中⓮。我所以不厭其詳的一再討論，並非對前述這些學者的努力有所批評，而是強調美國政府出版品的多彩多姿，無所不包，因而引起了管理（management）和處理（processing）的困難。

四、怎樣使用美國政府出版品

怎樣接近美國政府出版品？何以圖書館學研究所苦心培育的圖書館員只能回答 37 ％與政府出版品有關的參考問題？我想關鍵是由於以下三大原因：

- 美國政府出版品獨具一格的索書碼制度使得任意瀏覽（browsing）不僅無意義，而且不可能⓯。

- 縮影型式逐漸取代印製文件，增加圖書館員和讀者使用的不便⓰。

- 美國政府出版品過份強調製作與出版單位，跟圖書館員重視著者、書名、主題，以加強書本知識（Book Knowledge）的習慣並不配合。

⓮　Schmeckebier and Eastin, pp. 308-325.

⓯　Horowitz, p. 214.

⓰　Hernon, pp. 144-165.

圖書館員，乃至於讀者爲了接近及運用美國政府出版品必須在參考工具書上多下功夫。這裏所說的參考工具書的問題可分爲兩大部份：

- 找尋文獻的參考工具書（finding tools），這是辨識 （identifying them) 的問題。
- 取得文獻的參考工具書 (how to get the documents you need)，這是取得 (getting them) 的問題。

1. 找尋文獻的參考工具書

300. **Monthly Catalog.** Issued by the Superintendent of Documents. 1895 —，簡稱MC.

此一參考書爲書目而非索引。款目依發行單位 (issuing agency) 字序排列，從事研究工作者應檢查每期後面所附之主題索引。使用者應儘量運用彙積本 (cumulative volumes)，有一年、五年及十年彙積本。MC 爲主要美國政府出版品目錄，但非唯一的目錄，其收集的資料約爲全部美國政府出版品的 55％至 96％。MC 也收集極少的技術文獻 (technical literature)。對技術報告 (technical reports) 有需要者應查詢 Government Reports Announcements and Index。此外，MC 每期均附書名關鍵字索引（自 1980 年 6 月開始）。

301. **Cumulative Subject Index to Monthly Catalog of United States Government Publications, 1900-71.** 15 volumes. Carroilton Press.

此參考書依主題排列，登錄項目縮短 (entries are shortened)，因此

必須與 MC 配合使用。

302. **Cumulative Title Index to United States Public Docum-ents, 1789-1976**. 16 volumes. United States Historical Documents Institute.

此一索引收集所有登錄於 MC 政府出版品的書名。如果使用者知道書名 (document title)，運用此一索引可立刻找到出版日期及索書號碼 (date or Sudocs number)。

303. **Government Printing Office (GPO) Sales Publications Reference File**. Issued by the Superintendent of Docu-ments. 1977-date.

簡稱 PRE，只以縮影單片形式發行 (on microfiche only)。 此一工具的作用等於美國政府出版品的 books-in-print，依關鍵字、片語、主題、書名、著者等混合排列組織成為字典式目錄。

由於 MC 登錄之項目並非全部可以出售，購買美國政府出版品必須檢查 PRE。

304. **Index to United States Government Periodicals**. Infor-data International, Inc. Quarterly. 1973-date.

此一索引收集美國政府出版品中之全部期刊，約 170 種。依主題編組，此 170 種期刊同時以縮影型式發行。

由於 Reader's Guide　只收集七種政府出版的期刊（Smithsonian, Aging, American Education, Children Today, Department of State Bulletin, FDA Consumer, Monthly Labor Review），利用期刊文獻，此一索引爲參考室必備的工具書。

305.　CIS/Index and Abstracts to Publications of the U. S. Congress. Congressional Information Service, Inc. 1970-date.

爲美國國會所有出版品的摘要。

306.　Public Affairs Information Service (PAIS) Bulletin. Public Affairs Information Service, Inc. Biweekly. 1915-date.

PAIS 爲極少數登錄美國政府出版品的商業期刊索引之一，其收集資料雖不太多，但爲找尋重要資料最迅速容易的工具書。本工具書的最大用途爲研究工作開始必須利用美國政府出版品的時候，文獻從出版到索引問世的時差就有三週。一件政府報告往往在PAIS中登錄之後才在MC之中出現。

PAIS 與MC 另一不同之處在於MC 爲一書目。PAIS 爲一索引。在MC 的主題索引中很少找到雷根總統爲登錄項的資料，在 PAIS　中則收集了無數的款目，如他的演說、談話等。

307.　CIS Serial Set Index, 1789-1969. Congressional Information Service, Inc.

美國國會出版品大體可分四個類型：即 hearings, prints, reports, documents；後二項依號碼連續刊出稱為 Serial Set。

Serial Set 資料數量龐大，美國歷史上 76 屆國會之資料，如以縮影型式排列約佔地面 85 呎，縮影單片總價在美金十萬元以上。

此一參考工具書極為重要。曾有新聞記者詢問作家狄·布朗(Dee Brown)， 如果他一人居留在荒島上，他願意手邊有甚麼書。他毫不考慮的回答：「The U. S. Serial Set。」 ❼

2. 取得文獻的參考工具書

308． A Bibliography of United States Government Bibliographies, 1968-73, by Roberta Scull. Pierian Press. 1975. 1974-76; 1979.

應先查主題索引，以找出專門類別的書目。

309． Government Reference Books， 1968/69-date. Libraries Unlimited.

此一參考書指南每兩年出版一次，資料包括書籍、小冊子、書目、指南等政府出版品，附有主題及書名索引。A Subject Guide to Government Reference Books, by Sally Wynkoop, Libraries Unlimited, 1972 一書可對照參考。

---

❼　Horowitz, pp. 225-26.

410．Guide to U.S. Government Directories, 1970-1980, by Donna Rae Larson. Oryx Press.

　為一專門收集政府出版的指南之參考書，若干論題極為專門，如接受教育機會（educational opportunities）、瀕於絕種的生物（endangered species）等等。

　依 Sudocs call number 編排，使用者可多用主題索引。

411．New Guide to Popular Government Publications for Libraries and Home Reference, by Walter Newsome. Libraries Unlimited.

　大部份為消費者與商業有關的政府出版品，如出口貿易、家庭醫藥顧問等等大眾關心的事項。與本參考書內容近似的工具書為 A Popular Guide to Government Publications, by W. Philip Leidy, 1st-4th editions, Columbia University Press, 1953-76，可對照使用。

參考（專書）書目

Bopp, Richard E.
   Reference and Information Services
   Littleton, Colo. Libraries Unlimited 1991

Cheney, Frances Neel
   Fundamental Reference Sources
   Chicago: American Library Association 1971

Hillard, James M.
   Where to Find What. Metuchen, N.J.
   The Scarecrow Press, Inc. 1984

Holte, Susan and Bohdan S. Wynar
   Best Reference Books 1970-1980
   Littleton, Colorado. Libraries Unlimited, Inc. 1981

Jahoda, Gerald
   The Librarian and Reference Queries
   New York, Academic Press 1980

Katz, William A.
   Introduction to Reference Work.
   New York, Mcgraw-Hill 1982

Katz, Bill and Ruth A. Fraley
   Reference Service Administration and Management
   New York: Haworth 1982

Katz, Bill
    Rothstein on Reference...With Some Help from Friends.
    N.Y. Haward Press 1989

Rowland, Arthur Rag
    Reference Services
    Hamden Connecticut, Shoe String Press 1964

Sader, Marion, ed.
    General Reference Books for Adults
    New York: R.R. Bowker, 1988

Stevens, Roll and E.
    Reference Work in the Public Library
    Littleton, Colorado. Libraries Unlimited, Inc. 1983

Stevens, Rolland E.
    Reference Work in the University Library
    Littleton, Colorado, Libraries Unlimited Inc. 1986

Taylor, Margaret and Ronald R. Powell
    Basic Reference Sources.
    Metuchen, N.J. Scarecrow Press, Inc. 1985

Thomas, Diana M.
    The Effective Reference Librarian
    New York: Academic Press 1981

Wynar Bohdan S.
    Recommended Reference Books
    Littleton, Colorado Libraries Unlimited 1984

書名索引

國立中央圖書館出版品預行編目資料

參考工作與參考資料：英文一般性參考工具書指南／沈
　寶環編著--初版.--臺北市：臺灣學生，民82
　　面；　　公分.--（圖書館學與資訊科學叢書；30）
　參考書目：面
　含索引
　ISBN 957-15-0572-2（精裝）.--ISBN 957-15
-0573-0（平裝）

　1.參考書・目錄

015.5　　　　　　　　　　　　　　　　　82007052

參考工作與參考資料（全一冊）
——英文一般性參考工具書指南

編 著 者：沈　　　寶　　　環
出 版 者：臺 灣 學 生 書 局
本書局登
記證字號：行政院新聞局局版臺業字第一一○○號
發 行 人：丁　　　文　　　治
發 行 所：臺 灣 學 生 書 局
　　　　　臺北市和平東路一段一九八號
　　　　　郵 政 劃 撥 帳 號 0 0 0 2 4 6 6 8
　　　　　電　話：3 6 3 4 1 5 6
　　　　　FAX：(0 2) 3 6 3 6 3 3 4
印 刷 所：常 新 印 刷 有 限 公 司
　　　　　地　址：板橋市翠華街8巷13號
　　　　　電　話：9524219・9531688
香港總經銷：藝 文 圖 書 公 司
　　　　　地址：九龍偉業街99號連順大廈五字
　　　　　樓及七字樓　電話：7959595
定價　精裝新台幣三八○元
　　　平裝新台幣三二○元

中 華 民 國 八 十 二 年 九 月 初 版

01904　　版權所有・翻印必究

ISBN 957-15-0572-2（精裝）
ISBN 957-15-0573-0（平裝）

臺灣學生書局 出版

圖書館學與資訊科學叢書

圖書館學類圖書